Depoimentos da comunidade
GLUCOSE GODDESS
no Instagram

Embora estes testemunhos se baseiem em histórias individuais de sucesso, os resultados podem ser variados.

"Alguns dias depois de colocar em prática as dicas de Jessie, minhas compulsões alimentares desapareceram. Isso mudou tudo."

Laura, 63 anos

"Estou comendo massa e perdendo peso. Tem como ficar mais fantástico que isso?"

Jasmin, 20 anos

"Depois de dois anos, voltei a ovular com regularidade. Perdi quinze quilos. Minha acne desapareceu. E me sinto muito melhor mentalmente. As informações que Jessie divulga mudaram minha vida. Não tem mais volta!"

Heather, 31 anos

"Jessie me mostrou que eu podia mudar o impacto da menopausa em mim. Meus amigos me disseram que eu nunca ia conseguir perder o peso que tinha ganhado. Graças a Jessie, provei a todos eles! Com as dicas sobre a glicose, perdi quase cinco quilos, voltei a dormir bem, sinto-me ótima e não preciso mais cochilar no meio da tarde. Sinto-me até melhor que antes da menopausa."

Bernadette, 55 anos

"Fui diagnosticada com diabetes tipo 2, depois de minha terceira gravidez, dezesseis anos atrás. Com o passar dos anos, foi piorando e ficando difícil de administrar. Depois que comecei a seguir as dicas de Jessie, em quatro meses passei de uma glicemia em jejum de 200 mg/dL para 110 mg/dL: de diabética grave para não diabética. Consegui reverter sozinha minha condição!"

Fatemeh, 51 anos

"Informações que transformam a vida [...]. Perdi mais de quinze quilos em dois meses! Minha enxaqueca frequente melhorou de forma significativa e minha energia está a mil. Sinto-me melhor do que nunca."

Annalaura, 49 anos

"Em quatro meses seguindo os ensinamentos de Jessie sobre a glicemia, perdi seis quilos sem fazer esforço, minha intensa acne hormonal foi embora, e pela primeira vez na vida adulta meus hormônios da tireoide estão em níveis normais (meu TSH passou de 8,7 mIU/L para 4,4). Nunca me senti tão bem."

Tamara, 31 anos

"Tenho 64 anos, superei um câncer de mama e tenho problemas de coração, glicemia e tireoide. Tomo supressores hormonais e mesmo assim perdi oito quilos em três meses, com as mudanças ridiculamente fáceis que Jessie exemplifica tão bem. Meu peso é o menor desde que dei à luz, e meu exame de sangue é, como disse minha médica, 'como o de uma garota de quinze anos'. Até eu custo a acreditar! Obrigada, Jessie, por mudar minha vida."

Dovra, 64 anos

"Sou diabética tipo 1. Antes, minha glicemia subia até 300 mg/dL depois do café da manhã. Com as informações divulgadas por Jessie, aprendi a manter estável minha glicemia, e minha hemoglobina glicada caiu de 7,4% para 5,1% em três meses [...]. Parei de brigar com a família e os amigos. Passei a ser a pessoa que sempre quis ser."

Lucy, 24 anos

"Não tenho palavras para descrever o quanto as dicas de Jessie mudaram minha vida. Dois anos atrás, parei de tomar anticoncepcional com a intenção de formar uma família. Achei que seria fácil. Mas a menstruação não vinha nunca. Depois de um ano, fui ao médico. O diagnóstico foi resistência à insulina e síndrome do ovário policístico (SOP). Foi um golpe bem duro. Felizmente descobri a obra de Jessie e voltei a ter esperança [...]. Comecei a colocar suas dicas em prática. Voltei a menstruar dois meses depois! Todos os sintomas da SOP (crescimento de pelos, ansiedade, compulsão alimentar) sumiram e agora [...] acabei de ficar sabendo que estou grávida. Não tenho palavras para descrever minha felicidade!"

Filipa, 29 anos

"Meu índice de gordura corporal passou de 19% para 8%. Felicíssimo! E o tempo todo estou comendo aquilo de que gosto."

Semir, 24 anos

"Com 29 semanas de gravidez, recebi o diagnóstico de diabetes gestacional. Apenas um mês depois das dicas de Jessie, muita coisa mudou: nunca me senti tão bem, não estou inchada, minha glicemia está estável e sob controle, meu médico está satisfeito e o mais importante, parei de sentir medo. Mais que recomendada a obra de Jessie para as futuras mamães."

Paulina, 39 anos

"Durante quase trinta anos tive bulimia grave, e nada resolvia, até começar a seguir Jessie e cuidar da minha glicemia com as dicas dela. Já faz dois meses que não como ou vomito compulsivamente, o que é inacreditável. Sendo sincera, já achava que fosse uma coisa natural minha, que eu nunca conseguiria superar."

Sue, 48 anos

"Enfrentei a hipoglicemia (baixa do açúcar no sangue) por vários anos. Não me dava conta de que podia melhorar muito simplesmente mudando algumas coisas no jeito de comer, como a ordem dos alimentos. Graças a Jessie e suas orientações, aprendi como comer um biscoito ou um chocolate com bem menos impacto negativo. Agora que minha glicemia está mais estável, consigo cuidar melhor de meus sintomas de ansiedade e focar na solução das causas profundas."

Ilana, 37 anos

"Em apenas um mês, foi como se eu tivesse nascido de novo. Sofri de encefalomielite miálgica (fadiga crônica) quase a vida inteira. Também enfrentei os sintomas da covid longa. Depois de descobrir a Glucose Goddess, sinto-me muito melhor – mais saudável, mais feliz e com a energia recuperada. Um enorme agradecimento."

Christie, 37 anos

"Nos dois últimos anos meu cabelo não parava de cair. Fiquei confusa e arrasada. Aí, aconteceu um milagre: segui durante quarenta dias os princípios da Glucose Goddess e meu cabelo voltou a crescer, mais cheio do que antes. Estou tão feliz! E não é só isso, meu pré-diabetes foi revertido (minha glicemia de jejum, que era de 110 mg/dL, caiu para 96). Ao longo do dia, minha energia é muito mais estável, assim como meus níveis de fome e sede. Não preciso mais daquela segunda xícara de café à tarde ou daquele lanchinho 'de emergência'. Sinto minha mente mais clara e minhas espinhas sumiram. É incrível como essas mudanças foram rápidas. Recomendo Jessie a todo mundo que conheço."

Aya, 27 anos

"Tenho diabetes tipo 1. Durante décadas, não encontrei ninguém que pudesse me ajudar. Depois que descobri a Glucose Goddess, minhas compulsões alimentares desapareceram. Finalmente consegui seguir uma dieta mais saudável, minha glicose caiu nos primeiros dias de 530 mg/dL para 156 e minha dose de insulina é um décimo da anterior. Ah, e eu perdi três quilos. Minha médica e minha nutricionista ficaram muito surpresas e agora recomendam a Glucose Goddess aos pacientes."

Mariel, 43 anos

A REVOLUÇÃO DA GLICOSE

Jessie Inchauspé

A revolução da glicose

Equilibre os níveis de açúcar no sangue e mude sua saúde e sua vida

TRADUÇÃO
André Fontenelle

10ª reimpressão

Grafia atualizada segundo o Acordo Ortográfico da Língua Portuguesa de 1990, que entrou em vigor no Brasil em 2009.

Título original
Glucose Revolution: The Life-Changing Power of Balancing Your Blood Sugar

Capa
Joana Figueiredo

Foto de capa
Zamurovic Brothers/ Shutterstock

Ilustrações
Evie Dunne/ Short Books

Revisão técnica
Gilberto Stam

Preparação
Iana Araújo

Índice remissivo
Probo Poletti

Revisão
Clara Diament
Paula Queiroz

Dados Internacionais de Catalogação na Publicação (CIP)
(Câmara Brasileira do Livro, SP, Brasil)

Inchauspé, Jessie
A revolução da glicose : Equilibre os níveis de açúcar no sangue e mude sua saúde e sua vida / Jessie Inchauspé ; tradução André Fontenelle. — 1ª ed. — Rio de Janeiro : Objetiva, 2022.

Título original: Glucose Revolution : The Life-Changing Power of Balancing Your Blood Sugar.
ISBN 978-85-390-0731-8

1. Diabetes 2. Diabetes — Cuidados e tratamento 3. Promoção da saúde 4. Qualidade de vida I. Título.

CDD-616.462
22-108030 NLM-WK 810

Índice para catálogo sistemático:
1. Diabetes : Medicina 616.462

Eliete Marques da Silva — Bibliotecária — CRB-8/9380

EDITORA SCHWARCZ S.A.
Praça Floriano, 19, sala 3001 — Cinelândia
20031-050 — Rio de Janeiro — RJ
Telefone: (21) 3993-7510
www.companhiadasletras.com.br
www.blogdacompanhia.com.br
facebook.com/editoraobjetiva
instagram.com/editora_objetiva
twitter.com/edobjetiva

Sumário

AVISO DA AUTORA

Neste livro, torno acessíveis a todos descobertas científicas recentes. Traduzo-as em dicas práticas. Sou cientista e não médica; por isso, lembre-se de que este livro não contém recomendações médicas. Caso sofra de alguma condição de saúde ou esteja tomando algum medicamento, consulte seu médico antes de pôr em prática as dicas deste livro.

AVISO DO EDITOR

O conteúdo deste livro é meramente informativo. Como cada situação é única, cabe a você a responsabilidade de decidir, consultando seu profissional de saúde, antes de adotar a dieta, as atividades físicas e as técnicas aqui descritas. A autora e o editor declaram expressamente não se responsabilizar por quaisquer efeitos adversos que possam resultar da utilização ou aplicação das informações contidas neste livro.

À minha família

Caro leitor

Qual foi a última coisa que você comeu?

Vamos lá, pense nisso por um segundo.

Você gostou? Qual a aparência? Qual o cheiro? Qual o sabor? Onde foi? Com quem você estava? Por que você comeu?

Comer não é apenas delicioso, é vital para nós. Mesmo assim, às vezes, à nossa revelia, a comida pode gerar consequências inesperadas. Vamos, então, às perguntas difíceis: Você sabe quantos gramas de gordura adicionou à sua barriga depois de comer isso? Sabe se vai acordar com uma espinha por conta disso? Sabe quanto de placa se acumulou em suas artérias ou o quanto as rugas se aprofundaram em seu rosto? Sabe se será o motivo de você sentir fome de novo daqui a duas horas, dormir mal à noite ou se sentir mais lenta amanhã?

Resumindo – você sabe o efeito de sua última refeição sobre seu corpo e sua mente?

Muitos de nós não sabemos. Eu, com certeza, não sabia até começar a aprender a respeito de uma molécula chamada glicose.

Para a maioria de nós, o corpo é como uma caixa-preta: conhecemos sua atividade, mas não sabemos direito como funciona. Muitas vezes, decidimos aquilo que vamos almoçar com base naquilo que lemos ou ouvimos, e não naquilo de que nosso corpo verdadeiramente necessita. "Os animais tendem a comer com o estômago e o ser humano, com o cérebro", escreveu o filósofo Alan Watts. Se nosso corpo falasse, a história seria diferente. Saberíamos exatamente por que voltamos a sentir fome duas horas depois de comer, por que dormimos mal na noite anterior e por que acordamos mais devagar no dia seguinte. Tomaríamos decisões melhores em relação a nossa alimentação. Nossa saúde melhoraria. Nossas vidas melhorariam.

Pois bem, tenho um furo de reportagem para você.

Acontece que nosso corpo fala, sim, conosco, o tempo todo.

Nós é que não sabemos escutar.

Tudo o que colocamos na boca gera uma reação. Aquilo que ingerimos afeta os 30 trilhões de células e os 30 trilhões de bactérias[1] dentro de nós. Pode escolher: compulsões alimentares, espinhas, enxaquecas, névoa mental, oscilações de humor, ganho de peso, sonolência, infertilidade, síndrome do ovário policístico, diabetes tipo 2, esteatose hepática, problemas cardíacos... são, todos, mensagens de nosso corpo de que há problemas internos.

É nesse ponto que eu ponho a culpa no nosso entorno. Nossas decisões nutricionais são influenciadas por campanhas de marketing de bilhões de dólares voltadas para gerar dinheiro para a indústria de alimentos — campanhas de refrigerantes, doces e fast food.[2] Em geral, elas são justificadas sob o disfarce de "o que importa é a quantidade — alimentos processados e açúcar não são intrinsecamente nocivos".[3] Porém, a ciência vem demonstrando o contrário: alimentos processados e açúcar *são* intrinsecamente nocivos, mesmo quando não os ingerimos em excesso de calorias.[4]

Mesmo assim, é graças a esse marketing enganoso que acabamos acreditando em frases como estas:

"A perda de peso é só uma questão de ganhar ou perder calorias."
"Nunca pule o café da manhã."
"Flocos de arroz e suco de frutas fazem bem."
"Alimentos gordurosos fazem mal."
"Você precisa ingerir açúcar para ter energia."
"O diabetes tipo 2 é uma doença genética, não há muito o que fazer."
"Se você não consegue perder peso, é por falta de força de vontade."
"Sentir sono no meio da tarde é normal — tome um pouco de café."

Nossas decisões alimentares equivocadas influenciam nosso bem-estar físico e mental e nos impedem de acordar nos sentindo ótimos toda manhã.

Pode não parecer tão importante se sentir ótimo toda manhã, mas se você pudesse... você não ia querer? Estou aqui para lhe contar que existe um jeito de conseguir.

Há muito tempo os cientistas estudam como a alimentação nos afeta, e hoje sabemos mais do que nunca sobre o assunto. Nos últimos cinco anos, ocorreram descobertas animadoras em laboratórios do mundo inteiro: elas revelaram *em tempo real* como nosso corpo reage aos alimentos e provaram que, embora *o que* comemos importe, *como* comemos — em que ordem, combinação e agrupamento — também importa.

O que a ciência mostra é que, na caixa-preta que é o nosso corpo, existe uma medida que afeta todos os sistemas. Se formos capazes de entendê-la e tomar decisões que a otimizem, conseguiremos melhorar nosso bem-estar físico e mental. Essa medida é a quantidade de açúcar no sangue, ou *glicose*.

A glicose é a principal fonte de energia do corpo. Nós a obtemos dos alimentos que ingerimos; depois, ela é transportada às células pela corrente sanguínea. Sua concentração pode sofrer grandes flutuações ao longo do dia, e fortes aumentos nela — que eu chamo de *picos* de glicose — afetam tudo, desde nosso humor, nosso sono, nosso peso e nossa pele à saúde de nosso sistema imunológico, nosso risco de sofrer doenças cardíacas e nossa chance de ter filhos.

Raramente você verá discussões sobre a glicose, a menos que seja diabético, mas na verdade ela afeta cada um de nós. Nos últimos anos, as ferramentas para monitorar essa molécula se tornaram disponíveis com mais facilidade. Combinado aos avanços da ciência que mencionei antes, isso faz com que tenhamos mais acesso do que nunca a dados e possamos usá-los para aprender mais sobre nosso corpo.

Este livro se divide em três partes: (1) o que é a glicose e o que estamos querendo dizer ao falar de picos de glicose; (2) por que os picos de glicose são nocivos; e (3) o que podemos fazer para evitar esses picos sem deixar de ingerir os alimentos que preferimos.

Na Parte I, explico *o que é a glicose*, de onde ela vem e por que é tão importante. O conhecimento científico já existe, mas as informações não vêm se disseminando na velocidade ideal. O controle da glicose é importante para todos, com ou sem diabetes: 88% dos americanos têm alta probabilidade de descontrole dos níveis de glicose (mesmo quando não têm sobrepeso na definição das autoridades de saúde), e a maioria não sabe.[5] Quando nossos níveis de glicose estão descontrolados, sofremos picos de glicose. Durante um pico, nosso corpo é inundado de glicose, aumentando sua concentração na corrente sanguínea em mais de trinta miligramas por decilitro (mg/dl) em um período de cerca de uma hora (ou menos), seguindo-se um decréscimo na mesma velocidade. Esses picos têm consequências nocivas.

Na Parte II, descrevo *como os picos de glicose nos afetam* no curto prazo — fome, compulsões alimentares, cansaço, piora dos sintomas da menopausa, enxaqueca, sono ruim, dificuldade em controlar o diabetes tipo 1 e o diabetes na gravidez, enfraquecimento do sistema imunológico, piora das funções cognitivas — e no longo prazo. Níveis desregulados de glicose contribuem para o envelhecimento e o desenvolvimento de doenças crônicas como acne, eczema, psoríase, artrite, catarata, Alzheimer, câncer, depressão, problemas intestinais, doenças cardíacas, infertilidade e síndrome do ovário policístico, resistência à insulina, diabetes tipo 2 e esteatose hepática.

Se você pudesse acompanhar seu nível de glicose minuto a minuto em um gráfico, a linha ligando os pontos teria picos e vales. Esse gráfico mostraria sua *curva de glicemia*. Quando adotamos mudanças no estilo de vida para evitar os picos, "achatamos" a curva de glicemia. Quanto mais achatada, melhor. Dessa forma, reduzimos a quantidade de insulina — um hormônio liberado em resposta à glicose — em nosso corpo, o que é benéfico, já que o excesso de insulina é uma das causas mais importantes de resistência à insulina, diabetes tipo 2 e síndrome do ovário policístico.[6] Com curvas de glicose mais achatadas, naturalmente acontece o mesmo com as curvas de frutose — encontrada junto com a glicose nos alimentos doces —, o que também é benéfico, já que o excesso de frutose aumenta a chance de ter obesidade, problemas cardíacos e esteatose hepática não alcoólica.[7]

Na Parte III, mostrarei *como você pode achatar sua curva de glicemia com dez dicas de alimentação simples, que dá para incorporar com facilidade à sua rotina.* Fiz faculdade de matemática, e em seguida especialização em bioquímica. Essa formação me permitiu analisar e filtrar uma enorme quantidade de dados da ciência nutricional. Além disso, testei em mim mesma diversos experimentos, usando um aparelho chamado monitor contínuo de glicose, que mostra a glicemia em tempo real. Essas dez dicas que vou compartilhar são simples e surpreendentes. Nenhuma delas sugere que você nunca mais coma sobremesa, conte calorias ou faça horas e horas de exercícios diários. Em vez disso, sugerem aquilo que aprendeu sobre seu corpo nas Partes I e II — escutando-o de verdade — para tomar decisões melhores a respeito de *como* você se alimenta (e isso, muitas vezes, significa colocar *mais* comida em seu prato que de costume). Nessa parte final, vou proporcionar todas as informações necessárias para você evitar picos de glicose sem ter que usar um monitor.

Ao longo deste livro, recorro a conhecimentos científicos de ponta para explicar por que as dicas funcionam e conto histórias reais dos resultados. Você verá números tirados de minhas próprias experiências e das experiências da comunidade Glucose Goddess [Deusa da Glicose], um grupo on-line criado por mim e que já atinge mais de 150 mil membros. E você lerá testemunhos de pessoas que perderam peso, controlaram suas compulsões, ganharam mais energia, eliminaram a acne, livraram-se dos sintomas da síndrome do ovário policístico, reverteram o diabetes tipo 2, libertaram-se da culpa e conquistaram uma enorme autoconfiança.

Você se tornará capaz de ouvir as mensagens provenientes do seu corpo — e compreender o que precisará fazer depois. Tomará decisões alimentares empoderadas, deixando de ser presa das campanhas de marketing. Sua saúde vai melhorar, assim como sua vida.

Estou certa disso, porque comigo foi assim.

Como cheguei até aqui

Conhece o ditado "A gente só dá valor à saúde quando a perde"? Pois bem, eu só dei valor quando um acidente mudou minha vida, aos dezenove anos.

Eu estava de férias, no Havaí, com um pequeno grupo de amigos. Uma tarde, saímos para fazer trilha na mata e decidimos que pular de uma cachoeira seria uma ótima ideia (alerta de spoiler: não foi).

Era a primeira vez que eu tentava algo assim. Meus amigos tinham me dito o que fazer: "Deixe as pernas bem esticadas para entrar na água primeiro com os pés".

"Saquei!", disse, e lá fui eu.

Totalmente aterrorizada, esqueci o conselho assim que pulei da beirada do rochedo. *Não* mergulhei com os pés primeiro — mergulhei de bunda. A pressão da água criou uma onda de choque pela minha espinha e, como dominós que caem, comprimiu minhas vértebras, uma por uma.

Foi um *claque-claque-claque-claque-claque-claque-claque* de baixo para cima até minha segunda vértebra torácica, que a pressão fez explodir em catorze pedaços.

Minha vida também se partiu em pedaços. Depois daquilo, dividiu-se em duas: *antes* do acidente e *depois* do acidente.

Passei as duas semanas seguintes imobilizada em uma cama de hospital, à espera de uma cirurgia da coluna. Deitada e acordada, fiquei mentalizando o que iria acontecer, incapaz de acreditar totalmente: o cirurgião ia abrir meu torso pela lateral, na altura da cintura, e depois pelas costas, na altura da vértebra quebrada. Ele ia extrair os fragmentos de osso, assim como os dois discos adjacentes, e em seguida interligar três vértebras e perfurar seis pinos de metal de dez centímetros na minha coluna. Com uma *furadeira elétrica*.

Os riscos do procedimento me aterrorizaram: perfuração dos pulmões, paralisia e morte. Porém, eu não tinha escolha. Os pedaços da vértebra estavam pressionando a membrana da minha coluna vertebral. Qualquer choque (até um simples tropeção em um degrau) podia levá-las a romper a membrana, deixando-me paralisada da cintura para baixo. Eu estava aterrorizada. Eu me imaginava na mesa de operação, sofrendo uma hemorragia, e os médicos desistindo. Pensei na minha vida terminando daquele jeito, tudo porque eu tinha me apavorado no meio de um salto que deveria ser divertido.

O dia da cirurgia foi chegando lenta mas irremediavelmente, até que chegou, contra minha vontade. Enquanto a anestesista me preparava para o procedimento de oito horas, fiquei pensando se ela seria a última pessoa que eu veria. Orei. Queria sobreviver. Se eu conseguisse acordar depois daquilo, sabia que sentiria gratidão pelo resto da vida.

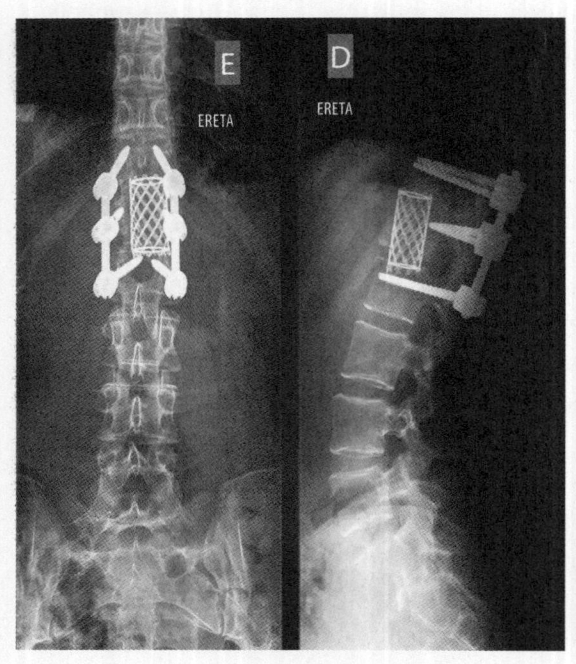

O resultado final (não, eu não faço o alarme no aeroporto disparar; e sim, ficarei com isso para sempre).

Acordei. Era de madrugada e eu estava sozinha no quarto. Primeiro, senti um alívio imenso: eu estava viva. Depois, senti dor. Corrijo: senti *muita* dor. O equipamento novo parecia um punho de ferro espremendo minha coluna. Tentei me sentar para chamar o enfermeiro. Depois de algumas tentativas, ele apareceu, mal-humorado e indiferente. Era um jeito terrível de ser recebida de volta no mundo. Chorei. Tudo que eu queria era minha mãe.

É bem verdade que fiquei cheia de gratidão: uma gratidão profunda e intensa por continuar viva. Mas eu também estava sofrendo. Minhas costas latejavam de cima a baixo, eu não conseguia me mexer um centímetro sem a sensação de que os pontos iam arrebentar, e passei dias com a impressão de que os tendões das minhas pernas estavam em chamas. Autorizaram uma dose de analgésico a cada três horas. Como um reloginho, um enfermeiro entrava no meu quarto, beliscava a gordura na minha coxa e aplicava a agulha, alternando as pernas. Eu não conseguia dormir, porque doía muito por toda parte, nem comer, porque os opioides me davam náusea. Perdi dez quilos em duas semanas. Sentia-me ao mesmo tempo uma felizarda e uma idiota, lamentando o ocorrido, culpada por fazer minha família passar por aquilo, e sem saber o que fazer.

Meu corpo ficou bom em questão de meses, mas aí foram minha mente e minha alma que passaram a precisar de reabilitação. Sentia-me desconectada da realidade. Quando olhava minhas mãos, era como se não fossem minhas. Quando me via no espelho, ficava apavorada. Havia alguma coisa errada, eu só não sabia o quê.

Infelizmente, tampouco os outros sabiam. Por fora, tudo parecia ter voltado ao normal. Então, eu guardava o sofrimento para mim mesma. Quando alguém me perguntava como eu estava, respondia: "Estou ótima, obrigada". Se eu fosse sincera, porém, teria respondido: "Sinto-me uma estranha no meu próprio corpo, não consigo me olhar no espelho sem enlouquecer, e estou morrendo de medo de nunca mais voltar a me sentir bem". Esse problema foi diagnosticado posteriormente como "transtorno de despersonalização e desrealização", quando a pessoa não consegue se conectar consigo mesma ou com a realidade ao redor.

Na época, eu morava em Londres, e lembro-me de ficar sentada no metrô, olhando para os passageiros em volta e pensando quantos deles também estariam passando por alguma dificuldade e escondendo-a, da mesma forma que eu. Sonhava que alguém no vagão reconhecesse meu sofrimento e me dissesse que compreendia – que tinha sentido o mesmo que eu e voltado ao normal. Claro, era em vão. A pessoa sentada um metro à minha frente não fazia ideia do que se passava dentro de mim. *Eu* mal compreendia o que se passava dentro de mim. E não tinha ideia do que estava se passando dentro do outro, se ele também estava ou não sofrendo.

Ficou mais do que evidente para mim que é difícil saber o que acontece dentro do nosso corpo. Mesmo quando conseguimos verbalizar nossas emoções – gratidão, dor, alívio ou tristeza –, precisamos descobrir o porquê delas. Quando não nos sentimos bem, por onde começar?

Eu só queria voltar a me sentir bem. Lembro-me de ter comentado com minha melhor amiga: "Nada tem importância, nem a escola, nem o trabalho, nem o dinheiro, nada importa mais do que me sentir saudável". Essa era minha convicção mais profunda até então.

E foi assim que, quatro anos depois, acabei dentro de um trem, rumo a um escritório em Mountain View, sessenta quilômetros ao sul de San Francisco. Por ter decidido descobrir como me comunicar com meu corpo, senti que precisava trabalhar na vanguarda da tecnologia da área de saúde. Em 2015, essa vanguarda era a genética.

Eu tinha conseguido um estágio na start-up 23andMe (assim batizada porque todos nós temos 23 pares de cromossomos, que carregam nosso código genético). E ali era onde eu queria estar, mais que em qualquer outro lugar.

Meu raciocínio era o seguinte: meu DNA criou meu corpo; logo, se eu for capaz de compreender meu DNA, serei capaz de compreender meu corpo.

Trabalhei como gerente de produto. Eu tinha dois diplomas no bolso e paixão por simplificar assuntos complicados. Estava fazendo bom uso desses trunfos: fui encarregada de explicar pesquisas genéticas aos clientes, incentivando-os a responder questionários. Reunimos mais dados do que jamais se fizera: digitalmente, on-line, de milhões de pessoas de uma vez só. Cada cliente era um militante da ciência, contribuindo para o progresso do nosso conhecimento coletivo do DNA. Nossa meta era inovar no campo da medicina personalizada, entregando recomendações de saúde singulares para cada indivíduo. Era o melhor lugar, com as melhores pessoas, as melhores informações e a melhor missão. Havia eletricidade no ar.

Fui me aproximando dos outros cientistas do time de pesquisadores, li todos os artigos que eles haviam publicado e comecei a fazer perguntas. Para minha decepção, pouco a pouco, foi ficando claro que o DNA não permitia prever tanto quanto eu imaginava. Por exemplo, seus genes podem aumentar sua probabilidade de desenvolver diabetes tipo 2,[1] mas não têm como dizer com certeza se você vai desenvolvê-lo. Olhar o DNA só dá uma ideia do que *pode* acontecer. No caso da maioria das condições crônicas, das enxaquecas aos problemas cardíacos, a causa acaba sendo atribuída muito mais aos chamados "fatores de estilo de vida" do que à genética. Resumindo, seus genes não determinam como você se sente ao acordar de manhã.

Em 2018, a 23andMe lançou uma iniciativa liderada pela equipe de Pesquisa e Desenvolvimento em Saúde, encarregada de bolar ideias inovadoras. Eles estavam desenvolvendo os monitores contínuos de glicose (CGMs, na sigla em inglês).

Os CGMs são aparelhinhos que usamos na parte interna do braço para rastrear a glicemia. Foram criados para substituir a picada no dedo que os diabéticos usam há décadas e que só dão a medida da glicose algumas vezes por dia. Com um CGM, a glicemia é medida em intervalos de poucos minutos. Agora, curvas inteiras de glicose podiam ser reveladas e enviadas a seu celular com todo o conforto. Para os diabéticos, que dependem dessa informação para dosar a medicação, foi uma verdadeira revolução.

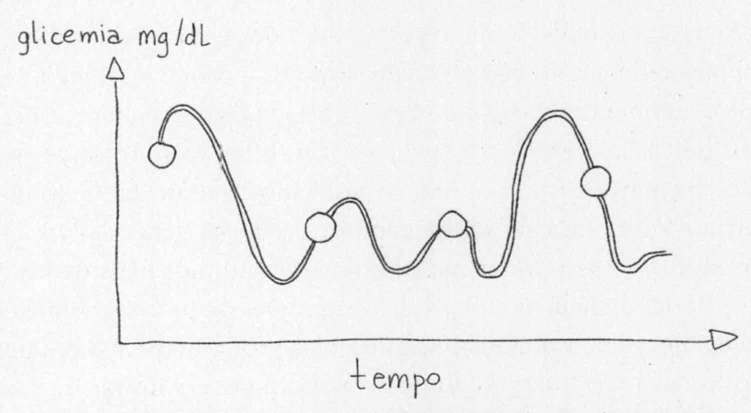

Os monitores contínuos de glicose, ou CGMs (a linha), captam as curvas de glicose que os tradicionais testes de picada no dedo (círculos brancos) não conseguem.

Logo depois do lançamento do projeto pela 23andMe, atletas de ponta começaram a usar os medidores de glicose para otimizar o desempenho e a resistência no esporte.[2] E em seguida alguns artigos científicos foram publicados, usando os aparelhos em estudos para mostrar que pessoas não diabéticas também podem ter níveis de glicose altamente desregulados.[3]

Quando a equipe de Pesquisa e Desenvolvimento em Saúde anunciou um novo estudo, analisando a resposta alimentar em não diabéticos, pedi na mesma hora para fazer parte dele. Continuava buscando alguma coisa que me ajudasse a compreender meu próprio corpo, mas com certeza eu não esperava o que aconteceu.

Uma enfermeira veio até nossa sala para colocar o aparelho nos quatro de nós que nos voluntariamos. Esperávamos por ela em uma sala de reuniões com paredes de vidro; em seguida, literalmente arregaçamos as mangas. Depois de limpar a parte de dentro do meu braço com um lenço embebido em álcool, a enfermeira encostou um aplicador na minha pele. Ela me disse que uma agulha ia inserir uma minúscula fibra (um eletrodo) de três milímetros de comprimento debaixo da minha pele. Então, a agulha seria retirada, deixando a fibra posicionada e, em cima dela, um transmissor adesivo. Ficaria assim durante duas semanas.

Um, dois... clique! O monitor tinha entrado – e foi praticamente indolor.

O sensor precisou de sessenta minutos para entrar em funcionamento, mas a partir daí, com o celular na mão, eu podia checar meu nível de glicose a qualquer momento.* Os números me mostravam como meu corpo reagia àquilo que eu comia (ou deixava de comer) e como eu fazia atividade física (ou deixava de fazer). Eu estava recebendo mensagens *de dentro*. Pois bem, alô, meu corpo!

Quando eu me sentia ótima, checava minha glicose. Quando me sentia péssima, checava minha glicose. Quando me exercitava, quando acordava, quando ia dormir, eu sempre checava minha glicose. Meu corpo conversava comigo por meio dos picos e vales na tela do meu celular.

Eu realizava minhas próprias experiências e tomava nota de tudo. Meu laboratório era a cozinha, minha cobaia era eu mesma, e minha hipótese era que a alimentação e a atividade física influenciam a glicemia por meio de uma série de regras que podemos definir.

* Tecnicamente, não no meu sangue, mas no fluido intercelular. A correlação entre os dois é elevada. (N. A.)

Com bastante rapidez, comecei a notar padrões estranhos: Doritos na segunda, pico elevado. Doritos no domingo, nada de pico. Cerveja, pico. Vinho, sem pico. M&Ms depois do almoço, sem pico. M&Ms antes do jantar, pico. Cansaço à tarde: glicemia alta na hora do almoço. Muita energia o dia inteiro: glicemia muito estável. Noitada com os amigos: montanha-russa glicêmica a noite inteira. Apresentação estressante no trabalho: pico. Meditação: estável. Cappuccino quando eu estava descansada: sem pico. Cappuccino quando eu estava cansada: pico. Pão: pico. Pão com manteiga: sem pico.

As coisas ficaram ainda mais interessantes quando relacionei meu humor a meus níveis de glicemia. Minha névoa mental (que comecei a vivenciar depois do acidente) estava muitas vezes correlacionada a um pico elevado; a sonolência, a um vale profundo. As compulsões alimentares estavam correlacionadas a uma montanha-russa de glicemia — vales e picos em rápida sucessão. Quando eu acordava me sentindo zonza, meus níveis de glicemia tinham estado altos ao longo da noite.

Filtrei os dados, repeti várias experiências e chequei minhas hipóteses com os estudos publicados. Para me sentir o melhor possível, tornou-se evidente que eu tinha que evitar grandes picos e vales na minha glicemia. E foi isso que fiz: aprendi a achatar minha curva glicêmica.

Eu estava fazendo descobertas transformadoras da minha saúde. Curei a névoa mental e contive as compulsões. Ao acordar, me sentia ótima. Pela primeira vez desde o acidente, voltava a me sentir bem de verdade.

Por isso, comecei a falar sobre isso com os amigos. Foi assim que surgiu o movimento da Glucose Goddess.

No início, muita gente fazia cara de paisagem. Mostrei aos amigos os estudos e disse a eles que também deviam se preocupar em achatar suas curvas de glicose. Nenhuma reação.

Ficou claro que eu precisava descobrir um jeito de comunicar essas pesquisas de uma forma cativante. Pensei em usar meus próprios dados de glicemia para ilustrar as descobertas da ciência. O problema é que, de início, era difícil compreender o insight que eles forneciam.

Para conseguir entender os dados, eu precisava focar em um momento específico do dia. Mas não havia jeito de fazer isso no aplicativo que vinha com o monitor contínuo de glicose. Por isso, criei por conta própria um software para fazer isso no meu computador.

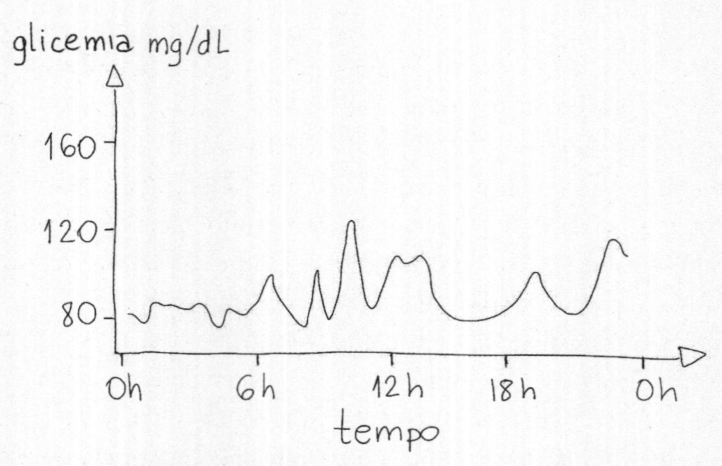

Um dia de dados de glicose, direto do monitor contínuo de glicose. Não fica claro o que está rolando aqui.

Comecei com um diário de tudo o que eu comia. Para cada anotação, eu focava em janelas de quatro horas. Por exemplo, "17h56 – copo de suco de laranja". Eu olhava minha taxa de glicemia a partir de uma hora antes de tomar o suco e até três horas depois. Isso me proporcionava uma visão apropriada de meus níveis de glicemia antes, durante e depois de beber o suco.

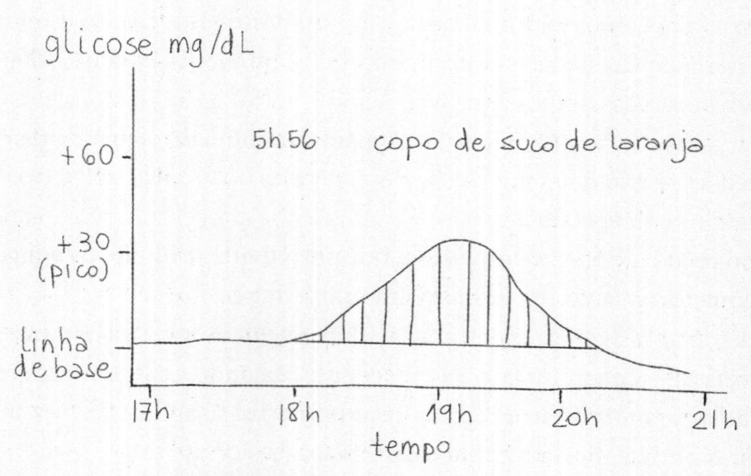

Foco nas quatro horas próximas ao momento em que bebi o suco de laranja, às 17h56.

O gráfico finalizado com o software caseiro. Como todos os outros sucos, o de laranja não contém fibra e contém muito açúcar. Bebê-lo leva a um pico de glicemia.

Para tornar a visualização mais fácil, transformei os pontinhos em uma linha e preenchi o pico. Em seguida, como a ciência também precisa ser estilosa, simplifiquei o eixo e acrescentei uma imagem do alimento à direita. Assim com certeza fica mais atraente.

Meus amigos e parentes ficaram fascinados com os gráficos. Pediram-me para testar mais e mais alimentos e compartilhar os resultados. E então começaram a comprar seus próprios monitores contínuos de glicose. Mandavam para mim os dados, e eu os agregava. Uma coisa foi levando a outra, e depois de algum tempo eu já não tinha tempo para dar conta da demanda de criação de gráficos. Por isso, criei um aplicativo para celular automatizando essa tarefa. Meus amigos começaram a usá-lo, os amigos dos amigos também... espalhou-se como fogo na floresta. Impulsionados pelas evidências, até os amigos sem CGMs começaram a mudar seus hábitos alimentares.

Então, em abril de 2018, eu abri a conta @glucosegoddess no Instagram, e à medida que a comunidade foi crescendo, reagindo a minhas experiências e enviando para mim seus próprios resultados, fui ficando cada vez mais espantada. A glicose, dei-me conta, está associada a quase tudo.

Parte I

O que é glicose?

1. Entre na cabine do avião: por que a glicose é tão importante

Cuidar da nossa saúde às vezes lembra aquela olhadela que damos na cabine do avião, a caminho de nosso assento. Por todo lado, só vemos coisas complicadas: telas, indicadores, alavancas, luzes piscantes, manivelas, interruptores, mais alavancas... botões do lado esquerdo, botões do lado direito, botões no teto (não, fala sério, por que eles põem botões no *teto*?). Desviamos o olhar, agradecidos pelo fato de os pilotos saberem o que estão fazendo. Como passageiros, tudo que nos importa é se o avião vai ficar no céu. Quando a questão é nosso corpo, somos nós os passageiros ignorantes. Porém – reviravolta na história –, os pilotos também somos nós. E quando não sabemos como nosso corpo funciona, é como se estivéssemos em voo cego.

Nós sabemos como queremos nos sentir. Queremos acordar com um sorriso, animados e empolgados para o novo dia. Queremos ter uma alegria no andar, livres de qualquer dor. Queremos passar momentos agradáveis com nossa família, com uma sensação de gratidão e positividade. Mas pode ser complicado descobrir como chegar lá. São tantos botões que nos sentimos esmagados. O que fazer? Por onde começar?

Temos que começar pela glicose. Por quê? Porque ela é a alavanca da cabine com o maior custo-benefício. É a mais fácil de compreender (graças aos monitores contínuos de glicose), afeta *instantaneamente* nossas sensações (porque influencia nossa fome e nosso humor), e muita coisa passa a se encaixar a partir do momento em que conseguimos controlá-la.

Quando nossa glicemia está desequilibrada, os indicadores piscam e os alarmes disparam. Ganhamos peso, nossos hormônios ficam descontrolados, sentimos cansaço, ansiamos por açúcar, a pele resseca, o coração sofre. Vamos ficando cada vez mais próximos do diabetes tipo 2. Se nosso corpo é o avião, os sintomas são como aquilo que em aviação é conhecido como movimentos de arfagem, rolamento e guinada de uma aeronave fora de controle. E tudo isso indica claramente que é preciso corrigir a rota para evitar uma queda. Para voltar ao voo ideal de cruzeiro, precisamos achatar nossas curvas de glicose.

E como é que usamos essa alavanca? É muito fácil – com aquilo que colocamos no prato.

SIM, ESTE LIVRO É PARA VOCÊ

Um estudo recente mostrou que apenas 12% dos americanos são metabolicamente saudáveis,[1] o que significa que apenas 12% têm um corpo que funciona perfeitamente – o que inclui uma glicemia saudável. Não dispomos desse número preciso para todos os países, mas sabemos que no mundo inteiro os níveis de glicose e a saúde metabólica vêm piorando. Há grande chance de que *você*, e nove entre dez pessoas à sua volta, viva em uma montanha-russa glicêmica sem saber disso.

Eis algumas perguntas que você deve fazer a si mesmo para saber se sua glicemia está desregulada:

- Algum médico já lhe disse que você precisa perder peso?
- Você vem tentando perder peso, mas está sentindo dificuldade?
- Sua cintura passou de cem centímetros (se for homem) ou de noventa centímetros (se for mulher)? (A circunferência é melhor preditora de doenças subjacentes do que o Índice de Massa Corporal.)[2]
- Você sente dores intensas de fome durante o dia?
- Você fica agitado ou nervoso quando sente fome?
- Você tem compulsão para comer em intervalos curtos?
- Você se sente alterado, distraído ou tonto quando uma refeição atrasa?
- Você tem compulsão por doces?

- Você sente sono no meio da manhã ou no meio da tarde, ou fica cansado o tempo todo?
- Você precisa de cafeína para ir levando o dia?
- Você tem dificuldade para dormir, ou acorda com o coração palpitando?
- Você sofre de quedas repentinas de energia, em que começa a transpirar ou sente enjoo?
- Você sofre de acne, inflamações ou outros problemas dermatológicos?
- Você sofre de ansiedade, depressão ou transtornos de humor?
- Você sofre de névoa mental?
- Seu humor varia muito?
- Você pega resfriados o tempo todo?
- Você sofre de refluxo ou gastrite?
- Você tem desequilíbrios hormonais, atraso menstrual, TPM, infertilidade ou síndrome do ovário policístico?
- Alguém já lhe disse que sua glicemia é alta?
- Você tem resistência à insulina?
- Você sofre de pré-diabetes ou diabetes tipo 2?
- Você sofre de esteatose hepática não alcoólica?
- Você tem problemas cardíacos?
- Você está com dificuldade para controlar o diabetes na gravidez?
- Você tem dificuldade em controlar o diabetes tipo 1?

E o mais importante: Você acha que poderia estar se sentindo melhor do que se sente agora? Se a resposta for afirmativa, continue lendo.

O QUE ESTE LIVRO AFIRMA – E O QUE NÃO AFIRMA

Antes de entrarmos de cabeça, é importante saber que conclusões *não* podemos tirar deste livro. Permita-me explicar.

Na adolescência, comecei uma dieta vegana. Era uma dieta vegana *ruim* – em vez de preparar pratos ricos em nutrientes, como caldo de grão-de-bico, tofu assado ou soja verde no vapor, optei por Oreos e macarrão vegano. Tudo que eu comia eram alimentos de má qualidade, que levam a picos de glicemia. Minha pele ficou cheia de espinhas, e eu me sentia o tempo todo cansada.

No início da idade adulta, adotei a dieta cetogênica. Era uma dieta cetogênica *ruim*. Minha esperança era perder peso; em vez disso, *ganhei*, porque quando retirei todos os carboidratos da minha dieta, passei a comer só queijo. Estressei tanto meu sistema hormonal que minha menstruação parou.

Quanto mais fui aprendendo, mais me dei conta de que não há benefício em dietas radicais, sobretudo porque é fácil exagerar nos dogmas (existem comida vegana e comida cetogênica muito prejudiciais à saúde). As "dietas" que funcionam são aquelas que achatam nossas curvas de glicose, de frutose e de insulina. Quando a dieta vegana ou cetogênica é bem-feita, ela consegue isso. E quando qualquer dieta é bem-feita — ou seja, ajuda você a reverter as doenças e a perder o excesso de peso —, é pelo mesmo motivo. Na verdade, deveríamos almejar um estilo de vida sustentável, mais que uma simples dieta, e em todas as nossas refeições há um pouco de espaço para tudo, inclusive o açúcar. Analisar o funcionamento da glicose me ajudou a entender isso melhor do que nunca.

Em relação ao tema da moderação, gostaria de destacar três fatos importantes a ter em mente durante a leitura deste livro.

Em primeiro lugar, *a glicemia não é tudo*.

Alguns alimentos mantêm seus níveis de glicose absolutamente estáveis, mas não são excelentes para sua saúde. Por exemplo, os óleos industrialmente processados e as gorduras trans provocam envelhecimento, processos inflamatórios e danificam nossos órgãos, sem causar picos de glicemia. As bebidas alcoólicas são outro exemplo — não causam picos de glicemia, mas isso não significa que sejam boas para nós.

A glicemia não é tudo. Há outros fatores que influenciam na nossa saúde: sono, estresse, atividade física, conexão emocional, cuidados médicos e outros. Além da glicemia, também precisamos prestar atenção nas gorduras, na frutose e na insulina. Falarei de todos mais adiante. Porém, tanto os níveis de frutose quanto os de insulina são de difícil monitoramento contínuo. Os níveis de glicose são a única medida que podemos rastrear do conforto do nosso sofá, e a boa notícia é que, quando achatamos nossa curva de glicemia, também achatamos as curvas de frutose e insulina. Isso acontece porque a frutose tem relação direta com a glicose nos alimentos, e porque a insulina é liberada pelo pâncreas em resposta à glicose. Quando os estudos científicos disponibilizam os dados de insulina (muitas vezes medida de forma contínua no ambiente médico), também descrevo o efeito das dicas deste livro sobre ela.

Em segundo lugar, *o contexto é fundamental*. Minha mãe me manda o tempo todo fotos de coisas que ela está cogitando comprar no supermercado. "É bom ou ruim?", pergunta na mensagem. Eu sempre respondo: "Depende, qual é a outra opção?".

Não dá para dizer se um alimento é bom ou ruim isoladamente — tudo é relativo. Massas ricas em fibras são "boas" se comparadas às massas comuns, mas "ruins" se comparadas a legumes e verduras. Um biscoito de aveia é "ruim" se comparado a amêndoas, mas "bom" em relação a uma latinha de coca-cola. Você já entendeu o dilema. Não dá para olhar para a curva glicêmica de um único alimento e determinar se ele é "bom" ou "ruim". É preciso compará-lo às alternativas.

Por fim, *as recomendações deste livro são todas baseadas em evidências*. Cada gráfico de glicemia ilustra as descobertas científicas a que me refiro. Não tiro conclusões generalizadas a partir das experiências de uma única pessoa, tampouco de minhas experiências pessoais isoladamente. Antes de tudo, eu pesquiso: encontro estudos científicos que explicam como determinado hábito achata a curva glicêmica — por exemplo, um artigo científico concluindo que dez minutos de atividade física moderada, depois de uma refeição, reduzem o pico de glicemia daquela refeição. Nesses estudos, a experiência foi realizada em uma grande quantidade de pessoas, e os cientistas chegaram a uma conclusão geral que se sustenta estatisticamente. Tudo o que quero é apresentar um exemplo visual daquilo que foi descoberto. Por isso, pego um alimento popular, que provoca um pico de glicemia quando ingerido isoladamente, como um saco de batatas chips. Então, eu como esse saco de batatinhas sozinha, algum dia de manhã, meço a curva de glicemia resultante, e faço a mesma coisa no dia seguinte, só que depois faço dez minutos de caminhada. O segundo pico é menor, exatamente como o artigo explica. É isso que mostro às pessoas, para ilustrar que a caminhada depois de qualquer refeição reduz o pico de glicemia daquela refeição. Às vezes, não sou eu, mas outra pessoa da comunidade Glucose Goddess que contribui com o teste ilustrativo.

Por isso, se seu corpo é um avião e você é ao mesmo tempo piloto e passageiro, considere as três ressalvas acima uma aula de segurança. Agora que você sabe que achatar as curvas de glicose é o caminho para começar a levar seu corpo de volta à altitude de cruzeiro, é hora de começar esta jornada aprendendo de onde ela vem.

2. Conheça Tinho: como as plantas criam glicose

As plantas não recebem o devido crédito. Para ser justa, é raro que elas apregoem seus feitos (elas não têm como). Mas se o cacto na sua mesa pudesse falar, impressionaria você com a história de seus ancestrais: afinal de contas, foram eles que inventaram o processo biológico mais importante da Terra — a fotossíntese.

Milhões de anos atrás, nosso planeta era uma rocha inóspita de água e lama. A vida consistia apenas em bactérias e minhoquinhas nos oceanos; não havia árvores ou pássaros cantando, e certamente não havia mamíferos ou seres humanos.

Em algum lugar, em um dos cantos deste planeta azul, talvez onde hoje fica a África do Sul, ocorreu uma coisa mágica. Depois de milhões de anos de tentativa e erro, um brotinho minúsculo despontou na crosta terrestre, abrindo uma folha e, com isso, um novo capítulo na história da vida. Uma senhora façanha. E como esse broto fez isso?

Antigamente, era comum considerar as plantas "comedoras de solo": que elas surgiam espontaneamente da terra. Na década de 1640, um cientista flamengo chamado Jan Baptist van Helmont se propôs a descobrir se era isso mesmo. Ele realizou um teste de cinco anos conhecido como Experimento do Salgueiro, a partir do qual a humanidade fez duas descobertas: primeiro, a de que Van Helmont era uma pessoa muito paciente; segundo, a de que as plantas *não* surgem espontaneamente da terra.

Van Helmont plantou uma muda de salgueiro de dois quilos em um vaso grande, preenchido com cem quilos de terra. Durante os cinco anos seguintes, regou a planta e acompanhou seu crescimento. Passado esse tempo e com a árvore já crescida, ele a tirou do vaso e a pesou de novo: estava com 77 quilos, 75 a mais que no início. Mas o mais importante é que o peso da *terra* no vaso ficou praticamente inalterado. Isso significava que os 75 quilos a mais da árvore tinham que vir de outro lugar.

Como, então, as plantas fabricam seu próprio... material de planta, se não é da terra? Voltemos ao brotinho que acabou de ver a luz do dia no planeta Terra. Vamos chamá-lo de Tinho.

Tinho foi o primeiro a elaborar uma solução muito elegante: a capacidade de transformar não terra, mas *ar*, em matéria. Tinho combinou o dióxido de carbono (do ar) e a água (da terra, mas não a terra de fato), usando a energia do sol, para produzir uma substância nunca vista, que ele usou para construir cada pedaço de si. Essa substância é o que hoje chamamos de *glicose*. Sem a glicose, não existiriam plantas nem vida.

Durante centenas de anos depois do Experimento do Salgueiro, exércitos de pesquisadores tentaram entender como as plantas fazem o que fazem, com a ajuda de experiências envolvendo velas, potes fechados a vácuo e várias espécies diferentes de algas.

Os três homens que finalmente mataram a charada foram os cientistas americanos Melvin Calvin, Andrew Benson e James Bassham. Pela descoberta, Calvin recebeu o prêmio Nobel de Química em 1961. O processo foi batizado

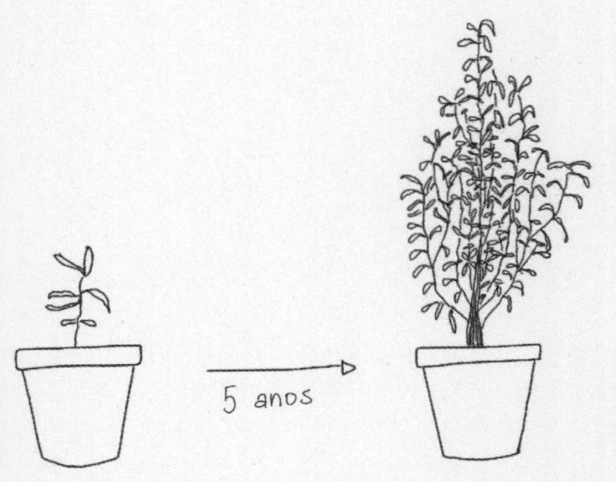

O Experimento do Salgueiro provou que as plantas não eram feitas de terra.

de "Ciclo de Calvin-Benson-Bassham". Por não ser o mais interessante dos nomes, em geral nos referimos a ele como *fotossíntese*: o processo de transformação de água e dióxido de carbono em glicose, usando a energia do sol.

Sinto um pouco de inveja da forma como as plantas fazem o que fazem. Não perdem tempo algum na mercearia. Criam a própria comida. Em termos humanos, seria como ser capaz de inalar as moléculas do ar, sentar-se ao sol e criar um delicioso creme de lentilha dentro do estômago sem precisar comprá-lo, prepará-lo ou engoli-lo.

Uma vez criada a glicose, as plantas podem decompô-la, para usar como energia, ou mantê-la intacta, para usar como tijolinhos. E não poderíamos sonhar com tijolos melhores. São tão pequenos e práticos que dá para encaixar 500 mil moléculas no ponto que encerra esta frase. Ela pode ser usada para fazer o rígido tronco, as flexíveis folhas, as compridas raízes ou os suculentos frutos da planta. Assim como o diamante e o grafite do lápis podem ser feitos a partir de exatamente o mesmo átomo (o carbono), as plantas conseguem fazer muitas coisas diferentes a partir da glicose.

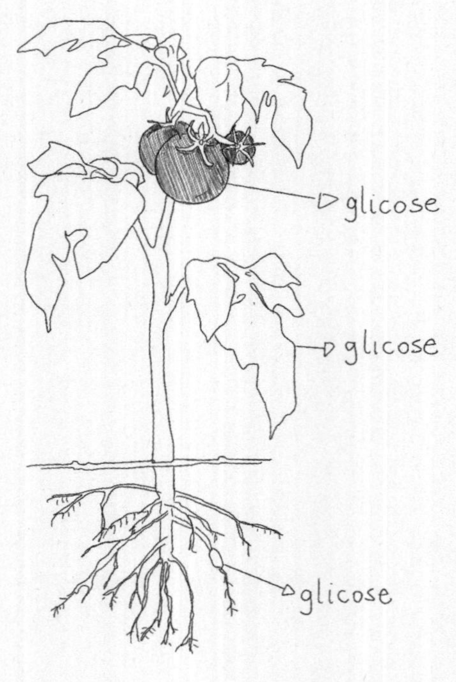

As plantas transformam as tardes de sol em glicose, durante a fotossíntese, e acumulam essa glicose sob diversas formas para crescer. Aqui, vemos raízes, folhas e frutos.

A FORÇA DO AMIDO

O amido está entre as coisas que as plantas conseguem produzir a partir da glicose.

Uma planta viva precisa de um suprimento permanente de energia. No entanto, quando não está fazendo sol, seja em razão do tempo nublado ou da noite, a fotossíntese que proporciona à planta a glicose de que necessita para sobreviver não ocorre. A fim de resolver esse problema, as plantas produzem glicose extra durante o dia, empacotando-a como reserva para uso posterior.

O problema é que não é fácil armazenar glicose. A tendência natural é ela se dissolver em qualquer coisa que esteja em volta, como uma criança deixada solta no parquinho na hora do recreio. As crianças correm para lá e para cá em direções aleatórias, em geral de forma incontrolável e imprevisível, mas o professor consegue reuni-las e fazê-las se sentar (praticamente) em silêncio em suas carteiras quando a aula recomeça. Da mesma forma, a planta tem uma solução para reunir a glicose. Ela convoca pequenos ajudantes, chamados de *enzimas* – uma espécie de inspetor escolar, digamos assim –, que pegam as moléculas de glicose pela mão e juntam umas às outras: mão esquerda com mão direita, mão esquerda com mão direita, centenas de milhares de vezes. O resultado é uma longa cadeia de glicose, que para de correr para lá e para cá em direções aleatórias.

Essa forma de glicose recebe o nome de *amido*. Pode ser armazenada em pequenas quantidades por toda a planta, mas a maior parte fica na raiz.

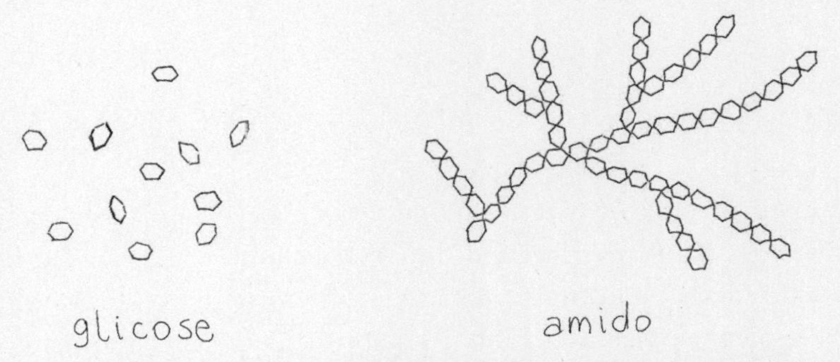

As plantas montam a glicose em longas cadeias, chamadas de amido, como forma de armazenamento.

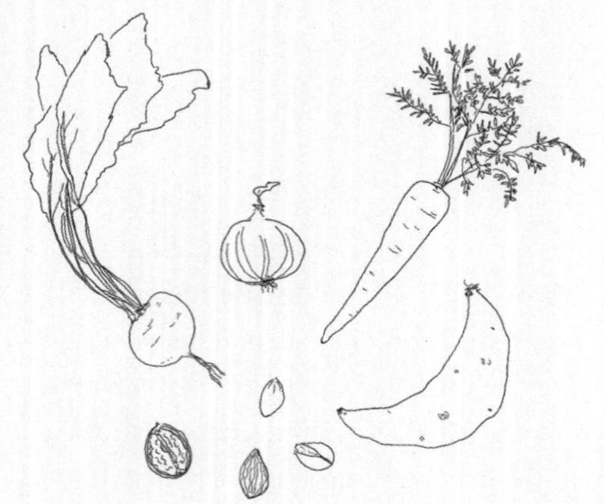

Raízes e sementes são repletas de amido.

Beterraba, batata, cenoura, aipo, pastinaca (ou cherivia), nabo,[1] jicama e inhame são raízes, e todos contêm amido. Sementes também contêm amido, que lhes proporciona a energia necessária para crescerem e virarem plantas. Arroz, aveia, milho, trigo, cevada, feijão, ervilha, lentilha, soja e grão-de-bico são sementes, e todos também contêm amido.

Nessa sala de aula, é a disciplina que contém o amido — tanto é que a palavra para amido em inglês, *starch*, vem da palavra germânica que significa "forte".

O amido é forte mesmo, mas isso não significa que é inflexível. Com a ferramenta certa, pode ser desmontado. Sempre que as plantas precisam de glicose, usam uma enzima chamada alfa-amilase, que se dirige à raiz e libera algumas moléculas de glicose de suas cadeias de amido. *Clac* — a glicose é liberada, pronta para ser usada como energia ou como um tijolinho.

A FIBRA DAS FIBRAS

Outra enzima (existem várias) pode ser convocada a realizar uma tarefa diferente: a de criar *fibras*. Em vez de ligar moléculas de glicose de mão em mão para produzir amido, essa enzima conecta moléculas de glicose de mão em pé,* e a cadeia resultante é chamada de *fibra*. Essa substância é tão importante quanto

* O que também é conhecido como ligação $\beta 1 \rightarrow 4$ glicosídica. (N.A.)

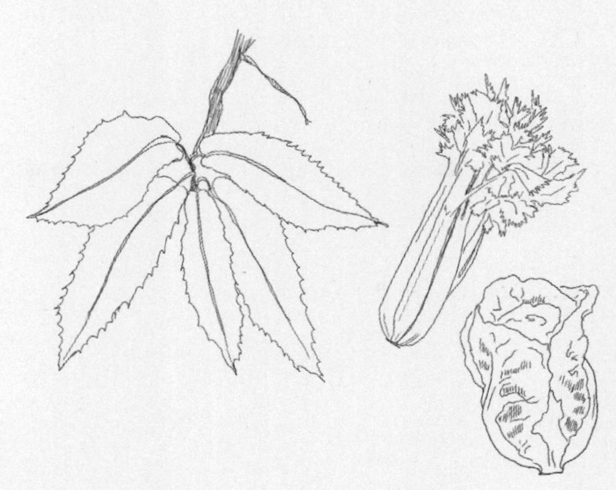

Troncos, galhos e folhas contêm a maior quantidade de fibra.

a argamassa entre os tijolos de uma casa. É o que permite que as plantas fiquem tão altas sem desabar. Ela é encontrada com mais frequência no tronco, nos galhos, nas flores e nas folhas, mas também existe fibra nas raízes e nas frutas.

O ser humano encontrou um uso prático para as fibras: ela é extraída e processada para fabricar papel, desde o tempo dos papiros egípcios. Hoje em dia, é extraída do tronco das árvores, polimerizada e transformada em folhas e resmas de papel. Se você estiver lendo estas palavras em um livro físico, está lendo um livro sobre a glicose impresso em glicose.

A FRUTA QUE FLERTA

Se você lambesse a glicose, o sabor seria doce. Mas as plantas transformam parte de sua glicose em uma molécula *superdoce* chamada *frutose*, que é cerca de duas a três vezes mais doce que a glicose.[2] As plantas concentram a frutose nas frutas – maçã, cerejas, kiwis e outras – que pendem dos galhos. O objetivo da frutose é tornar o sabor das frutas irresistível para os animais. Por que as plantas desejam que as frutas sejam irresistíveis? Porque elas escondem dentro delas as sementes. Elas são cruciais para a propagação: as plantas esperam que os animais comam suas frutas e as sementes passem despercebidas até sair pela outra extremidade de quem as comeu. É assim que as sementes se disseminam amplamente, garantindo a sobrevivência da espécie.

A maior parte da frutose nas plantas é usada dessa forma, mas outra parte, com a ajuda de outra enzima, se liga à glicose por algum tempo. O resultado é uma molécula chamada *sacarose*. A sacarose existe para ajudar a planta a comprimir ainda mais energia (a molécula de sacarose é ligeiramente menor que as de glicose e de frutose, o que permite que a planta armazene mais energia em um espaço menor). Para as plantas, a sacarose é uma engenhosa solução temporária de armazenamento; para nós, porém, tem uma enorme relevância. Nós a usamos todos os dias, sob um nome diferente: açúcar.

As várias formas que a glicose assume — o amido, a fibra, a frutose e a sacarose — existem graças à fotossíntese. E ela, essa elegante solução do Tinho, pavimentou o caminho para o resto da vida neste planeta.

As frutas são cheias de frutose.

3. Assunto de família: como a glicose entra na corrente sanguínea

O sistema de queima da glicose inventado pelas plantas se tornou vital para todos os seres vivos, dos dinossauros aos golfinhos, passando pelos camundongos. Quatrocentos e quarenta e nove milhões de anos depois do surgimento da primeira planta, o ser humano surgiu — queimando glicose também.

Suas células, como as de todos os animais e vegetais, precisam de energia para continuar vivas, e a glicose é sua fonte de energia *prioritária*. Cada uma de nossas células utiliza a glicose para obter energia, de acordo com sua função específica. As células cardíacas a empregam para se contrair, as células cerebrais para acionar neurônios, as células auriculares para ouvir, as células oculares para enxergar, as células estomacais para digerir, as células dérmicas para cicatrizar, os glóbulos vermelhos para levar oxigênio a seus pés, para você poder dançar a noite inteira.

A cada *segundo*, seu corpo queima 8 bilhões de bilhões de moléculas de glicose.[1] Para ter uma ideia do que isso representa, se cada molécula de glicose fosse um grão de areia, você queimaria todos os grãos de areia de todas as praias do planeta *a cada dez minutos*.[2]

É o bastante para dizer que o ser humano precisa de uma tremenda quantidade de combustível.

Existe só um pequeno porém: o ser humano não é uma planta. Por melhores que sejam nossas intenções, não podemos produzir glicose a partir do ar e do sol (tentei fazer fotossíntese uma vez na praia — em vão).

A forma mais comum (mas não a única) de obtermos a glicose de que necessitamos é ingeri-la.

Amido

Quando eu tinha onze anos, realizamos um experimento na aula de biologia, do qual eu me lembro até hoje. Ao nos sentarmos na volta do recreio, cada aluno recebeu uma fatia de pão branco.

Enquanto nos entreolhávamos perplexos, a professora anunciou: tínhamos que colocar o pedaço inteiro na boca e mastigá-lo — resistindo à vontade de engolir — durante um minuto inteirinho. Era um pedido bizarro, mas provavelmente mais divertido que nossas atividades comuns em sala de aula, então topamos.

Depois de umas trinta mastigadas, uma coisa surpreendente aconteceu: o sabor do pão começou a mudar — ele começou a ficar doce!

O amido estava se transformando em glicose na minha boca.

A fatia de pão é feita, na maior parte, de farinha. A farinha é obtida moendo bagas de trigo, e, como você sabe, as bagas de trigo são repletas de amido. Todo alimento feito de farinha contém amido. Massa de torta, biscoito, doces e massas são todos compostos de farinha. Por isso, todos são compostos de amido. Quando comemos, decompomos o amido em glicose, usando a mesma enzima que as plantas utilizam para realizar essa tarefa: a alfa-amilase.[3]

O amido se transforma em glicose com extrema rapidez em nosso corpo. Em geral, a maior parte desse processo acontece no intestino, onde passa despercebido. As enzimas alfa-amilase quebram os elos da cadeia, liberando as moléculas de glicose. E lá vão elas, correndo pelo parquinho de novo.

As enzimas que realizam esse trabalho vital também se encontram em nossa saliva. Quando mascamos o amido por tempo suficiente, deixamos as enzimas começar seu serviço. Esse processo se inicia na boca, e podemos sentir seu gosto. Daí o poder desse experimento.

Frutas

As frutas, em compensação, têm o sabor doce desde o primeiro instante. Isso acontece porque elas já contêm moléculas de glicose soltas, com gosto adocicado, assim como a frutose, cujo gosto é ainda mais doce, e a forma combinada das duas, a sacarose, que é mais doce que a glicose, mas não tão doce quanto a frutose.

A glicose das frutas está pronta para o uso e não precisa ser decomposta. A sacarose precisa, sim, ser decomposta, e existe uma enzima que a separa em moléculas de glucose e frutose, mas isso não leva muito tempo — acontece em um nanossegundo.

A frutose é um pouco mais complicada. Depois que a ingerimos, uma parte dela se transforma de novo em glicose no intestino delgado. O restante permanece sob a forma de frutose.[4] Ambas permeiam o revestimento do intestino para entrar na corrente sanguínea. Mais adiante, explicarei o que acontece depois, mas o que eu quero que você lembre agora é que, embora a glicose seja necessária para alimentar os sistemas corporais, a frutose não é. Hoje em dia, ingerimos um monte de frutose desnecessária, porque ingerimos muito mais sacarose (que, lembrando, é metade glicose, metade frutose).

E quanto às fibras? Bem, elas têm um destino particular.

Fibras

As enzimas atuam quebrando os elos do amido e da sacarose, mas não existe enzima para romper os elos das fibras. Elas não voltam a se transformar em glicose. É por isso que, quando ingerimos fibras, elas continuam a ser fibras. Viajam do estômago para os intestinos grosso e delgado. E isso é bom. Embora não voltem a se tornar glicose e, portanto, não possam fornecer energia às células, as fibras são uma parte essencial de nossa dieta, desempenhando um papel muito importante no auxílio à digestão, mantendo movimentos intestinais saudáveis e conservando um microbioma sadio, entre outras coisas.

UMA SÓ MÃE, QUATRO IRMÃS

Amido, fibras, frutose e sacarose são como quatro irmãs com personalidades diferentes. Todas elas são aparentadas, porque têm a mesma mãe, a glicose — e pouco importa que briguem o tempo todo para saber de quem era a roupa emprestada.

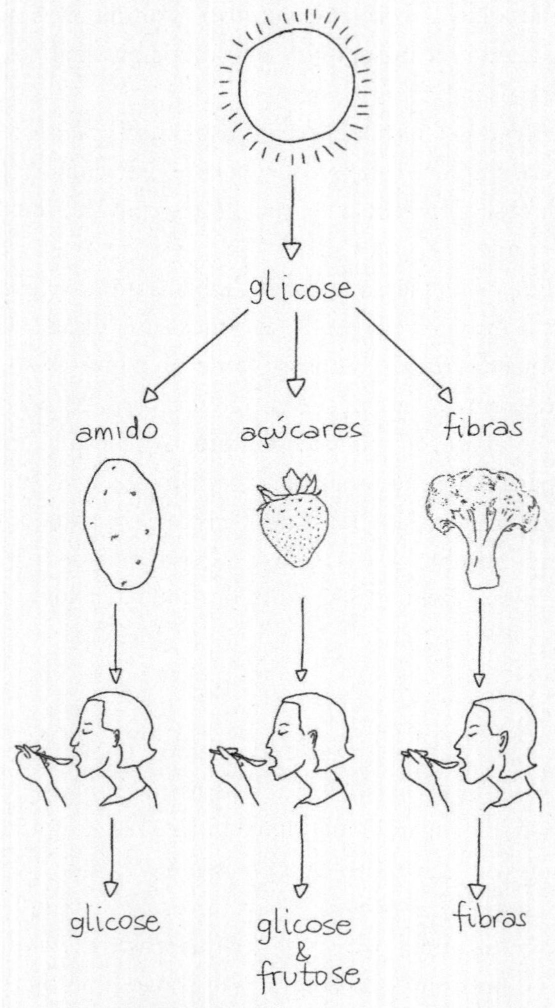

Qualquer parte que ingerimos de uma planta volta a se transformar em glicose (e frutose) quando digerida, à exceção das fibras, que passam direto pelo corpo.

Daria até para batizá-las com o mesmo sobrenome.

Em 1969, um grupo de cientistas redigiu um documento de vinte páginas intitulado "Regras provisórias para nomenclatura de carboidratos, Parte 1, 1969", e apresentou-o à comunidade científica.[5] A partir desse artigo, foi aceito que o nome dessa família seria "carboidratos". Por que carboidratos? Porque faz referência a coisas produzidas juntando carbono (carbo) e água (hidrato), que é o que ocorre durante a fotossíntese.

Em inglês essa família tem até um apelido popular, *carbs*.

Carboidratos = Amido, fibras e açúcares (glicose, frutose e sacarose)

Você vai notar que dentro da família dos carboidratos (que inclui amido, fibras, glicose, frutose e sacarose) os cientistas decidiram criar um subgrupo para as menores moléculas: glicose, frutose e sacarose. Esse subgrupo é chamado de *açúcares*. O termo científico *açúcar* não é idêntico ao nosso açúcar comum, embora o grupo dos açúcares inclua, de fato, a molécula que constitui o açúcar de cozinha, a sacarose. Para você ver, é assim que funciona nomenclatura científica.

Os membros da família dos carboidratos existem em proporções variadas nas plantas. Por exemplo, o brócolis contém muita fibra e um pouco de amido; a batata contém muito amido e um pouco de fibra; e o pêssego contém muito açúcar e um pouco de fibra (você vai constatar que existe ao menos *um pouco* de fibra em toda planta).

O que pode causar certa confusão, porém, é que quando as pessoas falam de nutrição, costumam dizer "carboidratos" para se referir apenas a amido e açúcares. Não incluem a fibra, porque ela não é absorvida pela corrente sanguínea como suas irmãs. Você pode ouvir frases como "o brócolis tem pouco carboidrato, mas muita fibra". Conforme a nomenclatura científica, o certo seria dizer "o brócolis contém muito carboidrato, na maior parte fibras".

Aqui, vou me ater à convenção, porque muito provavelmente é o que você ouvirá daqueles à sua volta (como sempre, porém, quero que você compreenda as informações científicas!). Quando eu falar em "carboidratos", estarei me referindo a alimentos ricos em amido (batata, massas, arroz, pão e assim por diante) e açúcares (frutas, bolos, tortas etc.), mas não a legumes e verduras, porque estes contêm sobretudo fibras e pouco amido. E usarei "açúcar" quando me referir ao açúcar de cozinha, como a maioria de nós.

E SE NÃO HOUVESSE GLICOSE NA NOSSA DIETA?

Como a glicose é importante para a vida, talvez você esteja se perguntando como animais carnívoros sobrevivem. Afinal de contas, muitos bichos não comem plantas (por exemplo, os golfinhos, que se deliciam com peixes, polvos e águas-vivas), e alguns seres humanos evoluíram em regiões onde frutas e vegetais praticamente não existem, como nas planícies congelantes da Rússia; portanto, tampouco ingeriam plantas.[6]

Bem, sendo a glicose tão importante para nossas células, quando não a encontramos para ingerir, nosso corpo pode fabricá-la *internamente*. É isso mesmo: não realizamos a fotossíntese para produzir glicose a partir do ar, da água e da luz do sol, mas conseguimos fabricar glicose a partir dos alimentos que ingerimos — a partir de gordura ou proteínas. Nosso fígado, por meio de um processo chamado *gliconeogênese*, realiza esse processo.

Além disso, nosso corpo consegue se adaptar ainda mais: quando a glicose é limitada, muitas células do corpo podem, quando necessário, passar a usar gordura como combustível. A isso se dá o nome de *flexibilidade metabólica* (as únicas células que sempre recorrem à glicose são os glóbulos vermelhos).

De fato, algumas dietas, como a Atkins e a cetogênica, restringem propositalmente o consumo de carboidratos, de modo a manter a glicemia da pessoa extremamente baixa, forçando assim o corpo a queimar gordura como combustível. É a chamada *cetose nutricional*, que nada mais é do que a flexibilidade metabólica em ação.

Portanto, evidentemente, os carboidratos não são biologicamente *necessários* (não precisamos ingerir açúcar para sobreviver), mas são uma fonte rápida de energia e uma parte deliciosa de nossa dieta, consumidos há milhões de anos. Cientistas descobriram que a dieta pré-histórica do ser humano incluía tanto fauna quanto flora:[7] quando havia plantas disponíveis, os humanos as consumiam. Que plantas eram essas, dependia da região onde viviam. Eles se adaptavam ao suprimento alimentar específico daquele entorno.[8] E nosso suprimento alimentar hoje é bem diferente daquele planejado pela natureza.

4. Em busca do prazer: por que comemos mais glicose do que nunca

A natureza nos criou para consumir a glicose de uma forma específica: a partir das plantas. Onde quer que haja amido ou açúcar, também há fibras. Isso é importante, *porque as fibras nos ajudam a desacelerar a absorção de glicose pelo corpo.* Você aprenderá como utilizar essa informação em seu benefício na Parte III.

Hoje em dia, porém, as prateleiras dos supermercados estão, em sua maioria, repletas de produtos que contêm sobretudo amido e açúcar. Do pão branco ao sorvete, passando pelos doces, sucos de frutas e iogurtes adoçados, não se vê fibra em lado algum. E isso ocorre propositalmente: fibras são, muitas vezes, retiradas na fabricação de alimentos processados, porque sua presença é problemática quando se quer preservar o alimento por muito tempo.

Deixe-me explicar – e, tenho que admitir, alguns morangos foram feridos na produção deste exemplo. À noite, coloque um morango fresco no freezer. Pela manhã, tire-o para descongelar em um prato. Ao tentar comê-lo, ele estará mole. Por quê? Porque as fibras foram decompostas em partes menores pelo processo de congelamento e descongelamento. As fibras continuam lá (e continuam sendo benéficas à saúde), mas a textura deixou de ser a mesma.

Costuma-se retirar as fibras dos alimentos processados para que eles possam ser congelados e descongelados, e durem anos e anos nas prateleiras sem perder a textura. Vamos pegar, por exemplo, a farinha branca: as fibras se encontram no germe e no farelo (a casca) do grão de trigo; por isso, o farelo é extraído durante a moagem.

Um morango fresco e como ele fica depois de passar a noite no congelador e ser descongelado.

Mais uma coisa ocorre com os alimentos para que sejam transformados em produtos de sucesso no supermercado: aumenta-se a doçura. A base do processamento alimentar consiste em, primeiro, extrair as fibras, e depois em aumentar a concentração de amido e açúcares.

O fato é que, quando o ser humano gosta de alguma coisa, tende a levar esse gosto ao extremo. O aroma de rosas frescas agrada nossos sentidos; por isso, milhares de toneladas de pétalas de rosa são destiladas e concentradas em óleos essenciais, engarrafadas e disponibilizadas em toda parte, a toda hora, pelo setor de perfumaria. Da mesma forma, a indústria alimentícia resolveu destilar e concentrar o sabor mais buscado da natureza: a doçura.

Você deve estar pensando: por que gostamos tanto do que é doce? É que na Idade da Pedra o sabor doce indicava alimentos ao mesmo tempo seguros (não

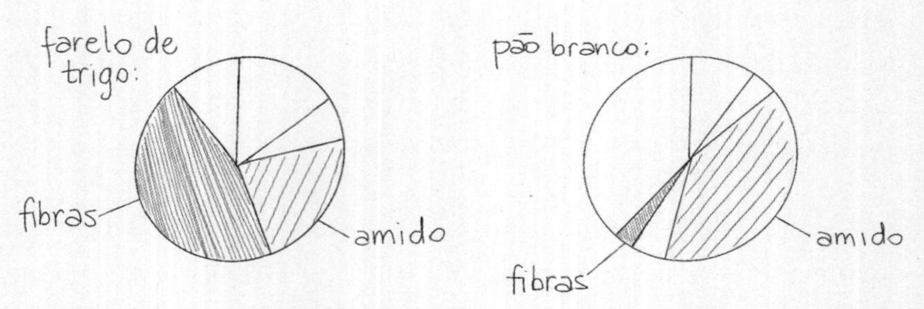

Quando a parte da planta que contém amido é processada para a produção de produtos de supermercado, suas fibras são extraídas. Sementes e raízes repletas de fibras são transformadas em pão ou chips cheios de amido (e em geral se adiciona açúcar).[1, 2]

existem alimentos simultaneamente doces e venenosos) *e* repletos de energia. Em uma época em que não era fácil encontrar comida, comer o máximo de frutas antes dos outros representava uma vantagem. Por isso, evoluímos para sentir prazer ao degustar algo que é doce.

Ao fazê-lo, um pico de uma substância química chamada dopamina invade nosso cérebro. É a mesma substância liberada quando fazemos sexo, jogamos video games, rolamos a tela das redes sociais ou, com consequências mais perigosas, ingerimos bebidas alcoólicas, fumamos ou usamos drogas ilícitas.[3] E nunca ficamos saciados.

Em um estudo de 2016, ofereceram a camundongos uma alavanca, com a qual eles podiam ativar seus neurônios de dopamina (graças a um sensor ótico especial).[4] Os pesquisadores constataram um comportamento peculiar: quando eles deixavam os camundongos à própria sorte, eles passavam o tempo todo apertando a alavanca para ativar os neurônios de dopamina, sem parar. Pararam de comer e beber — a tal ponto que os pesquisadores acabaram tendo que encerrar o experimento, porque, do contrário, os camundongos iriam morrer. A obsessão deles pela dopamina os fez esquecer as necessidades básicas. Tudo isso é para dizer que os animais, inclusive os seres humanos, gostam *muito* de dopamina. E ingerir alimentos doces é um jeito fácil de curtir essa sensação.

As bananas ancestrais (imagem superior), como a natureza as criou: cheias de fibras, com pequena quantidade de açúcar. A banana do século XXI (imagem inferior) é o resultado de várias gerações de cruzamentos para reduzir a quantidade de fibras e aumentar a de açúcar.[5]

À esquerda, como um pêssego era há 6 mil anos. À direita, um pêssego do século XXI. As frutas que comemos hoje são maiores e mais doces do que eram milhares de anos atrás.[6]

Desde sempre as plantas concentram glicose, frutose e sacarose nas frutas, mas alguns milênios atrás o ser humano começou a fazer o mesmo: plantar para, entre outros motivos, obter frutas cada vez mais doces.

Então, fervendo a cana-de-açúcar e cristalizando seu suco, o ser humano criou o açúcar — 100% de sacarose. Esse produto novo se tornou muito popular no século XVIII. À medida que a demanda aumentava, também aumentavam os horrores da escravidão: milhões de pessoas escravizadas foram levadas às regiões úmidas do planeta para plantar cana-de-açúcar e produzir açúcar.

As fontes de açúcar foram mudando ao longo do tempo — hoje também extraímos sacarose da beterraba e do milho —, mas, qualquer que seja a planta utilizada, a sacarose resultante adicionada aos alimentos processados é uma cópia química daquela encontrada nas frutas. O que muda é a concentração.

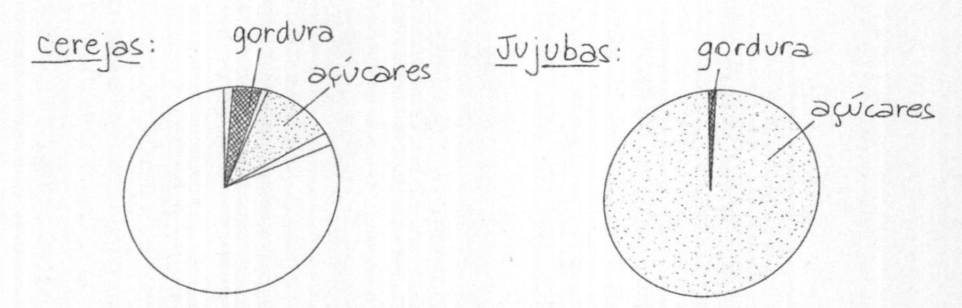

Tanto doces, como as jujubas, quanto frutas, como as cerejas, contêm açúcar. Mas nas jujubas há uma superconcentração.[7, 8]

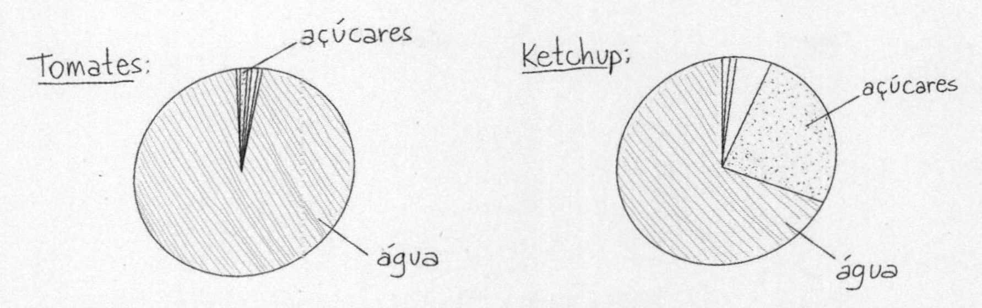

Até o tomate foi transformado em uma versão adocicada de si mesmo: o ketchup.[9,10]

O açúcar foi ficando cada vez mais concentrado e fácil de achar: se na pré-história só o ingeríamos nas frutas fibrosas da estação, e no século XIX só ingeríamos uma quantidade minúscula de sacarose (você seria sortudo se topasse com uma única barra de chocolate na vida), hoje comemos mais de *quarenta quilos* desse produto a cada ano.[11]

Continuamos ingerindo cada vez mais açúcar porque é difícil para nosso cérebro refrear a compulsão por coisas que têm sabor de fruta.[12] Doçura e dopamina sempre trarão uma sensação gratificante.

Como demonstra a experiência com os camundongos, é importante compreender que a tendência a ir atrás de uma barrinha de chocolate não é nossa culpa. Não é uma questão de força de vontade — longe disso. Uma programação evolutiva antiga e profunda nos diz o tempo todo que comer confeitos é uma boa ideia.

Sheryl Crow canta: "*If it makes you happy, it can't be that bad*" [Se te faz feliz, não pode ser tão ruim]. Precisamos de glicose para viver, e ela nos proporciona prazer.[13] Por isso, é justo pensar: qual o problema se comermos demais?

Em alguns casos, mais não é necessariamente sinônimo de melhor. Regue demais uma planta e ela se afoga; dê oxigênio demais a um ser humano e ele sufoca. Da mesma forma, existe uma quantidade de glicose *ideal*: o suficiente para se sentir bem, saltitar, ir trabalhar, se divertir, viver, rir e amar. Mas não podemos ingerir glicose demais. O excesso dela nos faz mal, e muitas vezes não nos damos conta.

5. Por baixo da pele: como descobrir os picos de glicemia

Muito tempo atrás, bem antes de eu ficar sabendo sobre glicose, eu comia um crepe de Nutella toda manhã antes da escola. Eu acordava vinte minutos antes da hora de sair, enfiava um jeans e uma camiseta, me esquecia de pentear o cabelo (desculpa, mamãe), corria para a cozinha, pegava a massa de crepe na geladeira, colocava um naco de manteiga na frigideira, jogava a massa por cima, *flop*, *flop*, virava, jogava no prato, besuntava de Nutella, dobrava e comia.

Eu me despedia da minha mãe, que estava tomando o café da manhã dela: uma tigela de cereal com leite salpicado de açúcar e um copo de suco de laranja.

Milhões de pessoas comem a mesma coisa no café da manhã. Na mesa, havia uma espécie de mostruário de tecnologias bem interessantes. Para mim, havia trigo moído e transformado em farinha; sacarose, avelãs, óleo de palma e cacau misturados em um creme. Para minha mãe: grãos de milho estourados e transformados em flocos; beterraba espremida, batida em purê e desidratada em sacarose; e laranjas espremidas num líquido que consiste basicamente em glicose e frutose.

Tanto açúcar concentrado resulta em um sabor bem doce. Nossas línguas aprovam "linguarudamente" esse banquete.

O amido e o açúcar se transformavam em glicose depois de ingeridos; caíam em nosso estômago e depois penetravam no intestino delgado. Ali, a glicose desaparecia no revestimento intestinal e passava para a corrente sanguínea.

Dos capilares — minúsculos vasos sanguíneos — migravam em direção a vasos cada vez maiores, como quem pega a rampa de acesso para uma autoestrada.

Quando os médicos medem a quantidade de glicose em nosso corpo, costumam pegar uma amostra de sangue e avaliar a concentração nela. Mas a glicose não fica apenas no sangue. Infiltra-se em cada trecho de nós, e pode ser medida por toda parte.

É por isso que, com um monitor contínuo de glicose (CGM), eu consigo medir a quantidade de glicose em todo o meu corpo sem coletar sangue: o CGM avalia a concentração de glicose entre as células adiposas na parte interna do meu braço.

Para quantificar a concentração de glicose, usamos miligramas por decilitro, que se escreve também como mg/dL. Outros países usam milimoles por litro (mmol/L). Qualquer que seja a unidade empregada, referem-se à mesma coisa: quanta glicose está percorrendo livremente o corpo.

A Associação Americana de Diabetes (ADA) afirma que uma linha de base para a concentração (também conhecida como *glicemia de jejum*, ou seja, seu nível de glicose cedinho de manhã, antes de comer) entre 60 e 100 mg/dL é "normal"; que entre 100 e 126 mg/dL indica pré-diabetes; e qualquer valor acima de 126 mg/dL indica diabetes.[1]

Mas aquilo que a ADA descreve como "normal" pode não ser de fato o ideal. Estudos preliminares mostram que a faixa *saudável* para a glicemia de jejum pode estar entre 72 e 85 mg/dL. Isso ocorre porque a probabilidade de vir a ter problemas de saúde aumenta a partir de 85 mg/dL.[2, 3, 4]

Além disso, embora nossa glicemia de jejum nos informe se estamos correndo o risco de um diagnóstico de diabetes, ela não é o único fator a ser considerado. Mesmo quando nossa glicemia de jejum é "ideal", podemos vivenciar *picos de glicemia* diários. Esses picos são elevações e quedas rápidas na concentração de glicose depois de comer, e são nocivos. Vou explicar por que no próximo capítulo.

Segundo a ADA, nossa glicemia não deveria passar de 140 mg/dL depois de comer, mas, repetindo, isto é o "normal" e não o ideal. Pesquisas feitas com não diabéticos fornecem informações mais precisas: devemos nos esforçar para evitar elevar nossa glicemia em mais de 30 mg/dL depois de comer.[5] Por isso, neste livro, definirei um *pico de glicemia* como uma elevação superior a 30 mg/dL na glicemia depois de comer.

O objetivo é evitar picos, qualquer que seja sua glicemia de jejum, porque o mais problemático é a *variabilidade* causada por eles.[6, 7, 8] São *anos* de picos repetidos diariamente que vão aos poucos elevando nosso nível de glicemia de jejum, padrão que acabamos descobrindo apenas quando esse nível é classificado como pré-diabético. E a essa altura o estrago já começou a ser feito.

Todo dia, o café da manhã da minha mãe levava a um intenso pico de 80 mg/dL de glicemia, levando sua glicemia de jejum de 100 mg/dL a incríveis 180 mg/dL. Esse aumento fica bem acima do patamar de 30 mg/dL para definir um pico e muito acima até do limiar de 140 mg/dL estabelecido pela ADA para um pico "normal" após uma refeição.

Lembre-se de que as medições de concentração da glicose em seu corpo, ao longo do tempo, se traçadas, criam uma *curva de glicemia*. Por exemplo, se eu analisar minha glicemia da semana passada, minha curva terá forte variação caso eu tenha passado por muitos picos, ou será mais achatada se eu tiver tido menos picos.

Neste livro, aconselho você a achatar sua curva de glicemia, o que significa olhar o quadro mais geral e constatar picos menores e cada vez menos

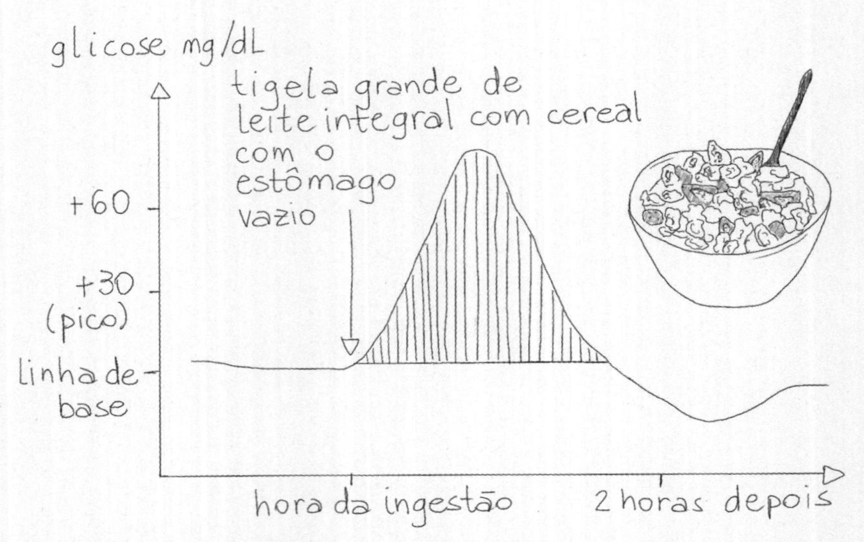

O tradicional café da manhã de cereais, considerado saudável, leva nossa glicose a um pico bem acima da faixa saudável, e em seguida a desabar com a mesma rapidez.

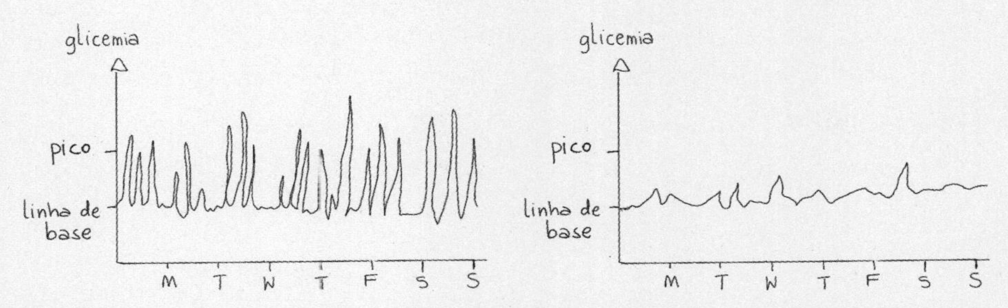

À esquerda, uma semana de curvas de glicemia com muitos picos; à direita, uma semana com menos picos.

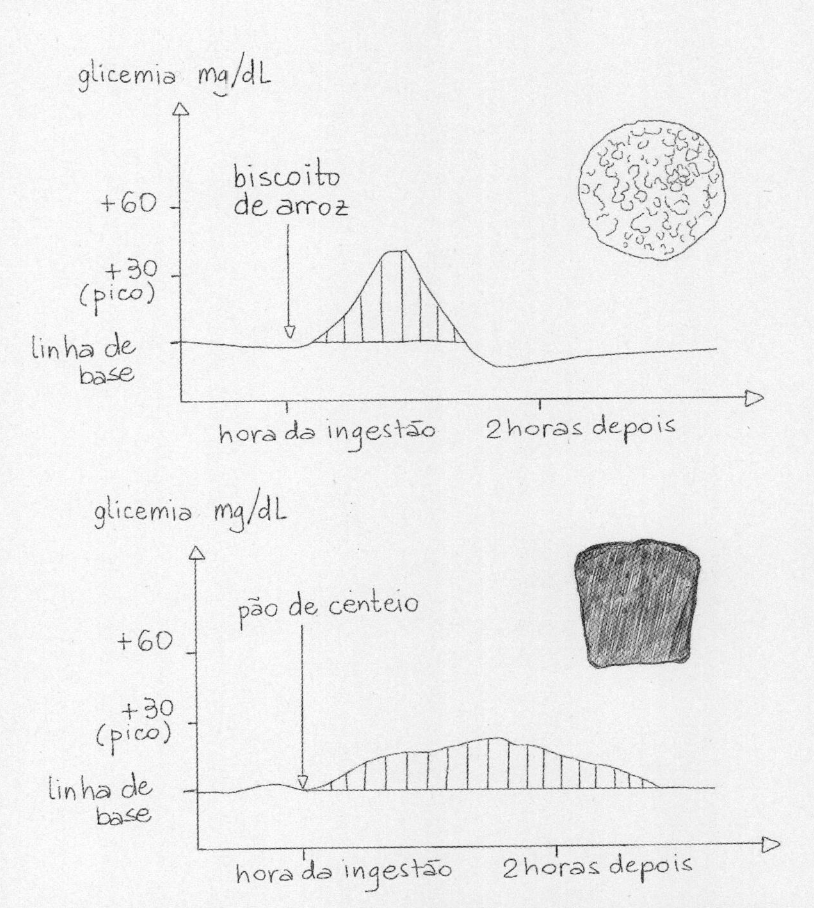

Ao comparar as duas curvas, não é preciso fazer nenhuma conta. A curva com o pico mais alto, isto é, a maior variabilidade (gráfico superior), é pior para sua saúde.

frequentes com o passar do tempo. Outra forma de descrever o achatamento da curva de glicemia é *reduzir a variabilidade glicêmica*. Quanto menor, melhor será sua saúde.[9]

ALGUNS PICOS SÃO PIORES QUE OUTROS

Os dois picos de glicemia traçados a seguir parecem exatamente iguais. Mas um deles foi mais prejudicial que o outro. Você consegue adivinhar qual?

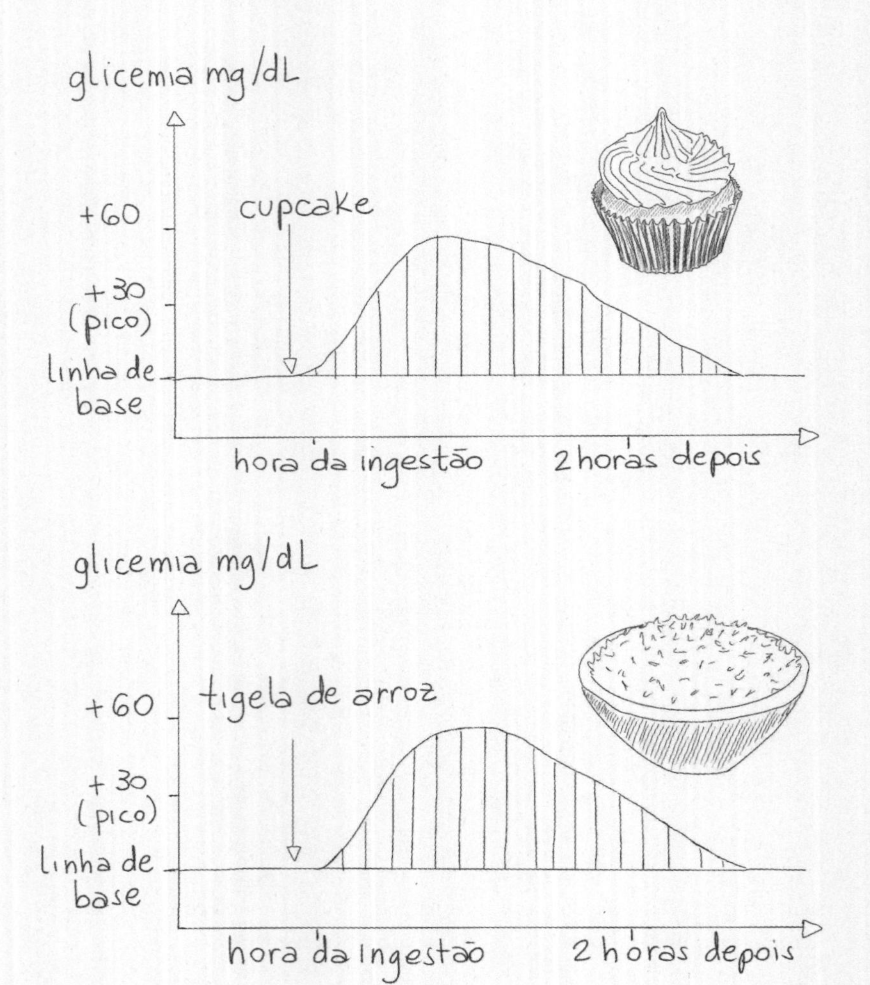

O pico de glicemia de um doce (um cupcake) é pior para nossa saúde que o pico de glicemia de um alimento com amido (arroz). O motivo não tem nada a ver, porém, com a glicose medida; tem a ver com uma molécula que passa despercebida.

O alimento doce contém açúcar de mesa, ou sacarose — aquele composto formado por glicose e frutose. O alimento com amido, não. Sempre que constatamos um pico de glicemia de um alimento doce, há um pico correspondente de frutose, que infelizmente não chegamos a ver. Os monitores contínuos de glicose detectam apenas glicose, e não frutose, e ainda não existem monitores contínuos de frutose.

Enquanto não existem, lembre-se de que se o alimento que você ingeriu era doce e gerou um pico de glicemia, também criou um pico invisível de frutose, e é isso que torna o pico do doce mais prejudicial que o pico do amido.

Agora é hora de chegarmos ao *porquê*: por que, exatamente, os picos de glicose são ruins para nós, e por que os picos de frutose são piores ainda? Como eles agem dentro do nosso corpo? Coloque os óculos, pegue uma bebida e fique à vontade. Até o final da Parte II você dominará o idioma do seu corpo.

Parte II

Por que os picos de glicemia são nocivos?

6. Trens, torradas e Tetris: as três coisas que acontecem em nosso corpo nos picos

Cada um de nós é formado por mais de 30 trilhões de células.[1] Quando ocorre um pico, todas elas sentem. Ao entrar em uma célula, o objetivo biológico primário da glicose é se transformar em energia. As usinas responsáveis por isso são organelas microscópicas encontradas na maioria de nossas células, chamadas *mitocôndrias*. Usando a glicose (e o oxigênio do ar que respiramos), elas criam uma versão química da eletricidade, para fornecer a cada célula a energia necessária a fim de realizar o que quer que seja preciso. Quando a glicose inunda nossas células, vai direto para as mitocôndrias e passa por essa transformação.

POR QUE O TREM PARA: OS RADICAIS LIVRES E O ESTRESSE OXIDATIVO

Para compreender como as mitocôndrias reagem a um pico de glicemia que as atinge, imagine o seguinte: seu avô, enfim se aposentando depois de uma longa carreira, poderá realizar o sonho de trabalhar em uma maria-fumaça. Todo mundo na família acha que o velho pirou, mas ele não está nem aí. Depois de um ligeiro treinamento, ele se candidata a uma vaga de foguista na sala de máquinas: seu trabalho é jogar carvão na fornalha com uma pá, para gerar o vapor que impulsiona os pistões e faz as rodas do trem girarem. Ele é, por assim dizer, a mitocôndria do trem.

De vez em quando ao longo do dia, enquanto o trem avança pelos trilhos, seu avô recebe uma carga de carvão. Ele a coloca ao lado da fornalha e vai jogando com a pá para dentro das brasas, em um ritmo constante, abastecendo o processo que faz o trem andar. Material bruto é convertido em energia. Quando esse estoque acaba, outra carga é imediatamente entregue.

Assim como o trem, nossas células vão em frente suavemente quando a quantidade de energia fornecida combina com a quantidade de energia necessária para operar.

Agora chega o segundo dia do novo emprego do seu avô. Alguns minutos depois da entrega da primeira carga de carvão, ele é surpreendido por uma nova batida à porta: mais carvão. Ele pensa: "Bem, está um pouco cedo, mas assim eu vou ter uma reserva". Ele o deixa guardado ao lado da fornalha. Alguns minutos depois, outra batida. Mais carvão. E outra. As batidas não param, e o carvão é entregue o tempo todo. "Eu não preciso de tanto assim!", ele fala. Mas lhe é dito que sua função é queimá-lo, e nenhuma outra explicação é fornecida.

O dia inteiro, entrega após entrega, carvão desnecessário é jogado dentro de seu vagão. O carvão que está sendo entregue ultrapassa de longe o necessário. Seu avô não consegue queimar carvão mais depressa, então a carga vai se acumulando em volta dele.

Em pouco tempo, o carvão está por toda parte, amontoado até o teto. Ele mal consegue se mexer. Não consegue nem jogar carvão no fogo com a pá, de tanta coisa no meio do caminho. O trem para e os passageiros se irritam. No final do dia, ele pede demissão, com seu sonho destroçado.

As mitocôndrias se sentem de um jeito parecido quando entregamos mais glicose do que elas necessitam. Elas só conseguem queimar a quantidade de que a célula necessita para ter energia, e nada mais. Quando temos um pico, estamos entregando glicose às células *rápido demais*. A velocidade com que ela é entregue é o problema. Uma quantidade excessiva, de uma vez só, vai empilhando problemas.

Segundo a teoria científica mais recente, o Modelo de Carga Alostática,[2] quando nossas mitocôndrias estão afogadas em glicose desnecessária, moléculas minúsculas que provocam grandes consequências são liberadas: os *radicais livres*[3] (e parte da glicose é convertida em gordura; mais a respeito em breve). Quando os radicais livres surgem por conta de um pico, provocam uma perigosa reação em cadeia.

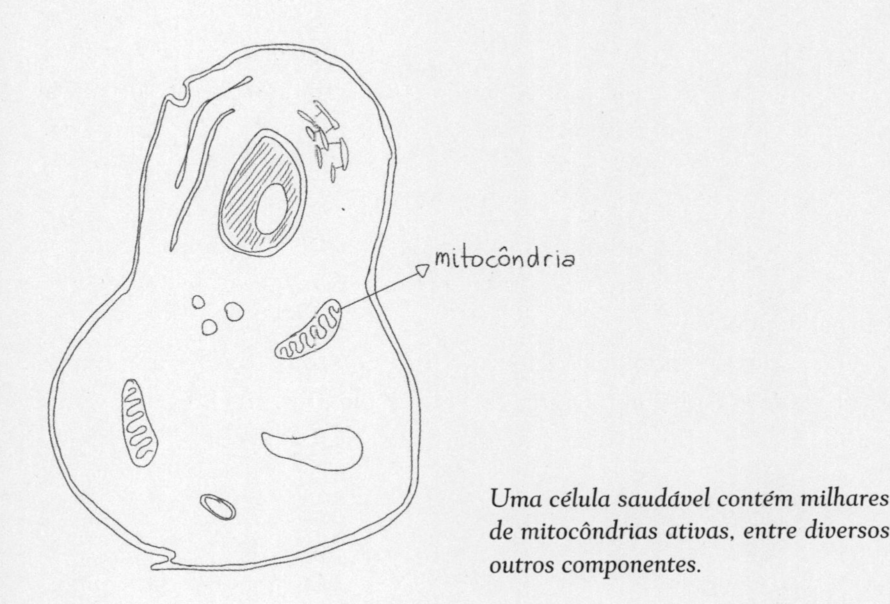

Uma célula saudável contém milhares de mitocôndrias ativas, entre diversos outros componentes.

Os radicais livres são um problema relevante, porque causam danos a tudo aquilo que tocam. Eles atingem e modificam nosso código genético (nosso DNA) de forma aleatória, criando mutações que ativam genes prejudiciais e que podem levar ao desenvolvimento de um câncer. Eles abrem buracos nas membranas de nossas células, transformando uma célula de funcionamento normal em uma de funcionamento anormal.

Em circunstâncias naturais, vivemos com uma quantidade moderada de radicais livres em nossas células, e damos conta deles. Com os picos repetidos, porém, fica impossível gerir a quantidade produzida. Quando há radicais livres demais a neutralizar, diz-se que o corpo está em estado de *estresse oxidativo*.

O estresse oxidativo estimula doenças cardíacas, diabetes tipo 2, declínio cognitivo e envelhecimento.[4] E a frutose aumenta o estresse oxidativo ainda mais do que a glicose isoladamente.[5] Esse é um dos motivos pelos quais os alimentos doces (que contêm frutose) são piores que os alimentos com amido (que não a contêm). O excesso de gordura também pode aumentar o estresse oxidativo.[6]

Ao longo das décadas, as células ficam destroçadas. Por serem recheadas, superlotadas e sobrecarregadas, as mitocôndrias não conseguem converter glicose em energia de forma eficiente. As células passam fome, o que leva a

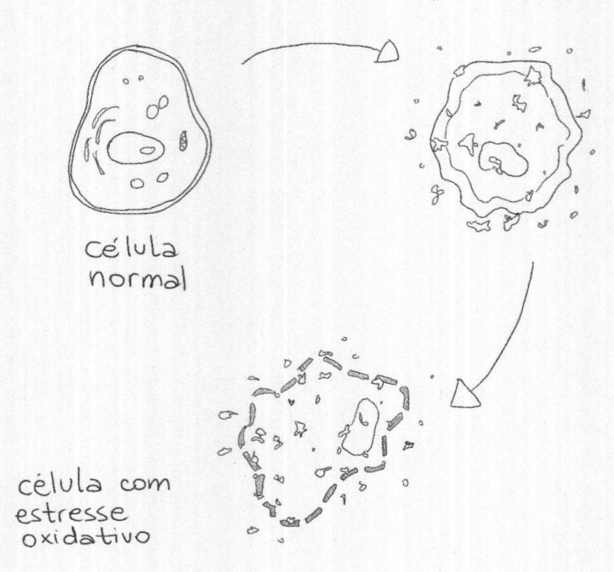

uma disfunção dos órgãos. Isso tem um impacto sobre nós: embora a alimentação nos forneça combustível, sentimos desânimo; fica difícil se levantar de manhã, e durante o dia nos falta energia. Ficamos *cansados*. Você conhece essa sensação? Eu conhecia bem.

A essa sensação junta-se um segundo processo, desencadeado quando passamos por um pico de glicemia.

POR QUE VOCÊ ESTÁ TORRANDO: A GLICAÇÃO E AS INFLAMAÇÕES

Pode ser uma surpresa para você, mas neste momento você está *cozinhando*. Mais exatamente, você está *torrando*, do mesmo jeito que um pedaço de pão na torradeira.[7]

Desde o instante em que nascemos, as coisas vão literalmente tostando dentro do nosso corpo, ainda que muito lentamente. Quando os cientistas olham para a cartilagem das costelas de um bebê, ela é branca. Quando o ser humano chega aos noventa anos, a mesma cartilagem está marrom.[8]

Em 1912, um cientista francês chamado Louis-Camille Maillard descreveu esse fenômeno e lhe deu seu nome, hoje conhecido como Reação de Maillard. Ele descobriu que esse "tostamento" acontece quando uma molécula de glicose se choca com outro tipo de molécula, causando uma reação. Diz-se, então, que a segunda molécula está "glicada". Quando uma molécula é glicada, ela sofreu dano.

Esse é um processo natural e inevitável. É por isso que envelhecemos, por isso que nossos órgãos se deterioram lentamente, e por isso que um dia morremos.[9] Não temos como interromper esse processo, mas podemos controlar sua velocidade.

Quanto mais glicose fornecemos ao nosso corpo, maior a frequência com que ocorre a glicação. Uma vez glicada, a molécula está permanentemente danificada – pelo mesmo motivo que você não pode "destorrar" uma torrada. As consequências de longo prazo da glicação das moléculas variam das rugas[10] à catarata,[11] passando pelos problemas cardíacos[12] e pelo Alzheimer.[13] Como o tostamento é envelhecimento e o envelhecimento é tostamento, desacelerar a reação de tostamento no seu corpo leva a uma vida mais longa.[14]

A frutose glica moléculas *dez vezes mais rápido* que a glicose, causando danos na mesma proporção.[15, 16] Uma vez mais, este é outro motivo pelo qual

Quando torramos pão, ele fica marrom. Por dentro, estamos tostando do mesmo jeito.

picos de alimentos açucarados, como biscoitos (que contêm frutose), nos fazem envelhecer mais rapidamente que picos de alimentos com amido, como as massas (que não a contêm).

Os níveis de glicose e a glicação estão a tal ponto conectados que um teste muito conhecido para medir o nível de glicose no corpo mede, na verdade, a glicação. O teste de hemoglobina glicada A1c (HbA1c), bem conhecido dos diabéticos, mede quantas proteínas de glóbulos vermelhos foram glicadas pela glicose ao longo dos dois ou três meses anteriores. Quanto mais alta sua hemoglobina glicada, maior a frequência com que a Reação de Maillard está acontecendo dentro do seu corpo, mais a glicose está circulando e mais rápido você está envelhecendo.

A combinação de excesso de radicais livres, estresse oxidativo e glicação leva a um estado generalizado de *inflamação* no corpo. A inflamação é uma reação protetora; é a maneira de o corpo se defender dos invasores. Mas inflamações crônicas são nocivas, porque se voltam contra nosso próprio corpo. Por fora, você vê vermelhidão e inchaço; por dentro, tecidos e órgãos estão sendo lentamente danificados.

Os processos inflamatórios também podem ser estimulados por bebidas alcoólicas, cigarro, estresse, síndrome do intestino permeável e substâncias liberadas pela gordura corporal. As inflamações crônicas são a fonte da maior parte das doenças crônicas, como derrames, doenças respiratórias, problemas cardíacos, doenças hepáticas, obesidade e diabetes. A Organização Mundial da Saúde qualificou as doenças de origem inflamatória como "a maior ameaça à saúde humana". No mundo, *três em cada cinco pessoas morrerão de uma doença de origem inflamatória.*[17] A boa notícia é que uma dieta que reduz os picos de glicose reduz os processos inflamatórios e, ao mesmo tempo, seu risco de contrair qualquer doença dessa origem.[18]

O terceiro e último processo sobre o qual vamos nos debruçar pode ser o mais surpreendente. Trata-se, na verdade, de um mecanismo de defesa que nosso corpo usa para se proteger dos picos — mas que tem suas próprias consequências.

JOGAR TETRIS PARA SOBREVIVER: A INSULINA E O GANHO DE GORDURA

É essencial para nossa sobrevivência retirar o excesso de glicose o mais depressa possível da circulação, para reduzir a formação de radicais livres e glicação. Portanto, nosso corpo, trabalhando sem que nós mesmos saibamos disso, tem um plano: ele começa a jogar uma espécie de Tetris.

No Tetris, quem joga organiza blocos em fileiras para limpá-las depois que se acumulam, de maneira extremamente similar ao que acontece no nosso corpo: quando entra glicose demais, nosso corpo faz o possível para se livrar dele.

Eis como funciona.

Quando nosso nível de glicemia aumenta, nosso pâncreas se transforma no "maestro do Tetris".

Uma das principais funções do pâncreas é enviar um hormônio chamado *insulina* para o corpo. O único propósito da insulina é esconder o excesso de glicose em unidades de armazenamento pelo corpo, para mantê-lo fora de circulação e nos proteger dos danos. Sem a insulina, morreríamos; aqueles que não são capazes de produzi-la — os diabéticos tipo 1 — precisam injetá-la para compensar aquilo que o pâncreas não consegue produzir.

A insulina esconde o excesso de glicose em várias unidades de armazenamento. Entra em cena a unidade número um: o fígado. O fígado é uma unidade

Tetris? Não, é a limpeza de um pico de glicemia.

muito conveniente, porque todo o sangue que vem do intestino transportando glicose nova da digestão tem que passar por ele.

Nosso fígado transforma glicose em outra forma, chamada glicogênio. É o equivalente à transformação de glicose em amido nas plantas. Na verdade, o glicogênio é primo do amido — é composto de várias moléculas de glicose unidas pelas mãos.[19] Se o excesso de glicose permanecesse na forma original, causaria estresse oxidativo e glicação. Depois de transformado, não provoca dano.

O fígado é capaz de reter cerca de cem gramas de glicose sob a forma de glicogênio (a quantidade de glicose em três porções grandes de batatas fritas do McDonald's),[20] que representa metade dos duzentos gramas de glicose de que nosso corpo necessita como energia diariamente.[21]

A segunda unidade de armazenamento são nossos músculos. São unidades eficientes porque existem em grande quantidade no corpo. Os músculos de uma pessoa adulta normal de 75 quilos podem reter cerca de quatrocentos gramas de glicose como glicogênio, ou a quantidade de glicose em seis porções grandes de batatas fritas do McDonald's.[22]

O fígado e os músculos são eficientes, mas tendemos a ingerir mais glicose do que o necessário, fazendo com que estas unidades de armazenamento fiquem logo repletas. Em pouco tempo, se não dispuséssemos de outra unidade de armazenamento para a glicose extra, nosso corpo perderia a partida de Tetris.

Que parte do nosso corpo podemos fazer crescer com bastante facilidade, sem muito esforço, apenas ficando sentados no sofá? Apresento nossas reservas de gordura.

Depois que a insulina armazenou toda a glicose possível no fígado e nos músculos, a glicose adicional é transformada em gordura e armazenada em nossas reservas de lipídios.[23] Essa é uma das maneiras de ganharmos peso.

Tem mais ainda. Afinal, o corpo não tem que lidar apenas com a glicose, tem que se livrar da frutose também. E infelizmente a frutose não pode ser transformada em glicogênio e armazenada no fígado e nos músculos. A única forma de armazenamento da frutose é como gordura.[24]

A gordura que o corpo cria a partir da frutose tem alguns destinos infelizes: primeiro, acumula-se no fígado e estimula o desenvolvimento de doença hepática gordurosa não alcoólica.[25] Além disso, preenche as células gordurosas

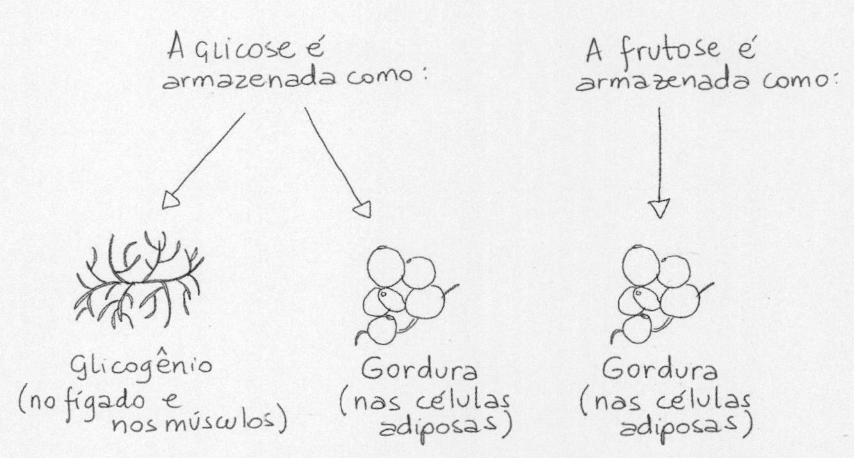

O ser humano armazena a glicose extra como glicogênio e gordura. A frutose extra se transforma apenas em gordura.

nos quadris, coxas, rosto e nos espaços entre nossos órgãos, fazendo o peso aumentar. Por fim, entra na corrente sanguínea e contribui para o aumento do risco de doenças cardíacas (você deve conhecer como lipoproteína de baixa densidade, LDL, ou colesterol "ruim").

Esse é outro motivo pelo qual, quando dois alimentos têm a mesma quantidade de calorias, recomendo evitar o alimento doce (que contém frutose) e dar preferência ao alimento não doce (que não a contém). A ausência de frutose faz com que menos moléculas terminem como gordura.[26]

Ironicamente, muitos alimentos processados que são "zero gordura" contêm muita sacarose. Logo, a frutose neles contida é transformada em gordura depois da digestão. Falaremos mais a respeito disso na Parte III.

Para muitos de nós, a gordura é uma questão complicada, mas na verdade ela é muito útil: o corpo utiliza as reservas de gordura como espaço de armazenamento para o excesso de glicose e frutose boiando na corrente sanguínea. O fato de o corpo acumular gordura não deve nos irritar: ao contrário, deveríamos agradecer por ele tentar nos proteger do estresse oxidativo, da glicação e dos processos inflamatórios. Quanto mais você for capaz de fazer crescer o número e o tamanho de suas células adiposas (o que, em geral, depende da genética),[27] mais prolongada será a proteção contra o excesso de glicose e frutose (mas maior será o peso que você ganhará).

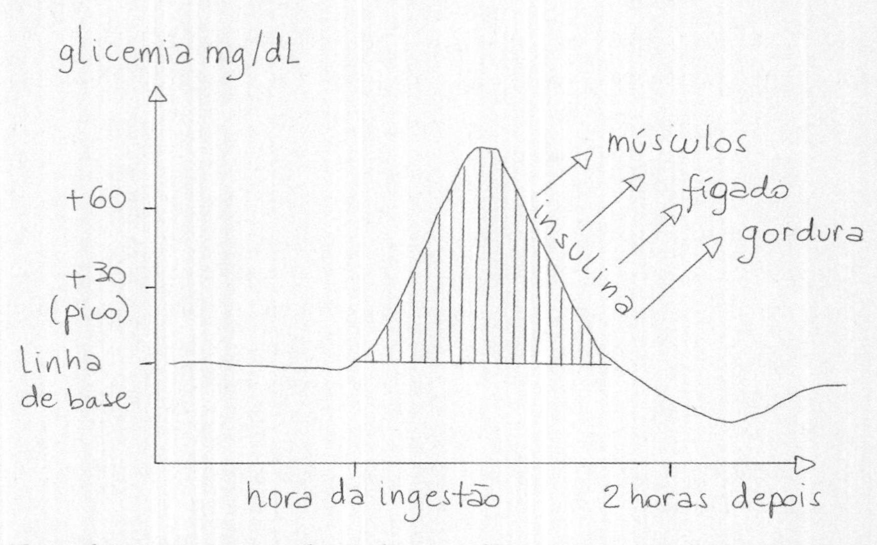

Cerca de sessenta minutos depois de uma refeição, nossa concentração de glicose atinge o máximo; depois, ela começa a cair, à medida que a insulina chega e leva as moléculas de glicose para o fígado, os músculos e as células adiposas.

Isto me traz de volta à insulina. Como expliquei, ela é crucial para esse processo, pois ajuda a esconder o excesso de glicose nesses três "guarda-volumes". No curto prazo, isso é benéfico. Mas quanto mais picos de glicemia nós temos, mais insulina é liberada dentro do corpo. No longo prazo, níveis cronicamente elevados de insulina acarretam seus próprios problemas. O excesso dela é a principal causa da obesidade, do diabetes tipo 2, da síndrome do ovário policístico e de muitas outras doenças. E o mais importante de quando achatamos nossa curva de glicemia é que automaticamente também achatamos nossa curva de insulina.

Vamos voltar àquela questão complicada da gordura. Ela é útil, mas quando você está tentando se livrar de alguns quilinhos, é importante compreender o que está acontecendo em seu corpo em nível celular e como a insulina complica as coisas. Quando dizemos "eu quero perder peso", o que estamos realmente querendo dizer é "quero tirar de minhas células adiposas a gordura que elas contêm para que desinchem, como balões, diminuam de tamanho e, com elas, diminua minha cintura". Para fazer isso, precisamos estar em modo de "queima de gordura".

Da mesma forma que Tinho podia recorrer à sua reserva de amido à noite, nosso corpo pode lançar mão do glicogênio no fígado e nos músculos para transformá-lo de novo em glicose, sempre que os milhares de mitocôndrias em cada célula necessitarem. Então, quando nossas reservas de glicogênio começam a diminuir, o corpo recorre à gordura em nossa reserva adiposa para obter energia — estamos em modo de queima de gordura — e assim perdemos peso.

Porém, e isto só acontece quando nossos níveis de insulina estão baixos,[28] na presença de insulina, o corpo não consegue queimar gordura: a insulina transforma a rota para nossas células adiposas em uma via de mão única, por onde as coisas podem entrar, mas nada pode sair. Não somos capazes de queimar qualquer reserva existente até que nossos níveis de insulina comecem a baixar, cerca de duas horas depois do pico.

Mas quando nossos níveis de glicemia, e consequentemente de insulina, estão estáveis, perdemos peso. Em um estudo de 2021 com 5600 pessoas, cientistas canadenses demonstraram que a perda de peso sempre é precedida por uma queda de insulina.[29]

O excesso de glicose no corpo e os picos e vales que ele causa nos transformam no nível celular. O ganho de peso é apenas um dos sintomas visíveis; há muitos outros. Mas, para cada um deles, achatar nossa curva de glicemia pode trazer alívio.

7. Da cabeça aos pés: como os picos nos fazem adoecer

Desde o início, uma epifania foi o pontapé inicial de minha pesquisa sobre a glicose: *o jeito como me sinto neste instante* está intimamente relacionado aos picos e vales da minha curva de glicemia.

Certo dia, no trabalho, por volta das onze horas, eu senti tanto sono que mal conseguia mover os dedos para clicar com o mouse. Estava impossível focar no que eu tinha a fazer. Por isso, a muito custo, levantei-me, fui até a copa e servi uma xícara bem grande de café. Tomei-a inteirinha — e continuei me sentindo exausta. Chequei minha glicemia: ela vinha numa queda intensa a partir de um pico elevado, depois de um café da manhã com cookies de chocolate com flor de sal e um cappuccino com creme. Meu cansaço se devia a uma montanha-russa de glicose.

À medida que fui aprendendo mais sobre a glicose, descobri que há um amplo leque de sintomas desagradáveis de curto prazo associados aos picos e vales, sintomas que variam de pessoa para pessoa. Para alguns, ocorrem enjoo, náusea, palpitação, suores, compulsão alimentar e estresse;[1] para outros, como eu, fadiga e névoa mental. E para muitos membros da comunidade Glucose Goddess, um pico de glicemia também pode acarretar mau humor ou ansiedade.

No longo prazo, o processo desencadeado pelos picos — estresse oxidativo, glicação, processos inflamatórios e excesso de insulina — leva a condições crônicas, do diabetes tipo 2 à artrite, passando pela depressão.

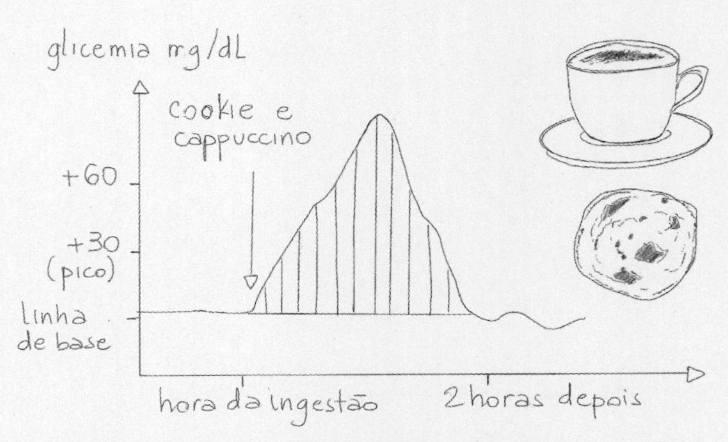

A forte queda na glicemia estava provocando letargia em mim.

EFEITOS DE CURTO PRAZO

Fome constante

Você sente fome o tempo todo? Não é a única pessoa assim.

Primeiro, muitos de nós sentimos fome de novo pouco tempo depois de comer – e, uma vez mais, isso tem a ver com a glicose. Se você comparar duas refeições contendo o *mesmo número de calorias*, aquela que leva a um pico de glicemia menor vai prolongar sua sensação de saciedade.[2] As calorias não são tudo (mais a respeito na Parte III).

Segundo, a fome constante é um sintoma de um nível elevado de insulina. Quando há muita insulina no corpo, acumulada por anos e anos de picos de glicemia, isso provoca uma confusão hormonal. A *leptina*, hormônio que nos diz que estamos satisfeitos e precisamos parar de comer, tem o sinal bloqueado, enquanto a *grelina*, o hormônio que indica fome, assume o comando.[3] Embora disponhamos de reservas de gordura, com muita energia disponível, nosso corpo nos diz que precisamos de mais – e por isso comemos.

Ao comermos, passamos por novos picos de glicose, e a insulina entra em ação para armazenar o excesso de glicose como gordura, que, por sua vez, intensifica a ação da grelina. Quanto mais peso ganhamos, mais fome sentimos. É um círculo vicioso, injusto e infeliz.

A resposta não é tentar comer menos; é reduzir nossos níveis de insulina achatando a curva de glicemia — e muitas vezes isso envolve comer mais, como você verá na Parte III. Ali, você lerá a história de Marie, uma integrante da comunidade que antes precisava comer a cada hora e meia, e hoje não faz nem mais boquinhas.

Compulsões alimentares

Nossa compreensão das compulsões alimentares mudou graças a um experimento realizado no campus da Universidade Yale, em 2011.[4] Os participantes foram selecionados e colocados em um aparelho de ressonância magnética, para medir a atividade cerebral. Eles tinham que olhar para fotos de comida em uma tela — salada, hambúrguer, biscoitos, brócolis — e registravam o quanto queriam comer cada um desses alimentos em uma escala de 1, "De jeito nenhum", a 9, "Muito".

No monitor do aparelho, os pesquisadores observaram que partes do cérebro dos participantes se ativavam ao olharem para as fotos.

Os participantes também deram seu consentimento para serem conectados a um aparelho que media a glicemia.

O que os pesquisadores descobriram foi fascinante. Quando a glicemia dos participantes estava estável, eles atribuíam nota baixa à maioria dos alimentos. No entanto, *quando a glicemia estava em queda*, aconteceram duas coisas. Primeiro, o centro da compulsão alimentar no cérebro se ativou ao serem apresentadas imagens de alimentos altamente calóricos. Segundo, os participantes atribuíram a esses alimentos notas muito mais altas na escala "Quero comer" do que quando a glicemia era estável.

A conclusão? Uma queda na glicemia — mesmo uma pequena redução, de 20 mg/dL, inferior à queda de 30 mg/dL que ocorre depois de um pico — nos faz ansiar por alimentos altamente calóricos.

O problema é que nossa glicemia cai o tempo todo — especificamente, ela cai depois de todo pico. E quanto maior foi esse pico, mais intensa será a queda. Isso é bom, porque significa que a insulina está realizando seu trabalho, acumulando o excesso de glicose em diversas unidades de armazenamento. Mas também faz com que sejamos tomados pelo desejo de um biscoito ou um hambúrguer — ou ambos. Achatar a curva de glicemia gera menos compulsão.

Fadiga crônica

Lembra-se de seu avô e daquele terrível bico pós-aposentadoria? Quando o vagão ficou superlotado de carvão, ele foi obrigado a parar de alimentar a máquina e o trem parou. A mesma coisa acontece com nossas mitocôndrias: o excesso de glicose as leva a parar, a produção de energia fica comprometida, e nos sentimos *cansados*.

Experiências com bicicletas ergométricas mostram o que acontece quando as mitocôndrias não funcionam direito: aqueles que nascem com disfunções mitocondriais, em geral, só conseguem se exercitar por metade do tempo daqueles com mitocôndrias sadias.[5] Quando suas mitocôndrias estão comprometidas, ir buscar o filho na escola é mais complicado, carregar as compras causa exaustão e você não consegue lidar com o estresse (de uma demissão ou um rompimento, por exemplo) tão bem quanto antes. Situações física ou mentalmente complicadas exigem energia gerada pelas mitocôndrias para serem superadas.[6]

Quando comemos algo doce, podemos até achar que estamos ajudando o corpo a obter energia, mas isso não passa de uma impressão causada pelo pico de dopamina no cérebro, que nos dá um barato. A cada pico, prejudicamos a capacidade das mitocôndrias no longo prazo.[7] As dietas que provocam montanhas-russas glicêmicas levam a um cansaço maior do que aquelas que achatam a curva.[8]

Sono ruim

Um sintoma comum de uma glicemia desregulada é acordar de repente no meio da noite com o coração disparado. Muitas vezes, é resultado de uma queda da glicemia em meio ao sono. Ir dormir com a glicemia alta, ou logo depois de um pico elevado de glicemia, também está associado a insônia nas mulheres pós-menopausa e à apneia do sono em uma parte da população masculina.[9, 10] Caso queira uma boa noite de sono, achate sua curva.

Resfriados e complicações do coronavírus

Depois de um pico de glicemia, seu sistema imunológico fica temporariamente defeituoso.[11] Caso seu nível de glicemia seja cronicamente elevado, pode dizer adeus a uma resposta imunológica cinco estrelas contra invasores — você ficará mais suscetível a infecções,[12] o que é ainda mais verdadeiro, ao que tudo indica, no caso do coronavírus. Uma boa saúde metabólica (outra forma de descrever quão bem suas mitocôndrias estão funcionando) é um dos principais fatores para prever se sobreviveremos à infecção do coronavírus;[13] aqueles com glicemia elevada mostraram-se mais facilmente infectáveis, mais suscetíveis a sofrer complicações,[14] e pelo menos duas vezes mais suscetíveis de morrer por conta do vírus do que pessoas com nível de glicemia normal (41% contra 16%).[15]

Diabetes gestacional mais difícil de gerir

Em toda mulher, os níveis de insulina aumentam durante a gravidez. Isso acontece porque a insulina é responsável pelo estímulo ao crescimento — crescimento do bebê e do tecido mamário da mãe, para que ela possa estar preparada para amamentar.[16, 17]

Infelizmente, às vezes a insulina extra pode levar à resistência à insulina, o que faz com que nosso corpo deixe de reagir à insulina como antes. O nível de insulina sobe, mas isso já não ajuda em nada a acumular o excesso de glicose nos três "guarda-volumes", e a glicemia também sobe. É o que chamamos de diabetes gestacional. Para a mãe, é uma experiência apavorante, ainda mais porque vai piorando à medida que o dia do parto se aproxima.

Achatando a curva de glicemia, porém, a pessoa grávida pode reduzir a probabilidade de necessitar de medicação, reduzir o peso do bebê ao nascer (o que é bom, porque facilita o parto e é mais saudável para a criança) e reduzir a probabilidade de uma cesariana,[18, 19] assim como limitar o próprio ganho de peso durante a gravidez.[20] Foi exatamente o que Amanda, que você vai conhecer na Parte III, conseguiu fazer.

Calores e suores noturnos

Com a forte queda dos níveis hormonais na menopausa, as transformações nessa fase da vida podem parecer um terremoto — tudo fica desequilibrado, e as mulheres vivenciam sintomas que vão da redução da libido a suores noturnos, insônia e ondas de calor, entre outros.

Uma glicemia elevada ou instável e um nível alto de insulina tornam a menopausa mais desagradável. Pesquisas mostram que os calores e suores, sintomas comuns da menopausa, são mais comuns em mulheres que têm níveis de glicemia e insulina elevados.[21] Mas há esperança: um estudo de 2020 da Universidade Columbia mostrou que o achatamento da curva de glicemia está associado a menos sintomas de menopausa, como a insônia.[22]

Enxaqueca

A enxaqueca é uma condição debilitante, que se apresenta sob várias formas. É um campo de estudo recente, mas os dados demonstram que mulheres com resistência à insulina têm o dobro de probabilidade de sofrer de enxaqueca, na comparação com as demais mulheres.[23] Quando o nível de insulina de quem sofre de enxaqueca diminui, as coisas aparentemente melhoram: quando tratadas com um medicamento que reduz a quantidade de insulina no corpo, mais da metade de um grupo de 32 pessoas sentiu uma redução significativa na frequência das enxaquecas.[24]

Memória e problemas nas funções cognitivas

Caso você esteja prestes a fazer uma prova, fazer o balanço das contas da casa ou iniciar uma discussão que você quer ganhar, cuidado com o que comer logo antes. É fácil recorrer a algo doce quando se quer turbinar a energia, mas é uma decisão que pode afetar sua capacidade cerebral. Ocorre que picos elevados de glicemia podem prejudicar a memória e as funções cognitivas.[25]

Esse efeito é pior cedo pela manhã, depois do jejum noturno.[26] Bem que eu queria ter sabido disso quando era menina, na época em que eu comia um crepe de Nutella todo dia no café da manhã. Quando você quer causar boa impressão em uma reunião às nove da manhã, faça uma refeição que achate sua curva de glicemia. Veja a dica 4, "Achate sua curva do café da manhã", na Parte III.

A dificuldade em gerir o diabetes tipo 1

O diabetes tipo 1 é uma condição autoimune em que se perde a capacidade de produzir insulina – as células do pâncreas que controlam sua produção não funcionam.

Toda vez que um diabético tipo 1 passa por um pico de glicemia, o corpo perde a capacidade de acumular o excesso de glicose nas três unidades de armazenamento, por falta de insulina para ajudar. Em consequência, é preciso compensar injetando insulina várias vezes por dia. Mas picos e vales acentuados são um problema cotidiano e estressante. Ao achatar a curva de glicemia, quem sofre de diabetes tipo 1 pode minorar esse problema. Muita coisa fica mais fácil: dá para fazer atividade física sem medo da hipoglicemia (estado provocado pelo baixo nível de glicose), as visitas ao banheiro (efeito colateral dos picos de glicemia) diminuem e até o humor melhora.

Todas as dicas da Parte III também se aplicam a quem sofre de diabetes tipo 1 (e na dica 10 você lerá a história de Lucy, uma diabética tipo 1 que conseguiu achatar sua curva graças às dicas). Caso você tenha diabetes tipo 1, é importante conversar com seu médico antes de embarcar em qualquer alteração da dieta. Certifique-se de adaptar a dosagem de insulina, caso necessário.

EFEITOS DE LONGO PRAZO

Acne e outros problemas de pele

Levante a mão se você gostaria de ter ficado sabendo disso no tempo de ensino médio: alimentos doces ou com amido podem gerar uma reação em cadeia, que pode se manifestar como acne no rosto e no corpo, ou então deixar sua pele visivelmente avermelhada.[27] Isso acontece porque muitas condições dermatológicas (entre elas o eczema e a psoríase) são provocadas por processos inflamatórios, que, como você aprendeu, são uma das consequências dos picos de glicemia.

Quando comemos de modo a achatar a curva de glicemia, a acne desaparece, as espinhas diminuem e as inflamações são domadas. Em um estudo feito com homens entre quinze e 25 anos, a dieta que resultou nas curvas de glicemia mais achatadas levou a uma redução significativa na acne, quando comparada a uma dieta que provocava picos de glicemia.[28] Curiosamente, constatou-se melhora mesmo sem reduzir a ingestão de alimentos sabidamente causadores de acne, como os derivados de leite.

Envelhecimento e artrite

Dependendo de sua dieta, você pode chegar aos sessenta anos tendo tido dezenas de milhares de picos de glicemia (e de frutose) a mais que seu vizinho. Isso vai influenciar não apenas o seu envelhecimento *por fora*, mas também *por dentro*. Quanto maior a frequência dos picos, mais rápido é o seu envelhecimento.[29]

A glicação, os radicais livres e as inflamações resultantes são responsáveis por uma lenta degradação das nossas células — aquilo que chamamos de *envelhecimento*.[30] Os radicais livres também danificam o colágeno, proteína encontrada em muitos dos nossos tecidos, o que leva a flacidez da pele e rugas, podendo provocar inflamação nas articulações, artrite reumatoide,[31] degradação das cartilagens,[32] e osteoartrite:[33] nossos ossos ficam mais frágeis, as articulações doloridas, e aí é que fica mesmo impossível dar aquela caminhada no parque.

Quando há radicais livres demais e um dano excessivo no interior da célula, ela pode decidir pela morte celular, para prevenir maiores problemas, mas isso não é isento de consequências. Quando ocorre morte celular, uma parte de nós desaparece: nossos ossos se desgastam, nosso sistema imunológico se enfraquece, nosso coração bombeia de maneira menos eficiente e doenças neurodegenerativas como Alzheimer e Parkinson podem se desenvolver.[34] Achatar a curva de glicemia, junto com atividade física e redução do estresse, é um método poderoso de prevenção do envelhecimento.

Alzheimer e demência

De todos os órgãos, o cérebro é o que mais consome energia. É o lar de *muitas* mitocôndrias. Isso faz com que, quando há excesso de glicose no corpo, nosso cérebro fique vulnerável às consequências. Os neurônios no cérebro sentem o estresse oxidativo tanto quanto quaisquer outras células: por aumentarem o estresse oxidativo, picos de glicemia seguidos levam a neuroinflamações e, com o tempo, a disfunção cognitiva.[35] Para piorar, as inflamações crônicas são um fator central em quase todas as doenças crônicas degenerativas, inclusive o Alzheimer.[36]

O Alzheimer e a glicemia, na verdade, estão interligados de forma tão íntima que às vezes ele é chamado de "diabetes tipo 3" ou "diabetes cerebral".[37] Por exemplo, os diabéticos tipo 2 têm quatro vezes mais probabilidade de desenvolver Alzheimer que os não diabéticos.[38] Os sinais também ficam visíveis mais cedo: a glicemia mal controlada em pessoas com diabetes tipo 2 está associada a déficits de memória e de aprendizagem.[39, 40, 41]

Da mesma forma que os demais sintomas aqui mencionados, é possível que até esse declínio cognitivo seja reversível: um número cada vez maior de estudos mostra melhorias de curto[42] e longo[43] prazos da cognição quando o paciente é colocado em uma dieta estabilizadora da glicose. Um programa terapêutico originado na Universidade da Califórnia em Los Angeles mostrou que, apenas três meses depois de achatar a curva, pessoas que tiveram que deixar o emprego devido à perda cognitiva puderam retornar ao trabalho, com desempenho até melhor que antes.[44]

Risco de câncer

Crianças nascidas atualmente têm uma chance em duas de desenvolver câncer ao longo da vida.[45] E uma dieta ruim, combinada com o fumo, é a causa principal de 50% dos cânceres.[46]

Para começo de conversa, as pesquisas comprovam que o câncer pode começar com mutações do DNA produzidas pelos radicais livres. Além disso, os processos inflamatórios estimulam a proliferação do câncer.[47] Por fim, quando a presença de insulina é maior, o câncer se espalha ainda mais rapidamente.[48] A glicose é a chave de vários desses processos, e os números mostram isso — aqueles com glicemia de jejum superior a 100 mg/dL, o que é considerado pré-diabetes, têm uma probabilidade duas vezes maior de morrerem de câncer.[49] Achatar as curvas de glicose e insulina é, portanto, um passo importante na prevenção do desenvolvimento de câncer.

Episódios de depressão

Seu cérebro não possui nervos sensoriais; por isso, quando algo vai mal, ele não tem como alertá-lo com a dor, como fazem outros órgãos. Em vez disso, você vivencia distúrbios mentais — como uma piora no humor.

Quando a dieta leva a níveis de glicemia erráticos, a pessoa relata piora do humor, mais sintomas de depressão e mais distúrbios, na comparação com aqueles cuja dieta tem composição semelhante, mas cujos níveis de glicemia são mais estáveis.[50, 51, 52] E quanto mais extremos os picos, piores os sintomas; por isso, qualquer esforço, mesmo moderado, para achatar a curva, pode ajudar você a se sentir melhor.[53]

Problemas intestinais

É no intestino que aquilo que ingerimos é processado, decomposto em moléculas absorvidas pelo sangue ou enviadas para descarte. Por isso, não surpreende que incômodos intestinais — como o intestino permeável, a síndrome do intestino irritável e um trânsito intestinal mais lento — estejam relacionados à dieta. Ainda se debate se há uma relação entre os picos de glicemia e problemas digestivos específicos, mas aparentemente uma glicemia alta pode piorar a síndrome do intestino permeável.[54] O fato é que as inflamações — um dos processos desencadeados pelos picos de glicose — podem abrir buracos no revestimento intestinal, deixando passar toxinas que não deveriam passar (daí o nome *intestino permeável*). Por sua vez, isso leva a alergias alimentares e outras doenças autoimunes, como a doença de Crohn e a artrite reumatoide.[55]

Vale observar que quem adota uma dieta que achata a glicemia consegue se livrar rapidamente da azia ou do refluxo gástrico — às vezes no mesmo dia.[56]

Além disso, estamos descobrindo que a saúde intestinal está relacionada à saúde mental — microbiomas adoentados podem contribuir para transtornos de humor.[57, 58] O intestino e o cérebro estão conectados por 500 milhões de neurônios[59] (é muita coisa, mas o cérebro contém impressionantes 100 bilhões). As informações transitam para lá e para cá entre eles o tempo todo.[60, 61] Talvez por isso aquilo que comemos, tendo ou não picos de glicemia, afeta como estamos nos sentindo.

Doenças cardíacas

Quando falamos de doenças cardíacas, muitas vezes o colesterol é o principal assunto do debate. Mas isso vem mudando: descobrimos que não é mais apenas uma questão de "excesso de colesterol". Na verdade, metade das pessoas que têm ataques cardíacos possui níveis *normais* de colesterol.[62] Hoje em dia sabemos que é um tipo específico de colesterol (o LDL padrão B), combinado às inflamações, que estimula as doenças cardíacas. Os cientistas descobriram por que isso acontece, e está relacionado à glicose, à frutose e à insulina.

Primeiro, vamos falar da glicose e da frutose: o revestimento dos nossos vasos sanguíneos é composto de células. As doenças cardíacas começam quando *placas* se acumulam sob esse revestimento. Essas células são particularmente vulneráveis ao estresse mitocondrial, e os picos de glicose e frutose levam ao estresse oxidativo. Em consequência, essas células sofrem e perdem sua forma lisa. O revestimento dos vasos se torna acidentado, e partículas adiposas aderem mais facilmente a essa superfície irregular.

Em seguida, falemos da insulina: quando nosso nível de insulina está elevado demais, o fígado começa a produzir LDL padrão B.[63] Trata-se de um tipo de colesterol diminuto e denso, que se infiltra nas extremidades dos vasos, onde é suscetível de ficar preso (o LDL padrão A é grande, flutuante e inofensivo — nós o obtemos ao ingerir gorduras alimentares).

Por fim, se e quando o colesterol é oxidado — o que acontece quanto mais a glicose, a frutose e a insulina estão presentes[64] —, ele se aloja sob o revestimento dos vasos sanguíneos e adere a ele. A placa vai aumentando e obstrui o fluxo, e é assim que começam as doenças cardíacas.

Os picos estimulam esses três processos. É por isso que os cientistas estão concluindo que, mesmo quando nossa glicemia de jejum é normal, cada *pico* a mais de glicemia aumenta nosso risco de morrer de um ataque cardíaco.[65, 66, 67, 68] Para ajudar nosso coração, precisamos achatar nossas curvas de glicose, frutose e insulina.

Nove em cada dez médicos ainda medem o colesterol LDL *total* para diagnosticar doenças cardíacas, e receitam estatinas quando está muito elevado. Mas o importante são o LDL padrão B e as inflamações. Para agravar o problema, as estatinas fazem baixar o LDL padrão A, mas não reduzem o problemático padrão B.[69] É por isso que as estatinas não reduzem o risco de um primeiro ataque cardíaco.[70]

Uma vez mais, a glicose e a frutose, além da inflamação que os níveis elevados dessas moléculas provocam, são cruciais para a compreensão da doença. Os médicos têm como avaliar melhor o risco de doenças cardíacas avaliando a chamada taxa de triglicerídeo-HDL (que nos informa sobre a presença do pequeno e denso LDL padrão B), e a proteína C reativa (que nos informa sobre os níveis de inflamação). Os triglicérides se transformam em LDL padrão B no corpo. Por isso, ao medir os triglicérides, conseguimos avaliar a quantidade do problemático LDL padrão B em nosso sistema. Se você dividir o nível de triglicérides (em mg/dL) pelo nível de HDL (em mg/dL), obterá uma proporção surpreendentemente precisa na previsão da quantidade de LDL. Quando o resultado é inferior a 2, é o ideal. Quando é superior a 2, pode ser problemático.[71] Portanto, como os processos inflamatórios são um estímulo crucial às doenças cardíacas, a medição da proteína C reativa, que aumenta junto com as inflamações, é uma forma melhor de prever doenças cardíacas que os níveis de colesterol.[72]

Infertilidade e síndrome do ovário policístico (SOP)

Os cientistas descobriram recentemente uma notável correlação entre a insulina e a saúde reprodutiva. Ocorre que os níveis de insulina são uma informação importante utilizada pelo cérebro e pelas gônadas, órgãos do aparelho reprodutivo, para decidir se o corpo é um ambiente seguro para a concepção. Quando a insulina está desequilibrada, o corpo não fica muito a fim de reproduzir, porque isso indica que você não está saudável. Tanto homens quanto mulheres com níveis de insulina elevados têm maior probabilidade de serem inférteis.[73, 74, 75] Quanto mais picos de glicemia na sua dieta, mais altos os níveis de insulina e mais alta a incidência de infertilidade.[76]

Quando a questão é a infertilidade feminina, muitas vezes a responsável é a síndrome do ovário policístico (SOP). Uma em cada oito mulheres sofre dela, e, quando isso ocorre, o ovário fica repleto de cistos e deixa de ovular.[77]

A SOP é uma doença causada pelo excesso de insulina. Quanto maior a presença de insulina, maiores os sintomas da síndrome.

Por quê? Porque a insulina faz os ovários produzirem mais testosterona (o hormônio sexual masculino).[78] Para piorar, com o excesso de insulina, a conversão natural de hormônio masculino em feminino que geralmente ocorre fica prejudicada, o que leva a ainda mais testosterona no corpo.[79] Em razão do excesso de testosterona, as mulheres que sofrem de SOP apresentam características masculinas: pelos em regiões onde não os desejam (como o queixo), calvície, menstruações irregulares ou ausentes e acne.[80] Os ovários também podem reter e acumular óvulos, com a interrupção da ovulação.

Muitas mulheres com SOP também sofrem muito para perder peso — porque onde há excesso de insulina, há incapacidade de queimar gorduras.

Algumas mulheres são mais suscetíveis à SOP que outras (nem toda mulher com nível elevado de insulina tem SOP), mas, qualquer que seja o caso, manter sob controle a glicemia pode reduzir e até aliviar totalmente os sintomas. Na Parte III, você vai conhecer Ghadeer, que se livrou dos sintomas de SOP, reverteu a resistência à insulina e perdeu mais de dez quilos usando as dicas deste livro.

Em um estudo realizado na Universidade Duke, mulheres submetidas durante seis meses a uma dieta achatadora da curva de glicemia cortaram pela metade os níveis de insulina e, em consequência, cortaram os níveis de testosterona em 25%.[81] O peso caiu e os pelos diminuíram à medida que os hormônios voltaram ao equilíbrio. Duas das doze participantes engravidaram durante o estudo.

No caso dos homens, a glicose desregulada também está relacionada à infertilidade: a glicemia elevada está associada a uma redução da qualidade do sêmen (menos candidatos viáveis) e a disfunção erétil,[82] a tal ponto que estudos recentes apontam que em homens abaixo dos quarenta anos essa disfunção pode ser provocada por um problema desconhecido de metabolismo e regulagem da glicose.[83] Caso esteja tentando ter filhos, achatar sua curva de glicemia é de grande valia.

Resistência à insulina e diabetes tipo 2

O diabetes tipo 2 é uma epidemia global, em que meio bilhão de pessoas no mundo sofre dessa doença, número que aumenta a cada ano.[84] Trata-se ainda da condição de saúde mais conhecida associada a uma glicemia elevada. Para compreender melhor como os picos levam ao diabetes tipo 2 e como reverter essa condição, permita-me contar o caso do meu vício em café expresso.

Quando eu estudava em Londres, fui aumentando progressivamente minha dose diária de café. Comecei com um expresso pela manhã e, depois de alguns anos, não sei como, acabava tendo que tomar cinco por dia só para não cair no sono. Eu ia aumentando minha dose de cafeína para sentir o mesmo efeito de antes. Em outras palavras, fui aos poucos me tornando *resistente* à cafeína.

O mesmo acontece com a insulina. Quando os níveis de insulina ficam elevados por um tempo prolongado, as células começam a se tornar resistentes à insulina. A resistência à insulina está na raiz do diabetes tipo 2: as células adiposas, hepáticas e musculares precisam de quantidades cada vez maiores de insulina para absorver a mesma quantidade de glicose. Até que uma hora o sistema deixa de funcionar. A glicose deixa de ser armazenada como glicogênio ou amido, embora o pâncreas produza quantidades cada vez maiores de insulina. Disso resulta que a glicemia do nosso corpo aumenta permanentemente. À medida que nossa resistência à insulina vai piorando, passamos do pré-diabetes (glicemia de jejum acima de 100 mg/dL) para o diabetes tipo 2 (acima de 126 mg/dL). Lenta mas inexoravelmente, com o passar dos anos, todo pico de glicemia contribuirá para uma piora da sua resistência à insulina, elevando a glicemia de base do seu corpo.

O método mais comum (mas equivocado) de tratar o diabetes tipo 2 é fornecer mais insulina ao paciente. Isso baixa temporariamente a glicemia, ao forçar as células adiposas — esses enormes contêineres — a se abrir (e a ganhar peso). Cria-se um círculo vicioso, em que doses cada vez mais altas de insulina são administradas e o peso do paciente vai aumentando cada vez mais, sem atacar o problema original do alto nível de insulina. Acrescentar insulina ajuda o diabético tipo 2 no curto prazo, baixando a glicemia depois de comer, mas no longo prazo agrava a condição.

Além disso, hoje em dia sabemos que o diabetes tipo 2 é uma doença inflamatória — e quanto mais inflamação, processo desencadeado por picos de glicose, pior.[85]

Faz sentido, portanto, que uma dieta que reduz nossa ingestão de glicose e, assim, nossa produção de insulina ajude a reverter o diabetes tipo 2. Uma análise feita em 2021 com 23 pacientes deixou claro que o jeito mais eficaz de reverter o diabetes tipo 2 é achatar a curva de glicemia.[86] Isso é mais eficiente que dietas pobres em calorias ou em gordura, por exemplo (embora elas também possam funcionar). Em um estudo, diabéticos tipo 2 que alteraram a própria dieta e reduziram os picos de glicose cortaram pela *metade* as injeções de insulina diárias.[87] Se você estiver tomando medicamentos, fale com seu médico antes de experimentar as dicas deste livro — como se vê, podem ocorrer mudanças muito rapidamente.

Em 2019, a Associação Americana de Diabetes (a ADA) começou a recomendar dietas achatadoras da glicemia, à luz de evidências convincentes de que as seguir melhora o desfecho do diabetes tipo 2.[88] Hoje sabemos que para reverter o diabetes tipo 2 e a resistência à insulina precisamos achatar nossas curvas de glicemia. Na Parte III, você saberá como fazer isso sem deixar de comer aquilo de que gosta.

Doença hepática gordurosa não alcoólica

Antigamente, a doença hepática era um problema apenas para quem ingeria muita bebida alcoólica.

No século XXI, porém, isso mudou. No final dos anos 2000, o endocrinologista Robert Lustig se deparou com um fato estarrecedor em sua clínica em São Francisco: alguns de seus pacientes estavam apresentando sinais de doença hepática sem serem alcoólatras. Na verdade, muitos deles tinham menos de dez anos de idade.

Ele acabou descobrindo que o excesso de frutose pode causar doença hepática, da mesma forma que o álcool. Para nos proteger da frutose, assim como faz com o álcool, o fígado a transforma em gordura, removendo-a da corrente sanguínea.[89] Porém, quando ingerimos muitos alimentos ricos em frutose, o próprio fígado se torna *gorduroso* — o mesmo que ocorre com o álcool.

A comunidade médica batizou essa nova condição como doença hepática gordurosa não alcoólica (DHGNA), ou esteatose hepática não alcoólica (EHNA). É extremamente comum: no mundo, um em cada quatro adultos tem DHGNA.[90] Nas pessoas com sobrepeso, é ainda mais comum: mais de 70% sofrem dela.[91] Infelizmente, é uma condição que pode piorar com o tempo, levando a falência hepática ou até ao câncer.

Para reverter essa condição, o fígado precisa de uma pausa para esvaziar sua reserva de gordura em excesso. Para isso, a solução é reduzir nossos níveis de frutose ou prevenir novos picos— o que acontece de maneira natural quando achatamos a curva de glicemia (porque a frutose e a glicose andam de mãos dadas nos alimentos).

Rugas e catarata

Você sabe por que alguns sessentões aparentam ter setenta anos, enquanto outros têm cara de 45? É porque temos como influenciar a velocidade com que envelhecemos — e uma das maneiras de fazer isso é achatando a curva de glicemia.

Os picos de glicemia, como expliquei no capítulo anterior, resultam em glicação, e ela nos faz envelhecer mais rapidamente e ficar com a aparência mais envelhecida.

Por exemplo, quando a glicação transforma uma molécula de colágeno, torna-a menos flexível. O colágeno é necessário para cicatrizar feridas, assim como para produzir pele, unhas e cabelos sadios. O colágeno danificado leva a uma pele flácida e a rugas.[92] Quanto maior a glicação, mais flácida a pele e maiores as rugas.[93] Parece insano, mas é verdade.

A glicação acontece em toda parte no corpo, inclusive nos olhos; quando ela ocorre, as moléculas dos nossos olhos são danificadas e começam a se aglomerar. Com o passar do tempo, o acúmulo de proteínas glicadas bloqueia a luz, provocando catarata.[94]

A ciência, incluindo as pesquisas que compartilhei aqui, pode ajudá-lo a decodificar as mensagens do seu corpo. Tire um segundo para conferir. Como você está se sentindo? Que partes do corpo doem? Quais sistemas do seu corpo parecem meio devagar? Se você pudesse acordar todo dia se sentindo ótimo, não iria querer?

O mais provável é que você esteja entre os 88% de adultos que têm algum desequilíbrio na glicemia, vivenciando, sem saber, as várias consequências dos picos que eu acabei de descrever — dos efeitos colaterais de curto prazo às doenças de longo prazo.[95] De rugas e acne a compulsões alimentares e fome, passando por enxaqueca, depressão, sono ruim, infertilidade e diabetes tipo 2, esses sintomas são mensagens do seu corpo. E, embora esses problemas sejam muito comuns, descobertas recentes demonstram que eles são em grande medida reversíveis.

Na Parte III, vou mostrar como esse processo começa. Você está prestes a descobrir dicas alimentares que vão ajudá-lo a achatar suas curvas, reconectar-se com seu corpo e reverter seus sintomas sem deixar de comer aquilo que ama. Espero que em breve você acorde um dia sentindo-se incrível, porque é exatamente isso que aconteceu com Bernadette, que você conhecerá em breve.

Nota: Caso você esteja tomando medicações ou insulina regularmente, é importante que fale com seu médico antes de experimentar essas dicas, porque elas podem estabilizar muito rapidamente sua glicemia e pode ser necessário ajustar suas dosagens.

Parte III

Como posso achatar minha curva de glicemia?

Dica 1: Coma na ordem certa

"Perdi dois quilos e meio em nove dias", disse-me Bernadette em uma ensolarada manhã de terça, "e tudo o que fiz foi mudar a ordem das coisas que como."

Com muita frequência, focamos *no que* comer e *no que não* comer. Mas que tal focarmos em *como* comer? Porque o fato é que *como* comemos tem um poderoso efeito sobre a curva de glicemia.

Duas refeições com exatamente os mesmos alimentos (e, portanto, os mesmos nutrientes e as mesmas calorias) podem ter impactos enormemente diferentes sobre o corpo, a depender de *como* seus componentes são ingeridos. Fiquei pasma quando li os artigos científicos provando isso, em especial um artigo fundamental publicado em 2015 pela Universidade Cornell: quando você come os itens de uma refeição que contém amido, fibras, açúcar, proteínas e gordura em uma ordem específica, você reduz seu pico total de glicemia em 73%, assim como o pico de insulina em 48%.[1] Isso vale para qualquer pessoa, com ou sem diabetes.[2]

Qual é a ordem correta? É fibras primeiro, proteínas e gordura depois, e amidos e açúcares no fim. Segundo os pesquisadores, o efeito dessa sequência é comparável aos efeitos dos medicamentos para diabetes prescritos a diabéticos para reduzir os picos de glicose.[3] Um espantoso estudo de 2016 provou de forma ainda mais definitiva essa conclusão: grupos de diabéticos tipo 2 foram submetidos a uma dieta padronizada durante oito semanas, pedindo ou que comessem na ordem certa ou que comessem na ordem que bem entendessem.

O grupo que comeu na ordem certa teve uma redução significativa na hemoglobina glicada, ou seja, começou a reverter o diabetes tipo 2. O outro grupo, ingerindo exatamente os mesmos alimentos e número de calorias, mas sem ordem específica, não viu qualquer melhora em sua condição.[4]

Descoberta mais revolucionária, impossível.

A explicação para esse efeito surpreendente tem a ver com a forma de funcionar do nosso sistema digestivo. Para visualizá-lo, pense no estômago como uma pia e no intestino delgado como o encanamento abaixo dela.

Tudo que você come cai na pia e em seguida escorre pelo encanamento, onde é decomposto e absorvido pela sua corrente sanguínea. A cada minuto, em média, cerca de três calorias de alimento passam pela pia para a tubulação[5] (esse processo é conhecido como *esvaziamento gástrico*).

Quando os amidos e os açúcares são as primeiras coisas a atingir seu estômago, eles chegam ao intestino delgado muito rapidamente. Ali, são decompostos em moléculas de glicose, que, por sua vez, passam com grande rapidez à corrente sanguínea. Isso cria um pico de glicemia. Quanto mais você come carboidratos, e quanto mais rapidamente os ingere, com mais força a carga de glicose aparece — e maior o pico de glicemia.

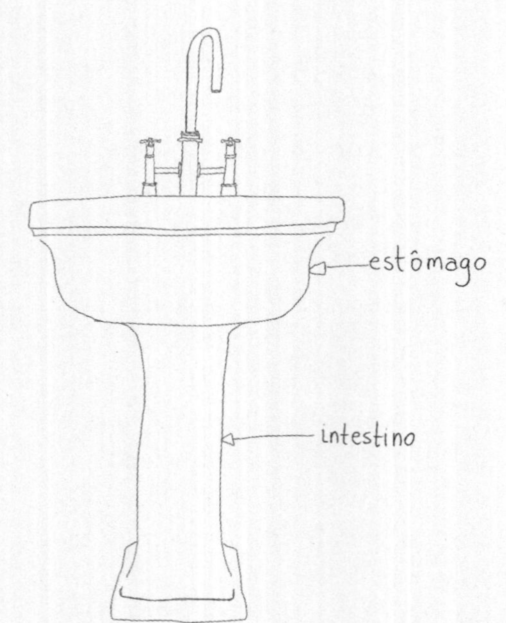

Imagine seu estômago como uma pia e o intestino como o encanamento abaixo dela.

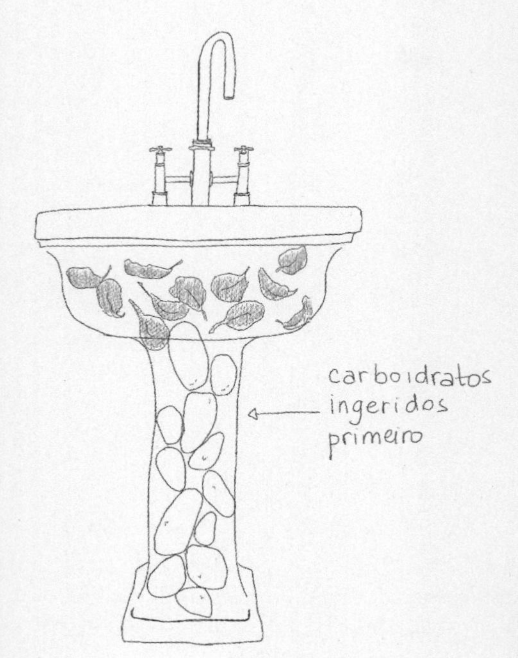

Quando você come carboidratos primeiro, eles fluem ininterruptamente para o seu intestino.

Digamos que você tenha no prato tanto massas quanto vegetais (alguém aí gosta de brócolis? Eu amo brócolis) e coma primeiro o macarrão, e depois o brócolis. A massa, que é um amido, se converte em glicose ao ser rapidamente digerida. Então, o brócolis "cai" em cima da massa e espera sua vez para passar pela tubulação.

Por outro lado, consumir *os vegetais primeiro* e *os carboidratos depois* altera significativamente o que acontece. Comece mastigando o brócolis. O brócolis é um vegetal, e vegetais contêm muitas fibras. Como vimos, o sistema digestivo não decompõe as fibras em glicose. Em vez disso, elas passam da pia para o encanamento e dali diretamente para o esgoto, lentamente e inalteradas.

Mas isso não é tudo.

As fibras possuem três superpoderes: primeiro, reduzem a ação da alfa-amilase, a enzima que decompõe o amido em moléculas de glicose. Segundo, reduzem o esvaziamento gástrico: quando as fibras estão presentes, a comida passa da pia para o encanamento mais lentamente. Por fim, elas criam uma "malha" viscosa no intestino delgado; essa malha torna mais difícil para a glicose entrar na corrente sanguínea.[6] Por meio desses mecanismos, as fibras

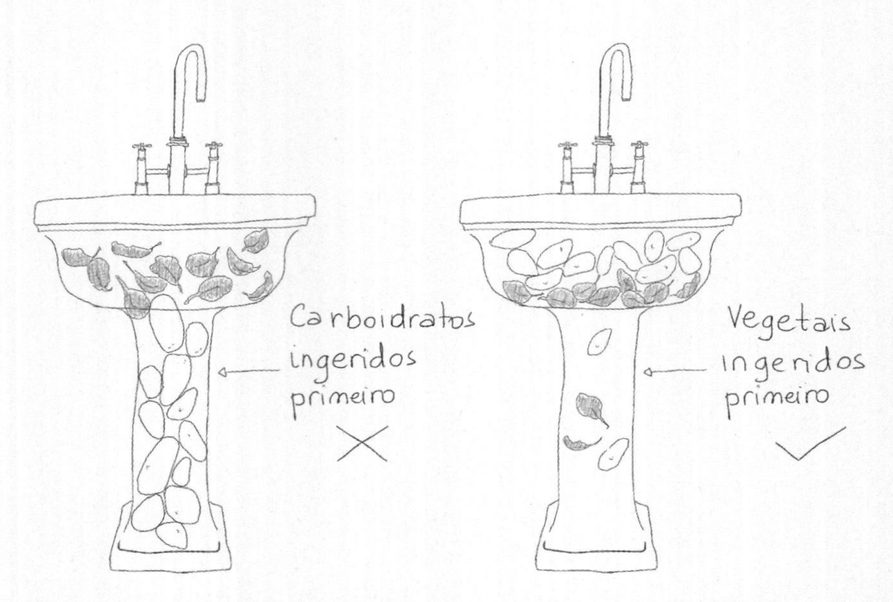

Comer vegetais primeiro e carboidratos depois reduz muito a velocidade com que a glicose penetra na corrente sanguínea, achatando, assim, o pico de glicemia associado àquela refeição.

desaceleram a *decomposição* e a *absorção* de qualquer glicose que venha a cair na pia depois; o resultado é que as fibras achatam nossa curva de glicemia.

Qualquer amido ou açúcar que ingerimos *depois das fibras* terá efeito reduzido em nosso corpo. Vamos obter o mesmo prazer da comida, com consequências menores.

Tratamos dos carboidratos e dos vegetais. Passemos às proteínas e à gordura. As proteínas podem ser encontradas em carne, peixe, ovos, laticínios, castanhas, feijões e leguminosas. Comidas contendo proteínas muitas vezes também contêm gordura, e a gordura também pode ser encontrada sozinha em alimentos como manteiga, óleos e abacate (a propósito, existem gorduras boas e ruins, e as gorduras ruins a serem evitadas são encontradas em óleos de cozinha hidrogenados e refinados, como canola, milho, algodão, soja, açafrão, girassol, semente de uva e farelo de arroz). Os alimentos gordurosos também desaceleram o esvaziamento gástrico,[7] e por isso ingeri-los *antes*, e não *depois* dos carboidratos, também ajuda a achatar a curva de glicemia. Qual a lição? Que comer carboidratos depois de todo o resto é a melhor estratégia.

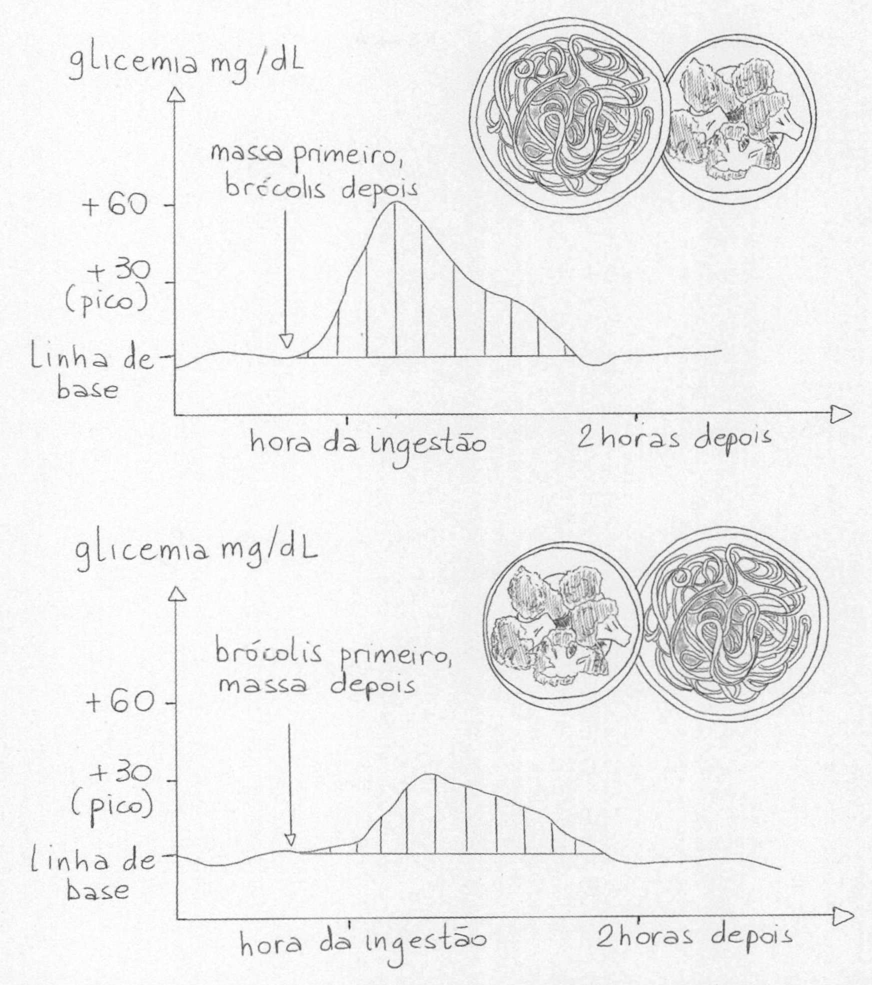

Essas duas refeições contêm exatamente os mesmos alimentos. Mas quando comemos os vegetais primeiro e o amido depois, achatamos a curva de glicemia e sofremos menos efeitos colaterais (e às vezes nenhum) de um pico de glicemia.

Para ilustrar o efeito da ordem de ingestão sobre os picos de glicemia, voltemos à analogia do Tetris: os blocos caindo mais lentamente são mais fáceis de arrumar que os blocos caindo de maneira acelerada. Quando ingerimos alimentos na ordem correta – vegetais primeiro, proteína e gorduras depois, carboidratos por último –, não apenas desaceleramos a *velocidade* dos

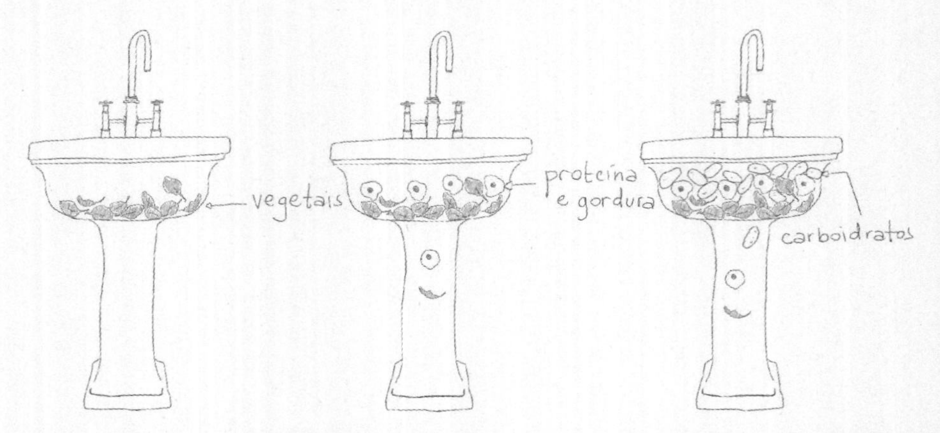

A ordem correta para comer: vegetais primeiro, proteína e gordura depois, amido por último.

blocos, mas até cortamos a *quantidade* de blocos, graças à malha que as fibras adicionam ao intestino. Quanto mais lenta a passagem da glicose para nossa corrente sanguínea, mais achatada a curva de glicemia e melhor nos sentimos. Podemos comer *exatamente as mesmas coisas* — porém, ao comer por último os carboidratos, fazemos uma enorme diferença para o nosso bem-estar físico e mental.

Além disso, quando ingerimos os alimentos na ordem certa, nosso pâncreas produz menos insulina.[8, 9] E, como expliquei na Parte II, menos insulina nos ajuda a retornar mais rapidamente ao modo de queima de gordura, cujas consequências positivas são inúmeras — entre elas a perda de peso.

CONHEÇA BERNADETTE

Bernadette — que não é diabética — vinha utilizando esta dica não porque queria perder peso (as amigas tinham avisado a ela que os quilinhos pós-menopausa eram impossíveis de perder), mas simplesmente porque queria se sentir melhor. Anos antes, ela havia desistido de tentar perder peso. Estava de saco cheio de contar calorias. Chegou a tentar o jejum intermitente, mas não deu certo para ela.

Agora, aos 57 anos, o que mais incomodava Bernadette era o baixo grau de energia. Todas as tardes, como um reloginho, ela se sentia tão cansada em meio às atividades do cotidiano que olhava para o chão do trabalho, do banco, da cafeteria, de onde fosse, e pensava: "Se eu pudesse me deitar aqui, tirava uma belíssima soneca". Para aguentar até o final da tarde, comia barras de chocolate. Mas quando chegava a hora de dormir, à noite, sofria de insônia, acordando toda madrugada por volta das quatro horas.

Bernadette ouviu falar pela primeira vez dos picos de glicose na conta da Glucose Goddess do Instagram. Na verdade, ela não sabia se estava passando por picos de glicemia, mas resolveu tentar essa dica para ver se ajudaria.

Na hora do almoço no dia seguinte, quando se viu na cozinha, com os ingredientes do seu sanduíche tradicional em cima da bancada, ela se lembrou da dica "vegetais primeiro, proteína e gordura depois, carboidratos por último" e pensou: "Hum. Em vez de empilhar tudo e comer meu sanduíche de uma vez só, eu podia comer a salada e o picles primeiro, depois o atum, e por fim o pão torrado". Ela colocou cada item no prato e comeu seu recém-batizado "sanduíche desconstruído".

Bernadette gosta de rotina, e seu jantar predileto é bife com salada e massa. Por isso, naquele dia, ela comeu a salada e a carne primeiro e o macarrão por último. Em momento algum ela alterou a quantidade da comida consumida — só a ordem de ingestão.

No dia seguinte, para sua enorme surpresa, ela acordou se sentindo repousada pela primeira vez em meses. Quando pegou o celular para ver que horas eram, constatou que eram sete da manhã, bem mais tarde da hora em que costumava abrir os olhos. Sei que parece loucura — Bernadette também achou loucura, mas ficou empolgada. Por isso, foi em frente, desconstruindo seus sanduíches e comendo o macarrão por último à noite.

Depois de três dias, a vontade de tirar uma soneca no meio da tarde tinha desaparecido. Ela se sentiu cheia de energia, como não se sentia havia anos. Na ida seguinte ao supermercado, em vez de garantir o costumeiro estoque de barras de chocolate, não teve vontade de comprar nenhuma. "Foi tão libertador", disse.

FAÇA A EXPERIÊNCIA: Da próxima vez que se sentar para uma refeição, coma os vegetais e as proteínas primeiro e os carboidratos por último. Veja como você se sente depois de comer, na comparação com sua sensação habitual pós-refeições.

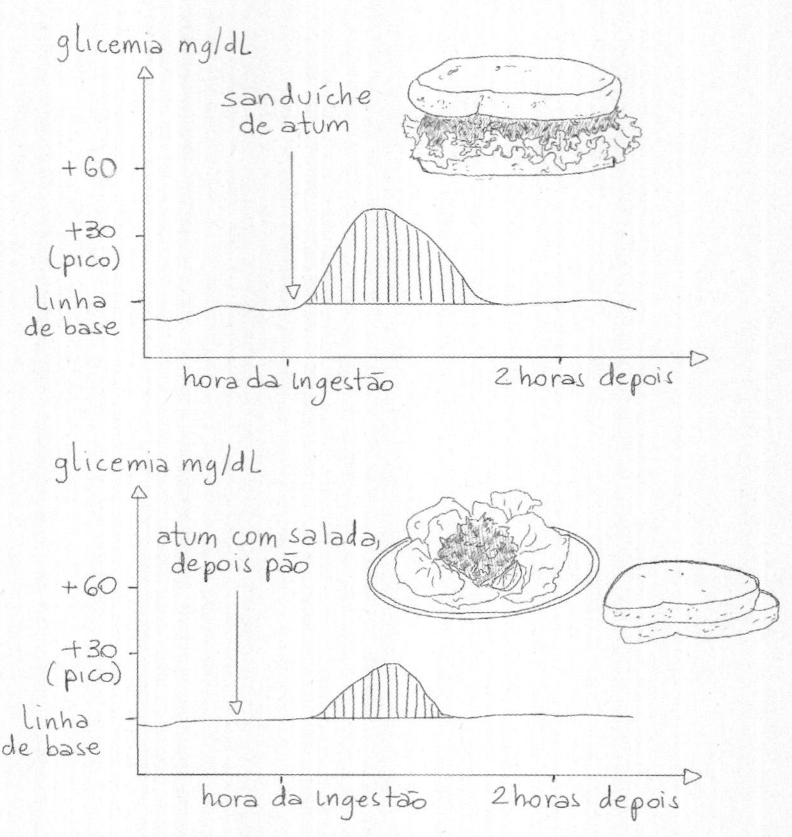

Desconstrua o sanduíche e coma o pão (amido) por último, para reduzir o pico de glicemia criado por ele e livrar-se da sonolência das três da tarde, quando seu nível de glicemia despenca.

O que estava acontecendo?

Antes de alterar seu jeito de comer, Bernadette passava pelos sintomas de quedas de glicemia pós-almoço. Ansiava por uma soneca. O cérebro lhe enviava um alerta bem-intencionado, porém incorreto: "Estamos com baixa energia, precisamos comer alguma coisa". Ela ia atrás de uma barra de chocolate e comia imediatamente. A barra de chocolate fazia sua glicemia disparar mais uma vez, e logo em seguida ela caía de novo. Uma montanha-russa cheia de emoções.

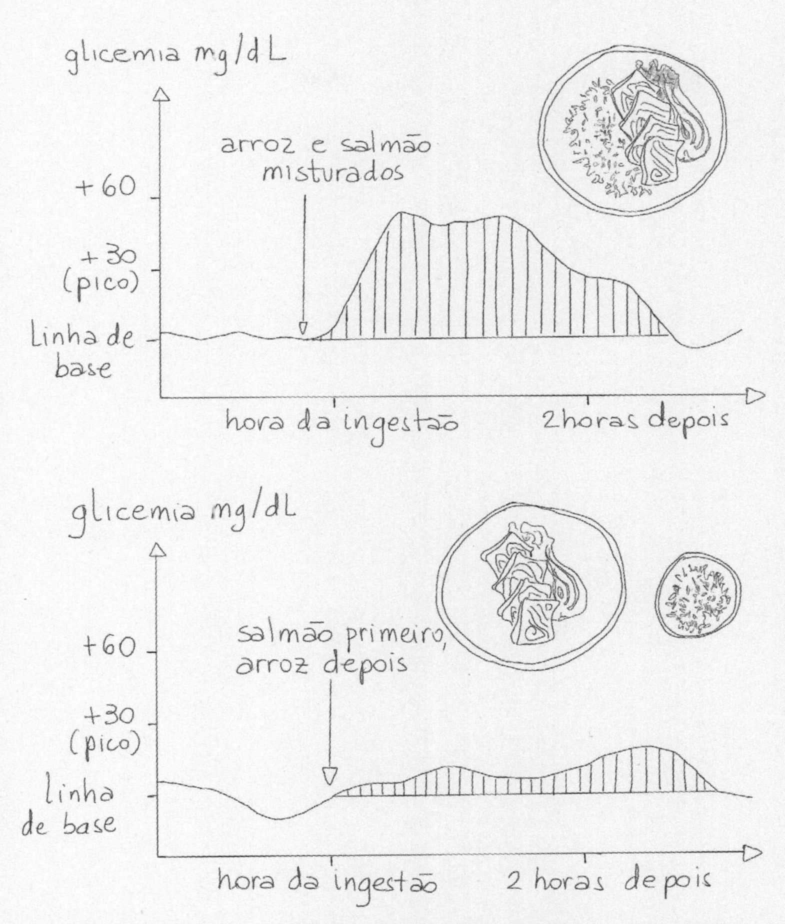

Mesmo quando não há vegetais no prato, "desconstruir" nossas refeições e comer carboidratos por último ajuda o corpo. Achatamos significativamente nossa curva de glicemia e reduzimos a probabilidade de ganho de peso, compulsões alimentares, letargia e efeitos colaterais nocivos de longo prazo da glicemia alta.

Quando Bernadette mudou a ordem das coisas que comia, o pico causado pela refeição passou a ser menor, fazendo a queda ser menos pronunciada. Ela passou a sentir menos fome e menos cansaço à tarde. O passeio de montanha-russa chegou a um final tranquilo.

Existe uma explicação científica para essa melhora na fome dela: a equipe de pesquisadores de Cornell demonstrou que, quando comemos na ordem errada (amido e açúcares primeiro), a *grelina*, nosso hormônio da fome, retorna ao nível pré-refeição depois de apenas duas horas. Quando comemos na ordem certa (amido e açúcares por último), a grelina permanece suprimida por muito mais tempo (eles não mediram as três horas anteriores, mas, ao analisar as tendências, acho razoável supor que ela continue baixa por cinco a seis horas).[10]

As pesquisas também mostram que, nas mulheres na pós-menopausa, uma dieta com menos picos de glicemia está associada a uma menor incidência de insônia.[11] Além disso, quando dormimos melhor, tomamos decisões melhores, e fica mais fácil encontrar motivação para fazer o bem a nós mesmos. Foi assim que Bernadette se sentiu – ela até começou a fazer caminhadas à tarde.

Nove dias depois do que lhe pareceu a mudança de estilo de vida mais fácil que já adotara, a calça jeans de Bernadette começou a ficar mais folgada. Ela então pulou na balança. Para sua surpresa, tinha perdido mais de dois quilos. Em pouco mais de uma semana, tinha perdido quase um terço do peso ganho desde a menopausa, sem esforço algum.

Lembre-se, na cabine de comando do nosso corpo, colocar a alavanca da glicemia na posição correta é a coisa mais poderosa que podemos fazer. As consequências são muitas vezes surpreendentes, como a perda de peso acidental. E, como você vê, tudo começa com algo tão simples quanto comer na ordem correta.

Eu achava que era preciso comer as frutas separadamente, para não apodrecer no estômago.

Uma pergunta que sempre me fazem quando falo desta dica tem a ver com as frutas. Eu as classifico na categoria de "açúcares", porque, embora contenham fibras, são feitas sobretudo de glicose, frutose e sacarose – também conhecidos como *açúcares*. Portanto, devem ser comidas por último. Mas me perguntam: "Comer a fruta por último não faz ela apodrecer no estômago?" A resposta sucinta é "não".

Aparentemente, essa crença equivocada remonta ao Renascimento, mais ou menos na época em que Gutenberg inventou a imprensa. Na época, alguns médicos recomendavam *nunca* terminar uma refeição com uma fruta crua, porque ela iria "boiar sobre o conteúdo do estômago e depois apodrecer, enviando vapores nocivos ao cérebro e desequilibrando todo o sistema corporal."[12] A verdade é que não existe evidência que embase isso.

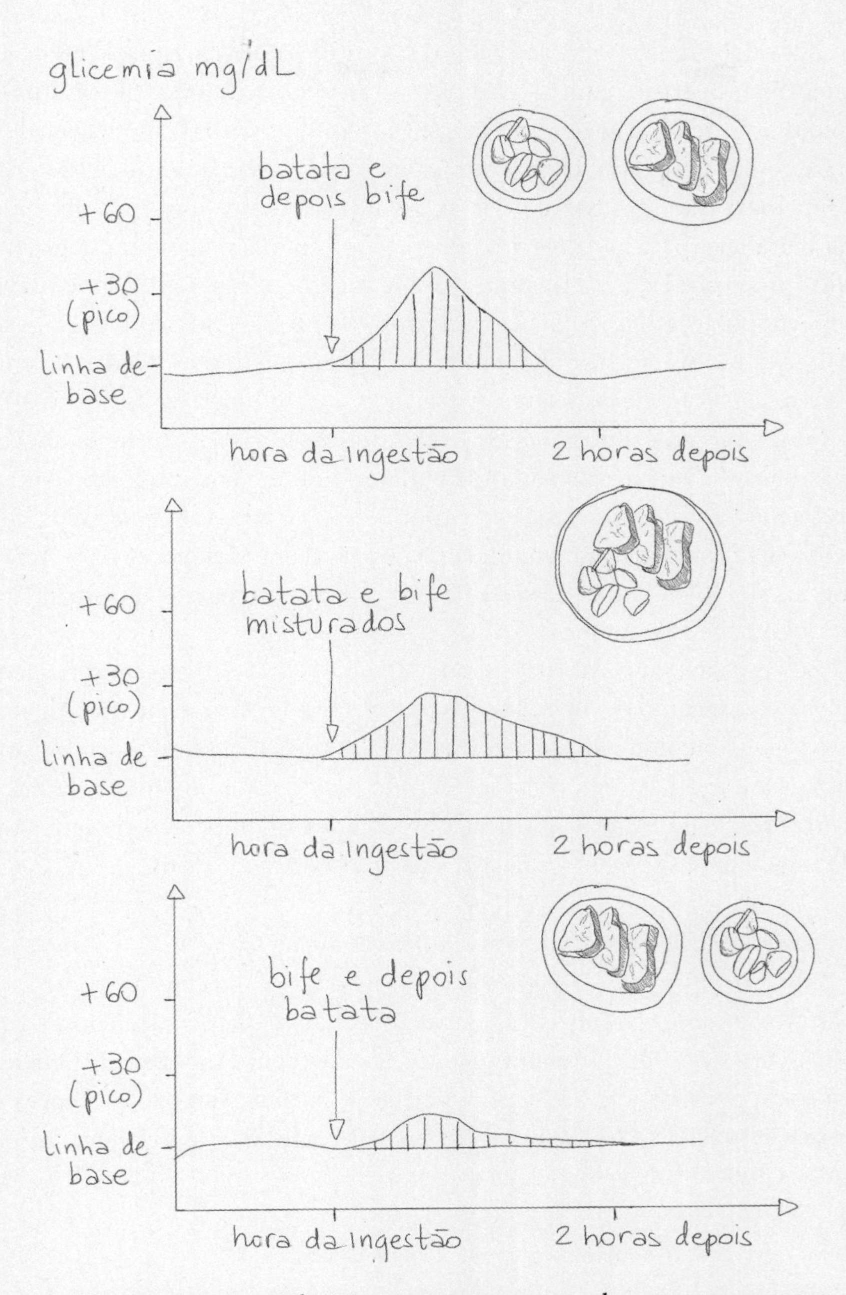

Comer a batata primeiro levou ao maior pico; misturá-la com a carne já ajudou. Mas começar pela carne e deixar os carboidratos por último foi o melhor para minha glicemia.

O apodrecimento ocorre quando bactérias se alojam nos alimentos e começam a digeri-lo, para alimentar o próprio crescimento. Os pontinhos brancos e verdes que você vê no morango deixado muito tempo na geladeira são bactérias crescendo. Uma vez iniciado, o apodrecimento pode levar dias ou semanas. Não tem como ocorrer em poucas horas, que é o tempo que uma fruta leva para ser digerida. Além disso, o estômago é um ambiente ácido (pH entre 1 e 2), e qualquer ambiente com um pH abaixo de 4 evita a superpopulação bacteriana (e, portanto, o apodrecimento).[13] Nada pode apodrecer no estômago e, na verdade, juntamente com o esôfago, o estômago é a região com *menos* bactérias em todo o trato digestivo.[14] Os médicos do Renascimento estavam errados. Mas ao longo da história se conhecem várias culturas que adotaram a "ordem certa de comer": na Roma Antiga, as refeições geralmente começavam por ovos e terminavam nas frutas.[15] Na Europa medieval, os banquetes costumavam acabar pelas frutas, para "fechar a digestão". Hoje em dia, na maioria dos países as refeições terminam com um toque doce: a sobremesa.

Para ser justa, talvez os médicos do século XIV não estivessem totalmente equivocados quando recomendavam comer as frutas separadamente. Algumas pessoas me contaram que comem frutas isoladas; senão, sentem desconforto, como gases ou inchaço na barriga. É tudo uma questão de prestar atenção no próprio corpo. Amido e açúcar por último é o jeito certo, a menos que individualmente você sinta que isso não cai bem.

Com que velocidade posso comer um alimento depois do outro?

Muitos ritmos diferentes foram testados em ambientes controlados – zero minuto, dez minutos, vinte minutos; todos parecem funcionar. Desde que você coma por último o amido e os açúcares, mesmo sem pausa, a curva de glicemia será achatada. Nas minhas refeições, como um grupo alimentar logo depois do outro (assim como Bernadette).

E se na refeição não houver nem amido nem açúcar?

Naturalmente, uma refeição sem amido e sem açúcares levará a um pico de glicemia bem pequeno (parte das proteínas também se transforma em glicose, mas numa taxa muito inferior à dos carboidratos). Mesmo assim, continua a ser benéfico começar pelos vegetais e depois comer as proteínas e gorduras.

Preciso fazer isso o tempo todo?

É você quem decide usar as dicas deste livro de um jeito que faça sentido para você. Em minha vida pessoal, como na ordem certa quando é fácil. Quando como um prato como curry ou paelha, em que vegetais, proteínas, gorduras e carboidratos estão misturados e é difícil separar os ingredientes, não me estresso com isso. Às vezes como uns bocadinhos de vegetais primeiro, e depois o restante do prato misturado.

O mais importante é lembrar que o ideal é comer amido e açúcares *o mais tarde possível na refeição*. E lembre-se de comemorar as pequenas mudanças: se comer os vegetais primeiro, mesmo que depois misture o amido com a proteína e a gordura, isso já é um avanço, e melhor que comer os vegetais por último.

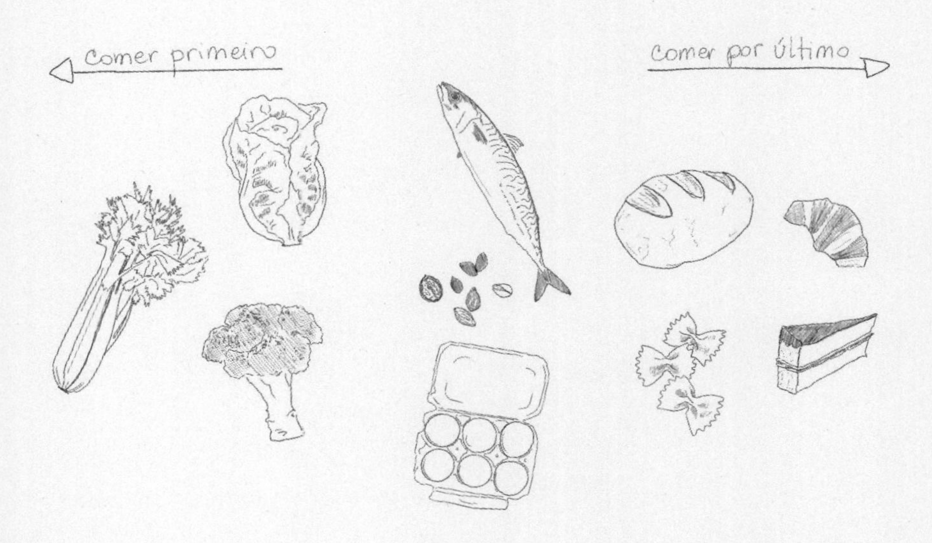

RECAPITULANDO

Sempre que for viável e não transformar sua refeição em um fardo complicado, exigindo a separação minuciosa dos ingredientes do prato especial do chef, é melhor comer por último tudo aquilo que se transforma em glicose. Comece pelas verduras e legumes do prato; em seguida, passe à gordura e às proteínas; e por fim amido e açúcares. É tentador ir direto para os carboidratos quando se sente fome, mas, ao usar essa dica, a compulsão alimentar será cortada logo depois.

Com base nos conhecimentos científicos, adoro qualquer refeição que principie pela salada. Infelizmente, muitas experiências alimentares não nos ajudam nisso: alguns restaurantes, por exemplo, servem uma cesta de pãezinhos enquanto você aguarda seu prato. Começar pelo amido é exatamente o contrário do que você deve fazer. Vai levar a um pico de glicemia que você não terá como controlar, e em seguida a uma queda repentina — o que só vai intensificar sua compulsão.

Olha, pensando bem, se eu tivesse que bolar um jeito de fazer as pessoas comerem mais no meu restaurante, servir pão primeiro é exatamente o que eu faria.

Dica 2: Adicione uma entrada verde a todas as suas refeições

Sei que ao ler o título acima você provavelmente pensou: "Essa dica é exatamente igual à anterior: coma os vegetais primeiro". Não. Essa dica está em outro patamar. Estou falando de *adicionar* um prato ao início de suas refeições. Você comerá mais do que está acostumado e ao mesmo tempo estará achatando suas curvas de glicemia (e na próxima dica, vou comentar por que o acréscimo dessas calorias é bom). O objetivo aqui é retornar aos alimentos à moda antiga, quando não eram processados: onde quer que houvesse amido e açúcares, também havia fibras. Ao adicionar uma deliciosa salada verde, trazemos as fibras de volta.

APRESENTANDO JASS

Alguns anos atrás, finalmente dei à minha mãe o presente que ela sempre quis: um cartão com a frase: "Ah, meu Deus, mamãe estava certa sobre tudo!".

Para ser franca, ela não tinha razão quando começava o dia com suco de laranja e cereais, mas ela *tinha* razão em outras coisas, como a importância de organizar minha correspondência, não comprar roupas laváveis a seco porque eu não teria tempo de ir à lavanderia e limpar a geladeira por dentro uma vez por mês. Quando eu saí de casa para estudar na faculdade, no entanto, não segui nenhum desses conselhos. Eu com toda certeza não limpava nenhum eletrodoméstico de cozinha por dentro.

Conforme envelhecemos, muitas vezes vamos nos dando conta da sabedoria dos conselhos de nossos pais. Tendo estudado a ciência por trás dos picos de glicemia, vi vários estudos que demonstram que alguns conselhos que achatam nossa curva de glicemia são iguais aos defendidos pelas gerações anteriores. Foi isso que Jass também descobriu.

Jass (apelido de Jassmin) foi criada no interior da Suécia, com mãe libanesa e pai sueco. Os pais trabalhavam muito: tinham empregos em tempo integral e cinco filhos. Mas, por mais ocupados que fossem, a família sempre se sentava para comer junta toda noite. A entrada do jantar era sempre uma enorme salada.

Quando Jass se mudou para Gotemburgo e arranjou seu primeiro emprego como professora, ela fez como eu: não pensou em seguir o exemplo da família. O ritmo de sua rotina era marcado pelas idas e vindas entre seu apartamento e a escola de ensino fundamental. Corrigir provas dominava seu dia; entre um e outro prazo, ela tentava manter uma vida social – resumindo, não tinha tempo para pensar em comida. Sua tática, em geral, era dar uma passada na mercearia, no caminho entre o trabalho e a casa, pegar um pacote de macarrão e jantá-lo. As sobras viravam a marmita do almoço no dia seguinte.

Sem que ela se desse conta, seus hábitos alimentares tinham mudado completamente. Ela, que só gostava de comer chocolate na sobremesa, agora não parava de comer doces. Contava os minutos para o intervalo da aula, hora de correr para a cantina e comprar uma fatia de bolo. Ela precisava de um suprimento regular de guloseimas para encarar o dia. O novo emprego exigia muito dela, o trabalho tomava seu tempo e ela se sentia bastante cansada. Ingerir algo doce ao longo do dia a mantinha motivada.

Com o passar dos meses, essa vontade por doces foi se acentuando. Ou ela estava comendo doces ou pensando em comer doces. Sua compulsão saíra do controle. O fato é que a compulsão é que a controlava. Sua força de vontade desapareceu. Ela começou a engordar. Acne surgiu em sua testa. A menstruação ficou irregular. Ela não estava se sentindo bem – por conta da compulsão alimentar e de todas as alterações que vinham ocorrendo em seu cérebro e seu corpo.

Certa tarde, antes do horário habitual do lanchinho de Jass, ela pediu aos alunos que abrissem o livro de biologia no capítulo 10, "Metabolismo". Ela explicou como o corpo obtém energia dos alimentos, e principalmente o que acontece quando ingerimos carboidratos. Jass estava dando uma aula sobre glicose.

À medida que avançava pela aula, ela não pôde deixar de pensar que talvez ali houvesse algo que poderia ajudá-la. Na mesma semana, por uma feliz coincidência, uma colega mostrou-lhe a conta Glucose Goddess no Instagram. As coisas começaram a se encaixar. Ela pensou: será que o problema é a glicose? Será que estou tendo picos de glicemia sem saber? Será que é por isso que não consigo parar de comer chocolate e me sinto cansada o tempo todo?

Ela logo percebeu duas coisas: primeiro, quando sentia fome, sempre ia primeiro atrás de carboidratos; segundo, suas refeições não estavam balanceadas, tanto o almoço quanto o jantar eram basicamente compostos de amido. Ela se deu conta de que o corpo estava mandando um recado para ela: havia algo errado. Sim, com certeza ela estava numa montanha-russa de glicemia.

A fim de achatar a curva de glicemia, ingerir fibras, proteína e gorduras antes de alimentos à base de amido é essencial. Diante dessa constatação empoderadora, Jass decidiu restabelecer uma tradição familiar: uma grande salada como entrada, toda noite. Ela foi criada comendo fatuche, uma salada tradicional do Líbano. E lá foi ela fazer fatuche por conta própria: juntou pimentão fatiado, pepino, tomate e rabanete com alface, um punhado de salsinha e cebolinha, e temperou tudo com azeite, sal e muito suco de limão.

QUANTO MAIS FIBRA, MELHOR

A quantidade de fibras que ingerimos nos dias de hoje é muito inferior àquela que deveríamos comer. Apenas 5% dos americanos respeitam a quantidade diária recomendada: 25 gramas por dia.[1] O governo americano qualificou as fibras como um "nutriente de preocupação para a saúde pública".[2] Esse desaparecimento se deve, sobretudo, ao processamento alimentar, como expliquei na Parte I.

As fibras se encontram no revestimento estrutural das plantas — existem em abundância nas folhas e na casca. Portanto, a menos que você seja um cupim comedor de madeira (e nesse caso, estou impressionada por você saber ler!), é possível obter a maior parte de suas fibras em feijões, vegetais e frutas.

Essa substância produzida pelas plantas é incrivelmente importante para nós: ela serve de combustível para as bactérias "boas" no nosso intestino, fortalece o microbioma, reduz o nível de colesterol e assegura que tudo funcione

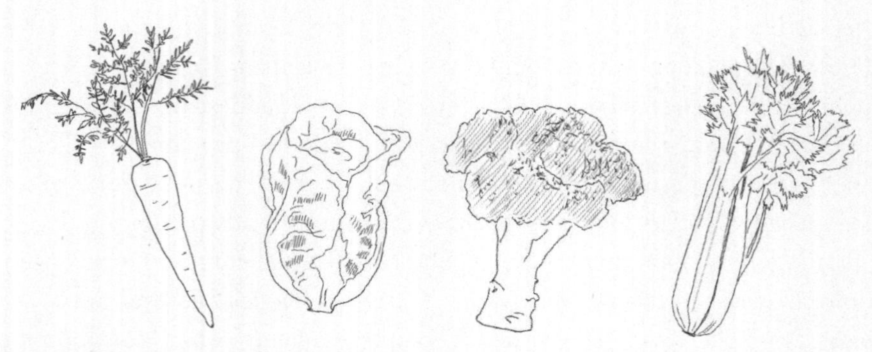

Feijões, folhas verdes e vegetais são uma ótima fonte de fibra. Precisamos comer mais deles de maneira a combater picos de glicose.

de maneira adequada.[3] Um dos motivos para uma dieta rica em frutas e vegetais ser saudável são as fibras que ela proporciona.

Como mencionado no capítulo anterior, as fibras também são boas por vários motivos para nossos níveis de glicose, sobretudo por criarem uma "malha" viscosa no intestino. Essa malha desacelera e reduz a absorção de moléculas dos alimentos ao longo da parede intestinal.[4] O que isso representa para a curva de glicemia? Em primeiro lugar, absorvemos menos calorias (falaremos a respeito delas no próximo capítulo). Em segundo lugar, tendo fibras em nosso sistema, qualquer absorção de moléculas de glicose ou frutose é reduzida.

Isso foi demonstrado diversas vezes em ambiente controlado. Por exemplo, em um estudo de 2015, cientistas neozelandeses alimentaram os participantes com dois tipos de pão: pão comum e pão enriquecido com dez gramas de fibra por porção. Eles concluíram que as fibras adicionais reduziram o pico de glicemia provocado pelo pão em mais de 35%.[5] Falando em pão, eis o que você deve procurar se quiser comê-lo e ao mesmo tempo achatar suas curvas: ignore os pães que afirmam conter "grãos integrais", que em geral não contêm muito mais fibras que o tradicional similar "pão branco". Compre pão preto e denso, feito de centeio com fermentação natural. É tipicamente alemão e costuma ser chamado de pumpernickel. São os que contêm mais fibras.

No entanto, mesmo esse pão preto não é a melhor maneira de adicionar fibras à nossa dieta, pois pão contém amido e sempre leva a um pico de glicemia. Sabe qual é a melhor maneira de obter fibras? Vegetais verdes. Eles contêm principalmente fibras e pouquíssimo amido.

Quer pão que contém fibras benéficas? Procure os alemães.

Sabemos que consumir mais fibras é benéfico e que as ingerir *antes* dos demais alimentos é ainda mais benéfico (veja a dica anterior). É por isso que acrescentar uma salada como entrada em cada refeição tem um poderoso efeito sobre nossas curvas de glicemia.

Quão grande essa salada de entrada tem que ser? O quanto você quiser. Descobri que o ponto ideal é uma proporção de um para um em relação aos carboidratos que você comerá depois. Minha entrada favorita: duas xícaras de espinafre, cinco corações de alcachofra, vinagre e azeite. A escolha do meu irmão mais novo: uma cenoura crua grande, fatiada, com homus (que tecnicamente não é *verde*, mas continua sendo vegetal, e é o que buscamos). Mais adiante, ainda neste capítulo, você encontrará outras sugestões.

Mundo afora, a tradição espelha a ciência: no Irã e nos países da Ásia Central, as refeições começam por ervas frescas aos montes. Nos países do Mediterrâneo, as refeições se iniciam pelos vegetais – alcachofra e berinjela marinada como antepasto na Itália; rabanete fatiado, vagem e outros como *crudités* na França; ou combinações de salsinha picada bem fina com tomate maduro e pepino, compondo o tabule, da Turquia ao Líbano, passando por Israel. Acrescentar uma entrada verde achata nossa curva de glicemia. Com a curva mais achatada, sentimo-nos saciados por mais tempo, evitando a queda da glicemia que leva a compulsões alimentares poucas horas depois.[6, 7]

Voltemos a Jass.

Jass adicionou o fatuche como entrada ao jantar. Continuou comendo seu prato habitual de macarrão depois, mas uma coisa diferente passou a acontecer com seu corpo: ela passou de um suprimento abrupto de glicose a um mais suave. O pico se tornou menos acentuado, e a queda que se seguiu passou a ser menor.

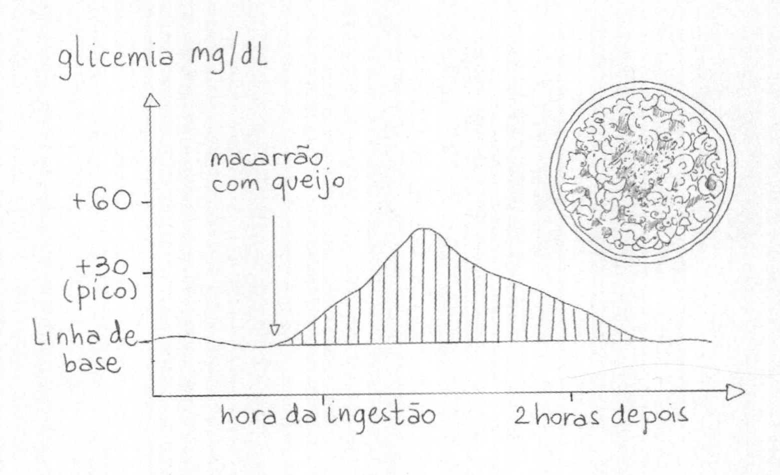

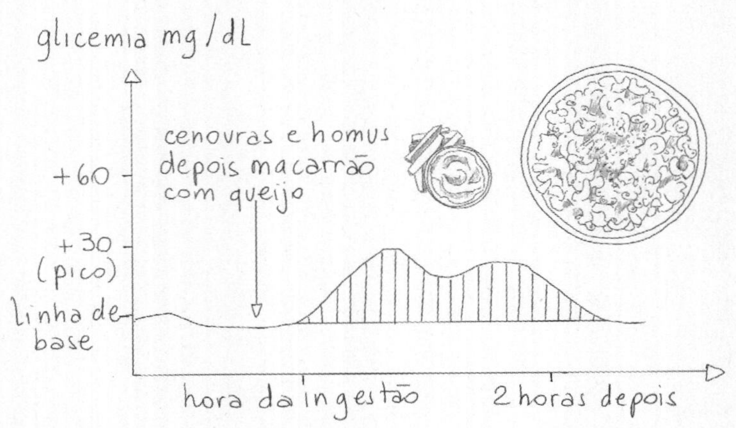

Podemos acrescentar qualquer tipo de vegetal como entrada. Isso inclui vegetais que não são verdes, como a cenoura. Feijões, como homus (à base de grão-de-bico) e lentilhas, também podem ser adicionados, pois são igualmente repletos de fibras.

Jass rapidamente começou a se sentir melhor. A princípio, o que mais chamou sua atenção foi que ela passou a aguentar mais tempo sem comer. Depois do almoço, ela se sentia saciada até cinco da tarde, em vez de ficar faminta já às três horas. Ela também se sentiu mais alerta e passou a ter mais paciência com os alunos. Percebeu que caminhava alegre pelos corredores da escola, sorrindo para os colegas. A curva mais achatada acalmou tanto sua fome quanto seu humor.

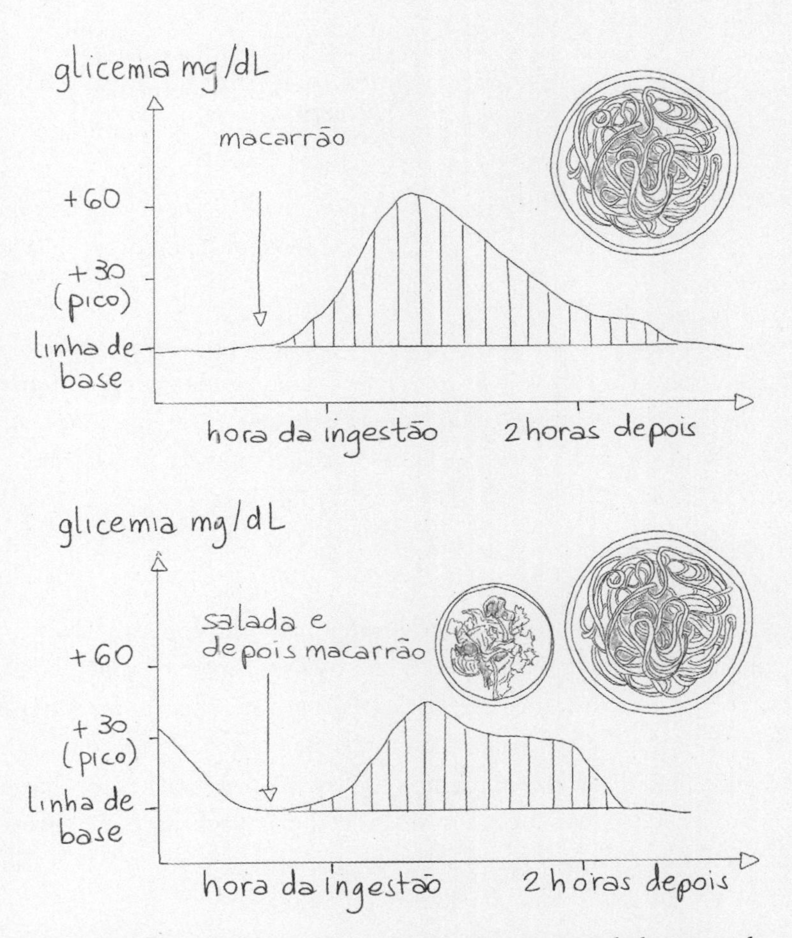

Jass não tinha se dado conta de que, ao comer massa isoladamente, ela entrava numa montanha-russa de glicose. Ao acrescentar uma salada ao início de toda refeição, ela achatou a curva de glicemia. Suas compulsões alimentares incontroláveis diminuíram, e ela recuperou a força de vontade.

Depois de uns dez dias, Jass perdeu o gosto por guloseimas. Para sua enorme surpresa, na pausa para o lanche, ela ia até a padaria do bairro e pensava: "Nossa, que bolo apetitoso", mas não sentia vontade de comê-lo. O *hábito* de comer doces continuava a existir, mas não mais o torturante impulso de agir. Ela já não desperdiçava energia tentando saciar sua compulsão – porque a compulsão havia desaparecido. Ela recuperou a força de vontade – na verdade, parecia ter adquirido um superpoder.

Quando achatamos nossa curva de glicemia, os efeitos colaterais costumam ser agradáveis e inesperados. Como ocorrera com Bernadette, Jass perdeu peso sem fazer esforço. Até agora ela já perdeu dez quilos, passando de 83 para 73 quilos. "Minha única preocupação era manter meu corpo em uma zona de glicemia boa e estável. O resto foi acontecendo." Ela me contou que sua menstruação voltou ao normal, a acne sumiu, o sono melhorou e ela passou a se sentir melhor.

FAÇA A EXPERIÊNCIA: Pense no seu vegetal ou salada favorita. Prepare-a com carinho, e coma-a antes do almoço e do jantar durante uma semana inteira. Preste atenção em suas compulsões alimentares e se elas mudaram.

Quanto tempo eu preciso esperar entre a entrada e o prato principal?

Você não precisa esperar nada, pode comer um logo depois da outra. Caso queira esperar, procure apenas não demorar mais de duas horas entre a entrada verde e o restante da refeição. Isso porque duas horas são o tempo aproximado que as fibras levam para atravessar nosso estômago e a parte de cima do intestino delgado. Por exemplo, se você comer a salada ao meio-dia e o arroz à uma da tarde, as fibras da salada vão ajudar a achatar o pico provocado pelo arroz. Mas se você comer a salada ao meio-dia e o arroz às três da tarde, a salada não vai mais ajudar a achatar o pico do arroz.

Que quantidade de vegetais eu preciso comer?

Antes de tudo, qualquer quantidade é melhor do que nada, e quanto mais, melhor. Estudos ainda não foram feitos para determinar a proporção ideal, mas eu tento comer uma quantidade de vegetais igual à de amido que vem depois.

Quando não tenho tempo de fazer uma salada, pego dois palmitos em conserva e um pouco de couve-flor grelhada que eu deixo no congelador. Embora não chegue a ser uma proporção de um para um, é o suficiente para começar a constatar um pequeno benefício, e é melhor do que não comer vegetal algum antes de uma refeição.

O que pode ser considerado "entrada verde"?

Qualquer vegetal, do aspargo grelhado à salada de repolho americana, passando pela abobrinha grelhada ou pela cenoura ralada. Estamos falando de alcachofra, alface, berinjela, brócolis, brotos de ervilha, couve-de-bruxelas, rúcula e tomate, mas também de vagem, feijão e alimentos viscosos como o *natto* (um prato japonês à base de soja). Quanto mais, melhor.

A propósito, dá para comê-los crus ou cozidos. Mas evite preparos em forma de suco ou purê, porque a fibra neles ou desaparece (no caso do suco) ou cai no ostracismo (no caso do purê). As sopas são outros quinhentos. Lembra-se do que respondo à minha mãe quando ela liga do mercado para perguntar se um alimento é "bom" ou "ruim"? A resposta é que depende — e as sopas são um ótimo exemplo disso. Sopa é um prato excelente, pois contém muitos nutrientes e vitaminas, sacia a fome e é uma das entradas mais saudáveis que você pode pedir em um restaurante. Mas não é mais saudável que comer o vegetal integral. Também tome cuidado com sopas industrializadas: em geral, elas são feitas à base de batata, que vira amido, e também podem ter açúcares adicionados.

Qual é o jeito mais fácil de começar?

Compre um saquinho de espinafre no supermercado, jogue três xícaras dele em uma tigela, acrescente duas colheres de sopa de azeite, uma de vinagre (da sua preferência), sal e pimenta, cubra com um punhado de queijo feta picado e castanhas torradas (misturar um pouco de proteína e gordura na sua entrada verde não tem problema, e é até bom). Você também pode acrescentar, se preferir, pesto, parmesão ralado e um pouco de sementes torradas. Tem que ser uma coisa rápida e saborosa para você. Não se trata de cozinhar, e sim de juntar ingredientes. Cuidado com os molhos pré-preparados, pois eles costumam ser repletos de açúcar e de óleos vegetais — o melhor é preparar o molho do zero, com a proporção de azeite e vinagre que eu descrevi acima.

Eu preparo uma porção de molho todo domingo e deixo na geladeira para usar ao longo da semana. Eis outras coisas ainda mais rápidas de comer:

- Duas ou três porções de vegetais grelhados que sobrarem (dica top: costumo grelhar uma porção de brócolis ou couve-flor e deixo na geladeira);
- Alguns bocadinhos de vegetais em conserva;

- Guacamole com um pepino em fatias;
- Um tomate em fatias com um ou dois pedaços de mussarela;
- Cenouras baby com homus;
- Quatro alcachofras marinadas em conserva, ou outros vegetais em conserva;
- Dois palmitos em conserva;
- Dois aspargos brancos em conserva.

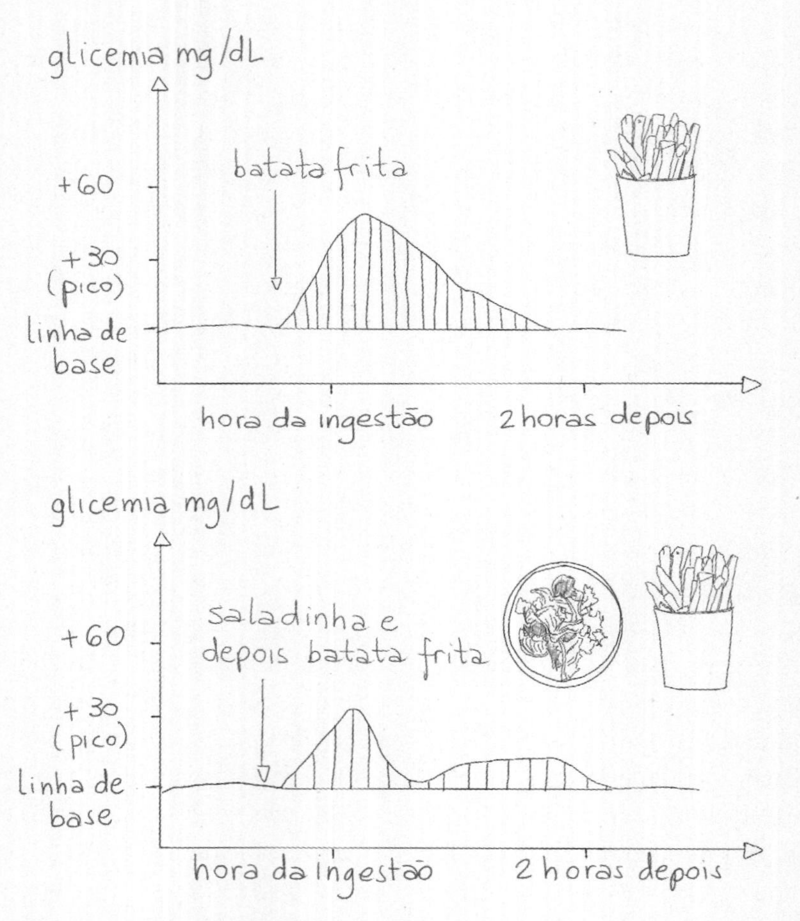

Quando você sai para comer em um restaurante e ninguém pede entrada, sua maior aliada é a salada de acompanhamento para o prato principal. Peça-a, e coma antes. As fibras e a gordura tornarão a ingestão de qualquer amido adicional muito mais suave para o corpo.

E quanto às calorias?

Ótima pergunta. Mais a respeito na próxima dica. Fique ligado.

E quanto aos suplementos?

É sempre melhor comer alimentos integrais em vez de suplementos, mas, se for mais fácil em determinadas ocasiões, um suplemento de fibras no início de cada refeição pode ajudar.[8]

O que eu faço quando estiver em um restaurante?

Quando meus amigos pedem entrada, eu peço uma salada. Quando não pedem, eu peço um acompanhamento de origem vegetal junto com o prato principal (como uma salada verde simples com azeite e vinagre, vagem ao vapor, espinafre salteado ou simplesmente feijão-preto, feijão-branco ou grão-de-bico cozido), e como antes do resto da refeição. Só como o prato principal ou toco na cesta de pães depois de comer meus vegetais.

Acrescentar gordura (no molho da salada) aos carboidratos não engorda?

Não — esse é um mito que já foi desmentido. Mais a respeito na dica número 10, "vista uma roupa nos carboidratos".

CONHEÇA GUSTAVO E SEU BRAÇO DIREITO, O BRÓCOLIS

Mundo afora, tem muita gente criativa na utilização destas dicas em suas vidas cotidianas. Dependendo do país e da disponibilidade de produtos, são releituras que sempre me impressionam. Gostaria de mencionar um exemplo de como essa dica ajudou Gustavo, porque considero particularmente útil.

Gustavo trabalha como vendedor no México. Aos cinquenta anos, ele já perdeu duas pessoas próximas para a mesma doença: o pai faleceu de diabetes tipo 2; em seguida, um colega — anos mais jovem — morreu de complicações do diabetes. Isso serviu como um sinal de alerta. Gustavo não queria que a

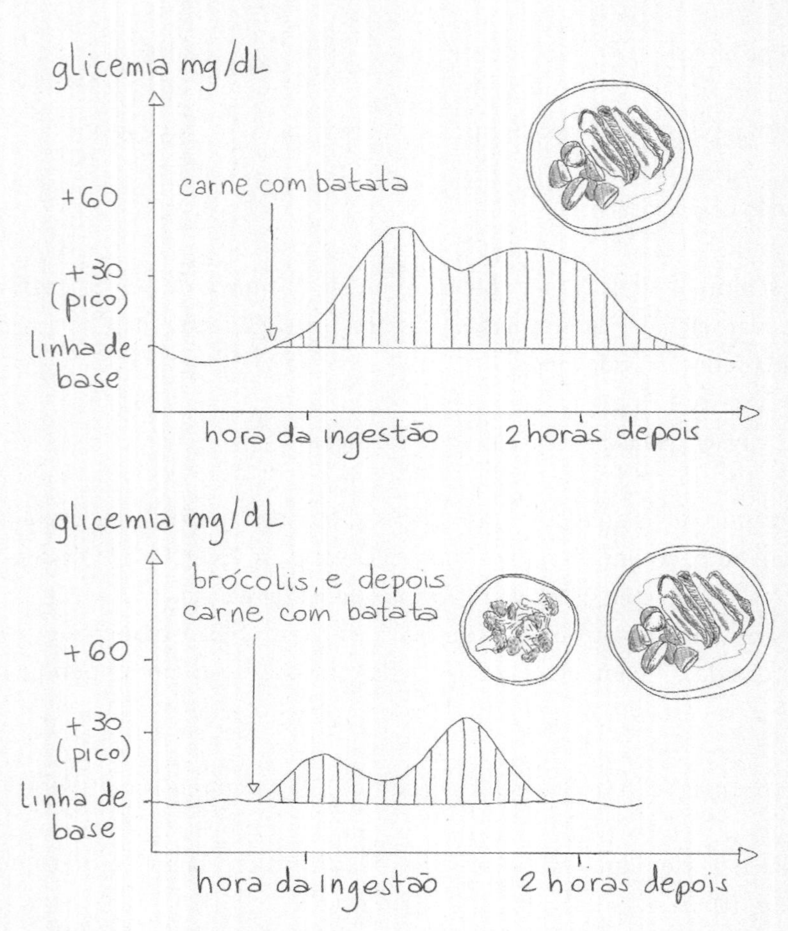

Caso não tenha certeza de que poderá ingerir uma entrada verde no restaurante, coma antes de sair. Antes de encontrar os amigos na churrascaria, Gustavo come bastante brócolis.

própria vida acabasse por problemas de saúde; ele ainda queria ser atuante em sua comunidade por anos e anos.

Gustavo não tinha (até então) sido diagnosticado com diabetes, mas sabia que estava muito acima do peso. Quando ficou sabendo que as pessoas podem sofrer de picos de glicemia durante vários anos antes de desenvolver essa condição, sentiu forte convicção de que estava caminhando para isso, da mesma forma que o pai. Dito isso, ele também aprendeu que o diabetes não é apenas uma questão genética; não é porque nossos pais são diabéticos que também seremos, automaticamente. O DNA pode aumentar a probabilidade de adquiri-lo,[9] mas a razão principal para desenvolvê-lo — ou não — é o estilo de vida.[10]

Depois de descobrir a conta Glucose Goddess no Instagram e aprender a respeito da glicose e do diabetes, Gustavo se sentiu pronto para a mudança, mas a maior barreira era sua vida social: quando saía para jantar, ele acompanhava os amigos e comia muito amido e açúcar. Queria mudar esse hábito, mas era complicado lidar com o julgamento dos amigos. "Por que você está pedindo salada?", perguntavam. "Está de *dieta*?"

Por isso, ele bolou um truque: antes de sair para jantar, em casa, preparava um prato bem grande de brócolis grelhados e comia com sal e um molho apimentado.

Com brócolis na barriga, ele estava pronto para comer fora. Quando chegava ao restaurante, não se sentia faminto, e assim conseguia pular com facilidade a cesta de pãezinhos na mesa. De qualquer maneira, os efeitos do amido e do açúcar que ele fosse ingerir seriam restringidos pelo brócolis. Isso representava um pico de glicemia menor e uma menor liberação de insulina, junto com menos processos inflamatórios, menos danos às células e maior distanciamento do diabetes tipo 2.

Em um ano e meio de jornada glicêmica, Gustavo perdeu quarenta quilos. Nos próximos capítulos, você conhecerá outras dicas que ele adotou. Em nossa conversa pelo telefone, ele me contou, satisfeito, que nunca se sentiu tão jovem. Hoje, corre três quilômetros e meio sem dificuldade, algo que sempre sonhara fazer, mas não conseguia. Além da melhora física, Gustavo contou que passou a se sentir mais confiante e bem informado: explicou que finalmente compreendeu que *calorias não são tudo*.

Dica 3: Pare de contar calorias

Caso você siga a dica do capítulo anterior, adicionará calorias à sua refeição, sob a forma de uma entrada verde. Caso sua esperança seja perder quilos, você pode pensar: será mesmo uma boa ideia? Adicionar calorias não vai me fazer ganhar peso? A resposta sucinta é "não". A resposta mais longa exige compreender mais a respeito dos *tipos* de calorias que estamos ingerindo – e acender o fogo.

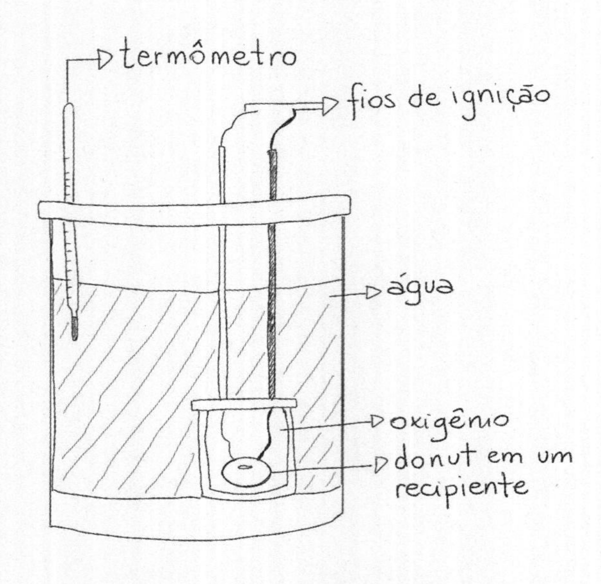

Para medir as calorias de um donut, medimos o quanto ele aquece a água ao ser queimado.

Para medir quantas calorias contém, por exemplo, um donut, eis o que é preciso fazer: desidratá-lo e colocá-lo em um recipiente cúbico, em banho-maria. Em seguida, ateia-se fogo ao donut (sim, isso mesmo) e mede-se o quanto a água que o envolve se aquece. Multiplica-se a alteração da temperatura pela quantidade de água no recipiente, a capacidade energética da água (que é 1 caloria por grama por grau Celsius), e obtém-se o número de calorias do donut.

Portanto, quando dizemos: "Esse donut e esse iogurte grego têm o mesmo número de calorias", o que estamos realmente querendo dizer é "Esse donut e esse iogurte grego aquecem a água no mesmo número de graus ao serem queimados".

É por meio dessa técnica de queima — batizada de *calorimetria* e inventada em 1780 — que os cientistas conseguem medir as calorias de qualquer coisa. O carvão que seu avô joga na caldeira do trem ostenta orgulhosamente 7,7 *milhões* de calorias por quilo (porque queima muito lentamente e libera muito calor). Um livro de quinhentas páginas, por outro lado, não é a melhor opção quando se quer aquecer água: contém apenas *meia caloria* (porque um livro vira cinzas com muita rapidez, e nesse processo não gera muito calor).

Seja qual for a situação, as calorias medem o calor gerado, e nada mais.

Julgar um alimento com base em seu conteúdo calórico é como julgar um livro pelo número de páginas. O fato de um livro possuir quinhentas páginas, é claro, dá alguma ideia do tempo necessário para lê-lo (cerca de dezessete horas), mas, infelizmente, é reducionista. Se você entrar numa livraria e pedir ao vendedor um livro de quinhentas páginas, ele vai olhar para você de um jeito meio estranho e pedirá algum esclarecimento. Um livro de quinhentas páginas não é idêntico a outro livro de quinhentas páginas, e de forma análoga uma caloria não é idêntica a outra.

Cem calorias de frutose, cem calorias de glicose, cem calorias de proteína e cem calorias de gordura podem liberar a mesma quantidade de calor ao queimar, mas têm efeitos inteiramente diferentes sobre o corpo. Por quê? Porque são *moléculas* diferentes.

Eis um fato concreto: em 2015, uma equipe de pesquisadores da Universidade da Califórnia em São Francisco provou que podemos continuar comendo exatamente o mesmo número de calorias, mas se mudarmos as *moléculas* que ingerimos, podemos curar doenças do corpo.[1] Eles demonstraram, por exemplo, que as calorias da frutose são piores que as calorias da glicose (é porque a frutose, como aprendemos na Parte I, inflama nosso corpo, envelhece as células e se transforma mais em gordura do que a glicose).

Esse estudo foi feito com adolescentes obesos. Pediu-se que eles substituíssem as calorias provenientes da frutose por calorias de glicose em suas dietas (eles trocaram alimentos que contêm frutose, como donuts, por alimentos que contêm glicose, como bagels). O número de calorias consumido permaneceu constante. O que aconteceu? A saúde deles melhorou: a pressão arterial melhorou, a proporção de triglicerídeos por HDL (marcador-chave de doenças cardíacas, como aprendemos na Parte II) melhorou. Eles começaram a reverter o avanço da esteatose hepática e do diabetes tipo 2. E essa mudança profunda na saúde deles ocorreu em *apenas nove dias*.

Os resultados foram conclusivos: cem calorias de frutose são piores para nossa saúde que cem calorias de glicose. É por isso que sempre é melhor comer coisas com amido que coisas doces — falaremos mais disso na dica 9, "Se tiver que fazer boquinhas, coma coisas salgadas". Se o estudo tivesse cortado a frutose trocando-a por proteínas, gordura e fibras (se os participantes tivessem trocado os donuts por iogurte grego e brócolis grelhado, por exemplo), você pode imaginar que o efeito teria sido ainda mais positivo.

Portanto, agora você já sabe que não é verdade quando dizem que para ficar saudável basta cortar calorias. Você pode fazer muito para curar seu corpo trocando as moléculas que ingere, mas mantendo o número de calorias.

E quanto à perda de peso — é só uma questão de consumir menos calorias? Antes pensava-se que sim, mas esse mito também foi derrubado. E o estudo que mencionei acima contém uma pista: vários dos adolescentes acompanhados começaram a perder peso, mesmo ingerindo o mesmo número de calorias de antes. Impossível? Não, mas com certeza vai contra tudo aquilo que nos dizem há anos.

Na verdade, descobertas científicas recentes mostram que pessoas que focam no achatamento da curva de glicemia podem ingerir *mais* calorias e perder *mais* gordura de maneira *mais fácil* do que as pessoas que ingerem menos calorias, mas não achatam a curva de glicemia.[2] Vou repetir: quem faz uma dieta de achatamento da glicose consegue perder mais peso, *ao mesmo tempo que ingere mais calorias*, do que quem ingere menos calorias, mas tem picos de glicemia.

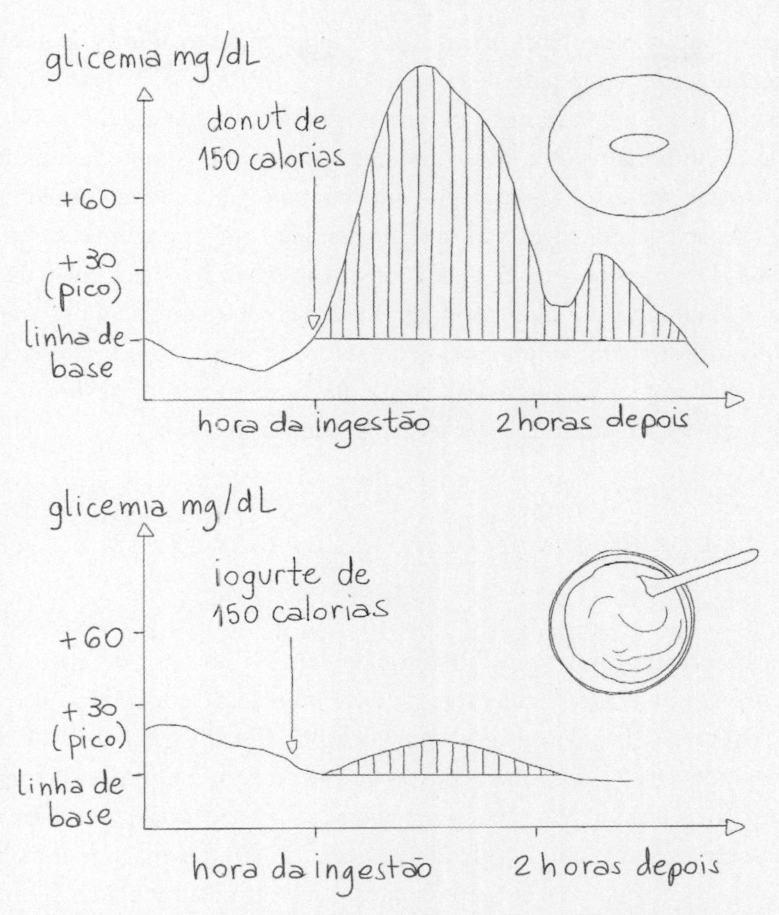

Mesmas calorias, efeitos diferentes. As calorias do donut (que contém frutose) convertem-se preferencialmente em gordura, inflamam o corpo e envelhecem as células. As calorias do iogurte (sem frutose) têm um efeito muito menor.

Por exemplo, um estudo de 2017 da Universidade de Michigan demonstrou que, quando pacientes com sobrepeso se concentraram no achatamento das curvas de glicemia (mesmo quando comiam *mais* calorias do que o outro grupo), perderam mais peso (oito quilos contra dois quilos) do que os pesquisados que ingeriam menos calorias, mas não cuidavam da glicemia.[3]

Isso tem relação com a insulina: quando reduzimos a glicemia, o nível de insulina também cai. Analisando sessenta pesquisas sobre perda de peso, uma revisão de estudos de 2021 provou que a redução de insulina é primordial e sempre antecede a perda de peso.[4]

Na verdade, tudo indica que podemos ignorar completamente as calorias e mesmo assim perder peso, desde que nos concentremos no achatamento das curvas de glicemia.[5] Tenha em mente que isso tem que ser feito com um pouco de bom senso (se você ingerir 10 mil calorias de manteiga em um dia, sua curva de glicemia ficará achatada, mas você vai engordar). O feedback entre os membros da comunidade Glucose Goddess a respeito disso tem sido praticamente unânime: desde que se cuide para não gerar pico de glicemia, pode-se comer até a saciedade, sem contar as calorias, e ainda assim perder peso.

Foi exatamente o que fez Marie, e isso mudou sua vida.

CONHEÇA MARIE: ELA NÃO CONSEGUE PARAR DE FAZER LANCHINHOS

Marie, 28 anos, mora em Pittsburgh e trabalha no setor de operações de uma empresa de tecnologia. Durante quase uma década, toda vez que saía de casa, carregava debaixo do braço uma bolsinha cheia de guloseimas. Era uma questão inegociável: se ela não comesse a cada noventa minutos, começava a se sentir fraca e esquisita e precisava se sentar. Sua agenda era organizada de acordo com essa questão — quando um evento ia durar mais de uma hora e meia e ela sabia que não daria para comer nesse ínterim, ela dava um jeito de não ir. Marie abriu uma exceção para o batizado da sobrinha, mas comeu uma barrinha de cereais antes de entrar na igreja e saiu correndo no final para consumir um saquinho de batatas chips dentro do carro.

Muitos de nós conhecemos alguém que não se sente bem quando fica sem comer em certos intervalos bem específicos (quando não somos *nós mesmos*). As pessoas que sofrem disso às vezes dizem "tenho hipoglicemia", como se tivessem nascido assim. Com grande frequência, essa hipoglicemia é causada pela insulina liberada depois da boquinha anterior. O mais correto seria dizer "minha glicemia despenca".

Em geral, quando a insulina conduz a glicose para os "guarda-volumes" depois de um pico, a curva é suave e em forma de sino, e a glicemia volta a cair em ritmo constante ao nível de jejum.

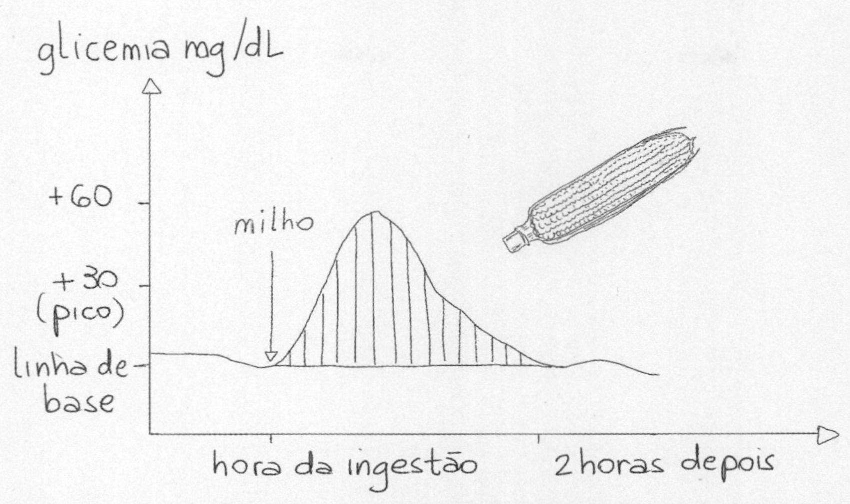

Este é um exemplo da insulina trazendo a glicemia de volta ao normal depois de comer. Após o pico, a glicemia cai de novo ao nível de base.

Às vezes, porém, o pâncreas libera insulina demais. Em consequência, glicose em excesso é armazenada. Em vez de a glicemia cair de volta ao nível de jejum, ela na verdade despenca e cai abaixo do normal por um tempo curto.

Isso se chama *hipoglicemia reativa*. Quando a nossa glicemia cai e antes que o corpo a faça subir de novo, liberando glicose extra, podemos sentir efeitos colaterais: fome, compulsão alimentar, tremores, mal-estar, formigamento nas mãos e nos pés. Era assim que Marie se sentia, várias vezes por dia.

A hipoglicemia reativa é uma condição comum, principalmente em pessoas com outros problemas relacionados à glicose, como a SOP.[6] Se você vai sofrer muito ou pouco com ela, varia enormemente. Nos diabéticos, as oscilações de hipoglicemia reativa tendem a ser mais acentuadas — e a glicemia pode cair a ponto de levar ao coma.[7] Em não diabéticos, uma pequena queda pode levar a uma fome intensa, mesmo que a refeição tenha ocorrido apenas duas horas antes. E quanto maior a queda, maior a fome antes da refeição seguinte.[8]

Um teste feito pelo médico de Marie confirmou que ela tinha, de fato, hipoglicemia reativa. Nesse teste, bebe-se um milk-shake com bastante glicose e mede-se a glicemia durante as três horas seguintes, para detectar a queda abaixo do nível de base.

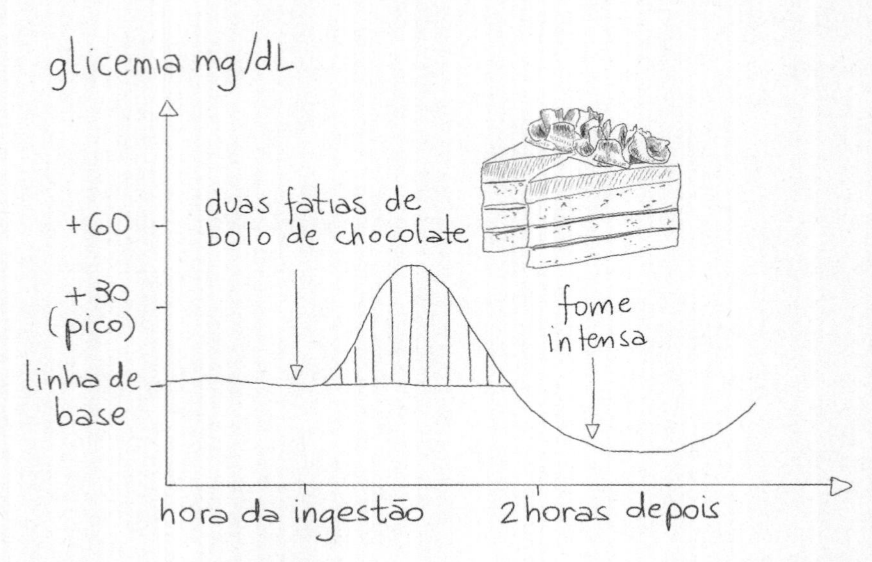

Este é um exemplo de hipoglicemia reativa, e da fome que ela produz. Depois do pico, a glicemia despenca bem abaixo do nível de base.

Esse diagnóstico veio se juntar a uma longa lista de condições de saúde diagnosticadas desde a adolescência de Marie: hipotireoidismo, artrite psoriática, dominância estrogênica, candidíase, exantema, intestino permeável, fadiga crônica, insônia, ansiedade noturna. Certa vez, ao ir buscar mais uma receita de remédio para a tireoide, o farmacêutico comentou que era uma das doses mais altas que ele já tinha manipulado – ainda mais em se tratando de uma jovem de 28 anos.

Mesmo assim, Marie fazia o possível para se sentir melhor. E, como ela sentia uma compulsão de fazer lanchinhos o dia inteiro, dava um jeito de fazer boquinhas "saudáveis". Na época, ela achava que "saudável" queria dizer, principalmente, comidas vegetarianas de baixa caloria. Marie cuidava bastante de sua ingestão calórica geral (nunca excedia a recomendação de 2 mil calorias diárias), e fazia um esforço para caminhar 10 mil passos toda manhã.

Seu dia rotineiro era mais ou menos assim: frutas e granola assim que acordava, às cinco da manhã (ela acordava assim tão cedo porque sentia fome). Iogurte de frutas desnatado às seis da manhã. Uma tigela de cereais de cem calorias às oito. Um biscoito às 9h30. Um wrap vegetariano às onze. Um sanduíche vegetariano no almoço, com água de coco e um pacote de pretzels de cem calorias, e uma hora e meia depois um pacotinho de biscoitos de cem calorias. Às quatro da tarde, todo dia, ela comia quase meio quilo de uva — isso dá umas 180 uvas. Bolachas salgadas uma hora antes do jantar, muito arroz com um pouco de feijão no jantar, e antes de dormir um pedaço de chocolate.

Ela estava ingerindo o número "certo" de calorias, mas ficava o tempo todo com fome. Sentia fadiga crônica e não conseguia reunir forças para fazer nada depois do meio-dia. Sentia-se tão cansada que bebia *dez xícaras de café por dia*.

Quando se recebe um diagnóstico de hipoglicemia reativa, costuma-se ouvir que é preciso lanchar de poucas em poucas horas para garantir que a glicemia não caia demais. Mas isso só agrava o problema: comem-se coisas doces ou com amido, que fazem a glicemia disparar, liberando insulina, e em seguida despencar de novo. Esse ciclo se repete. É uma montanha-russa glicêmica sem fim.

Um jeito mais eficaz de combater a hipoglicemia reativa (que, aliás, é uma condição inteiramente reversível) ataca aquele que é, de fato, o problema básico: excesso de insulina. A solução é — você já deve ter adivinhado — achatar a curva de glicemia do paciente. Com picos menores, o paciente libera menos insulina e sofre quedas de glicemia menores. O corpo aprende a não esperar

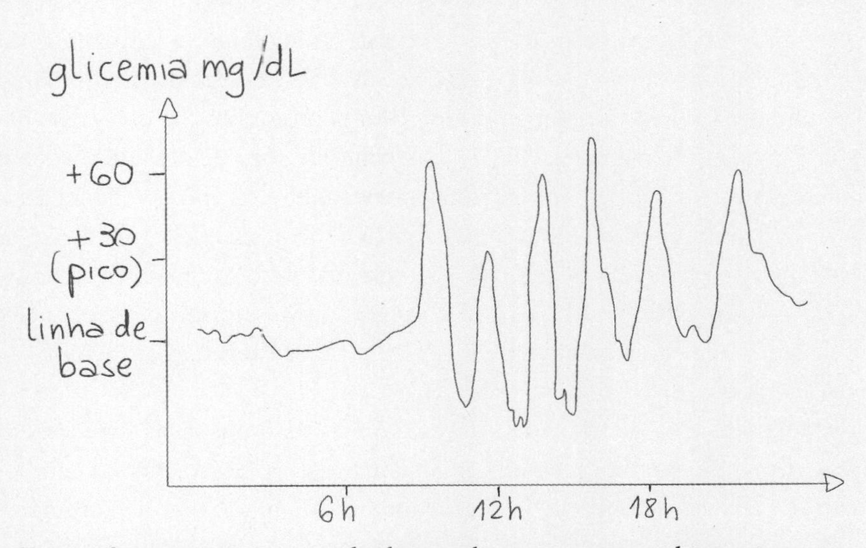

Este gráfico representa a curva de glicemia de uma pessoa com diagnóstico semelhante ao de Marie — vários picos e vales abaixo dos níveis normais, chamados de hipoglicemia reativa

pelas boquinhas de amido e açúcar em intervalos curtos. Com menos insulina presente, começa a queimar as reservas de gordura para obter combustível. É importante fazer gradualmente essa retirada dos lanches com amido e açúcar, porque pode levar alguns dias, ou até semanas, para o corpo se adaptar.

Era isso que Marie sentia desesperadamente necessidade de fazer para melhorar. Felizmente, ao enveredar por um poço sem fundo de pesquisas pelo significado de "glicemia", ela acabou topando com minha conta no Instagram.

Ela aprendeu que quando achatamos a curva de glicemia (e, desta forma, a curva de insulina) a hipoglicemia reativa desaparece, porque ela é um sintoma de uma dieta que provoca picos de glicemia. Por isso, Marie mudou certas coisas. Seu plano era comer o quanto achasse necessário, desde que a curva de glicemia ficasse achatada.

Ela passou a ingerir os carboidratos por último, adicionou salada às refeições, e acrescentou mais proteína, gordura e fibras à dieta. Passou de alimentos processados, compostos em sua maioria de açúcar e amido e desprovidos de fibras, para alimentos majoritariamente integrais, com muita fibra. Parou de contar calorias, mas com toda certeza passou a comer mais que as 2 mil calorias de antes.

Agora, no café da manhã, ela come aveia com linhaça moída, sementes de cânhamo, nozes, pó de proteína de ervilha e uma linguiça de acompanhamento. Na hora do almoço, dois ovos cozidos, palitos de cenoura, aipo, pasta de amendoim ou abacate, um smoothie proteico (com pó de colágeno, uma colher de sopa de sementes de chia, meia colher de sopa de óleo de coco e um punhado de verduras), e para terminar meia banana. Como lanche da tarde, iogurte grego, frutas vermelhas e meia barra de proteína. Por fim, no jantar, peixe ou frango, couve salteada com óleo de abacate e batata-doce assada.

Marie compartilhou a boa-nova comigo pelo telefone: "Consegui ficar *quatro horas* sem uma refeição! Consigo até fazer exercício em jejum. Isso trouxe minha vida de volta!".

Aquela sensação de fome de poucas em poucas horas virou rapidamente coisa do passado, assim como a hipoglicemia reativa. Outras coisas também mudaram: o nível de energia de Marie aumentou em uma ou duas semanas, a ponto de passar de dez xícaras diárias de café para apenas uma. As erupções cutâneas sumiram, os exantemas e a psoríase também. As dores de cabeça desapareceram, assim como a insônia, os ataques de pânico e a artrite

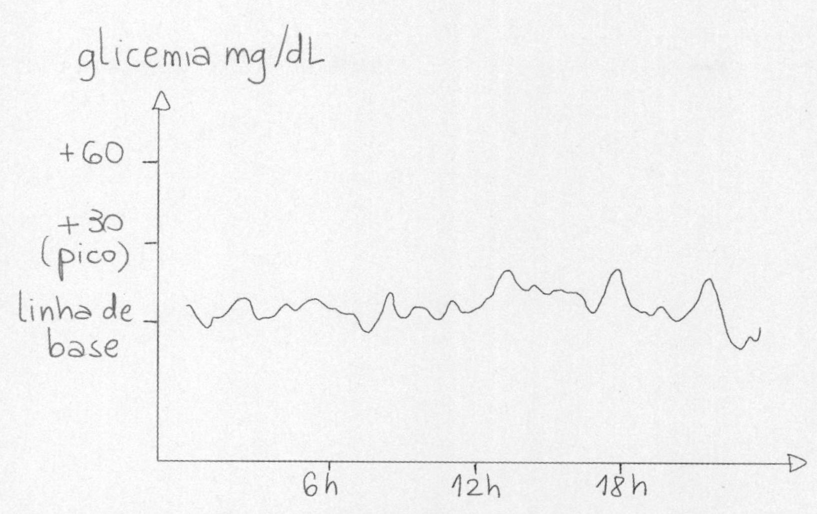

Eis a atual curva de glicemia diária de Marie: pequenas variações dentro de uma faixa saudável, sem hipoglicemia reativa. Ela ingere mais calorias que antes, e se sente muito melhor.

reumatoide. Seus níveis de estrogênio voltaram ao normal. Ela perdeu pouco mais de dois quilos.

O funcionamento da tireoide também melhorou. De dois em dois meses, o médico pedia exames e ajustava seus medicamentos para doses cada vez menores. O farmacêutico nem comenta mais sua receita.

E sabe o que é o melhor de tudo? Ela não leva mais guloseimas na bolsa. Não sente necessidade. Pode parecer algo irrelevante, mas para Marie isso muda tudo.

Portanto, lembre-se disso: saúde e perda de peso têm mais a ver com as moléculas que você ingere do que com o número de calorias.

O que isso significa para todos nós?

Significa que podemos, sem medo, adicionar calorias a uma refeição quando elas ajudam a cortar o pico de glicemia da refeição, ou seja, quando as moléculas são fibras, gorduras ou proteínas. Quando acrescentamos à refeição uma salada com molho, as calorias adicionadas são benéficas, pois nos ajudam a manter os níveis de glicose e insulina baixos, nos ajudando até a absorver menos calorias

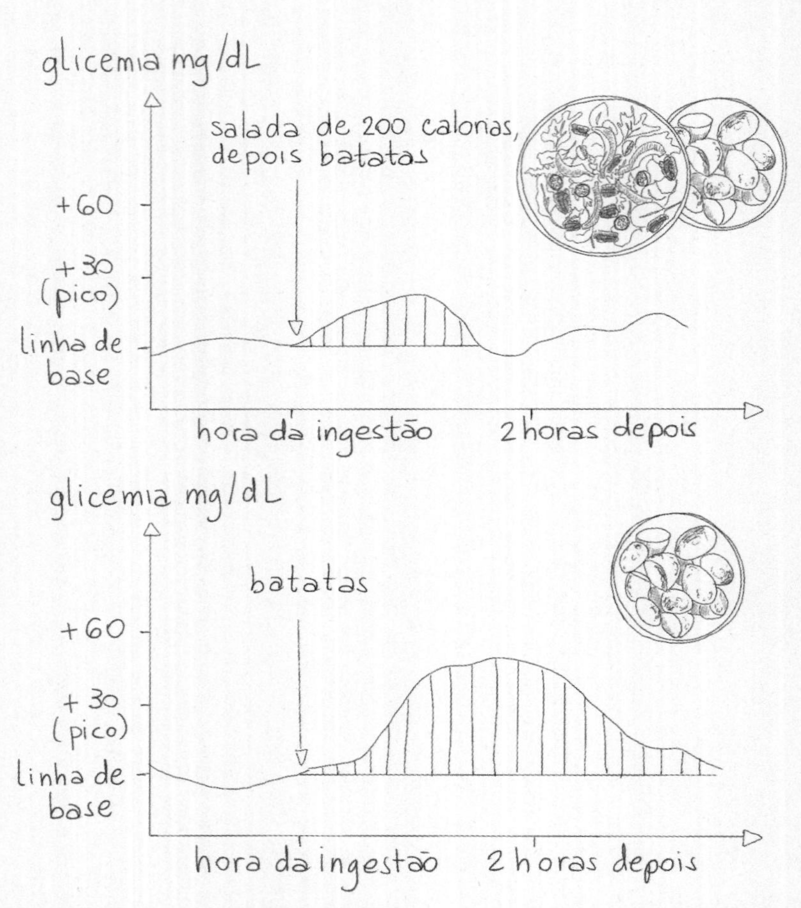

Quando adicionamos uma salada (fibras e gordura) de duzentas calorias a uma refeição, estamos adicionando calorias, mas isso ajuda a cortar os picos de insulina e de glicemia. São calorias boas a serem adicionadas.

daquilo que ingerimos depois da salada (devido à "malha" que as fibras criam). No balanço final, ficamos saciados por mais tempo, conseguimos queimar mais gordura e ganhar menos peso.

Inverta a lógica: quando adicionamos mais glicose ou frutose a uma refeição, isso *aumenta* os picos, o que leva a um ganho de peso maior, mais processos inflamatórios e menor saciedade.

O fato de que nem todas as calorias são iguais é uma coisa que a indústria de alimentos processados faz o possível para abafar. Ela se esconde atrás da

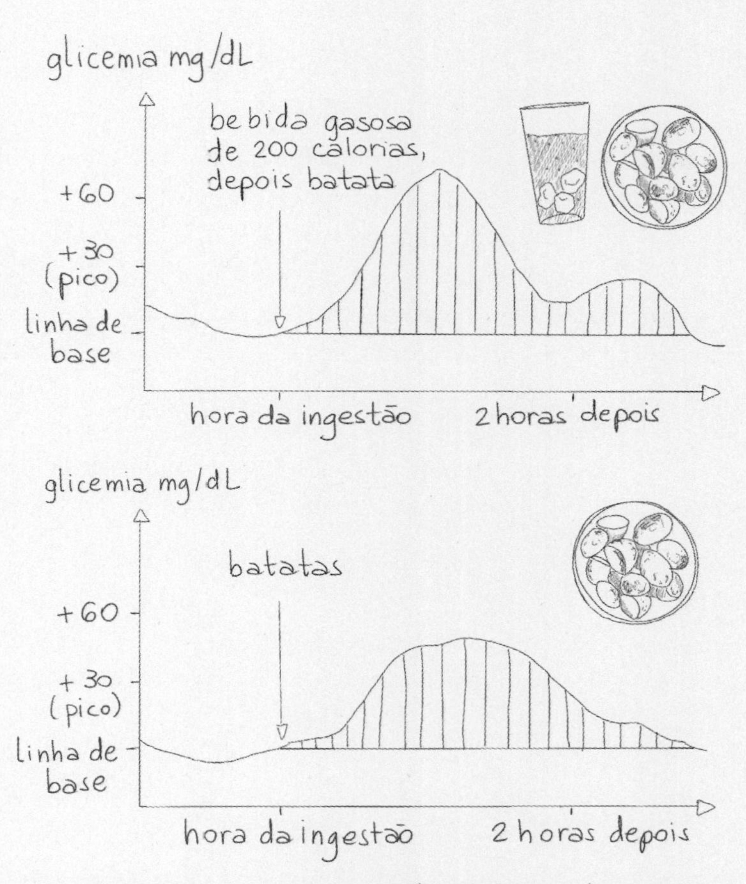

Quando adicionamos um refrigerante (glicose e frutose) de duzentas calorias a uma refeição, essas calorias amplificam os picos: na verdade, aumentam as concentrações dos "três grandes" — glicose, frutose e insulina. São calorias ruins a serem adicionadas.

contagem de calorias porque isso desvia nossa atenção de verificar o que de fato *tem dentro da embalagem* — como um monte de frutose, que, ao contrário da glicose, não tem como ser queimada como combustível pelos músculos, e é quase inteiramente convertida em gordura depois da digestão. Da próxima vez que for ao mercado, dê uma olhada na apresentação das embalagens, e vai constatar o que estou dizendo. Os fabricantes de alimentos afirmam o tempo todo que todas as calorias são iguais, porque a verdade é uma ameaça a seus interesses. É um truque barato.

Foi exatamente assim que a marca de cereais Special K se tornou um sucesso comercial nos Estados Unidos, vista pelos consumidores como o cereal para perder peso: sua caixa apregoava orgulhosamente: "Apenas 114 calorias!". Nem pensávamos duas vezes, sem perceber que, embora relativamente pobre em calorias, o Special K continha duas vezes mais açúcar que outros cereais, como os corn flakes. Não sabíamos que aquelas 114 calorias de açúcar e amido levam a um pico de glicemia e de insulina — e com certeza maior ganho de peso que 114 calorias de, digamos, ovos e uma torrada. Não sabíamos que aquelas 114 calorias do Special K no café da manhã nos lançavam numa montanha-russa glicêmica, levando a compulsões alimentares o dia inteiro. Hoje, porém, graças aos monitores contínuos de glicose e à curiosidade dos cientistas — em breve contarei mais a respeito —, temos comprovação de que cereais no café da manhã são, definitiva e inquestionavelmente, um jeito ruim de começar o dia.

Dica 4: Achate sua curva do café da manhã

O campus da Universidade Stanford, na Califórnia, é a sede de um grupo de cientistas especializados no estudo do monitoramento contínuo da glicemia. Em 2018, eles fizeram algo que todo grande cientista faz: desafiar ideias preconcebidas. Especificamente, propuseram-se a testar a crença tão aceita de que, quando não se é diabético, a glicemia não é uma preocupação. Em segundo lugar, e talvez de forma mais polêmica, decidiram testar uma prática que se tornou cultural nos Estados Unidos: a de que comer cereais no café da manhã era algo considerado saudável.

Vinte participantes, homens e mulheres, foram selecionados. Nenhum deles tinha diagnóstico de diabetes tipo 2: a glicemia de jejum (medida uma vez por ano por um médico) estava na faixa normal. Eles chegavam ao laboratório na manhã de um dia de semana para participar do experimento, que consistia em comer uma tigela de cereais de milho com leite, usando um monitor contínuo de glicose.[1]

Os resultados foram alarmantes. Nesse grupo de indivíduos saudáveis, a tigela de cereais levava a glicemia a uma zona de desequilíbrio que, acreditava-se, apenas os diabéticos podiam atingir. Dezesseis dos vinte participantes sofreram um pico de glicemia superior a 140 mg/dL (a "nota de corte" para o diabetes, que indica problemas de regulagem da glicose), e alguns passaram até de 200 mg/dL (a faixa do diabetes tipo 2). Isso não quer dizer que os participantes fossem diabéticos – não eram. Mas significa que pessoas saudáveis podem ter picos tão elevados quanto os diabéticos, sofrendo os efeitos colaterais nocivos desses picos. Foi uma descoberta revolucionária.

O fato de uma tigela de cereal causar picos faz sentido, empiricamente. Os cereais são feitos de milho ou de trigo refinado, superaquecidos e depois transformados em diferentes formatos. São amido puro, sem fibra restante. E como o amido por si só não é uma coisa das mais palatáveis, o açúcar comum (a sacarose, feita de glicose e frutose) é adicionado ao preparo. Vitaminas e minerais são adicionados à mistura, mas o benefício de ambos não compensa nenhum dos danos causados pelos demais ingredientes.

Ao todo, 2,7 bilhões de caixas de cereais são vendidas anualmente, apenas nos Estados Unidos.[2] A marca mais popular é a Honey Nut Cheerios, que contém três vezes mais açúcar que os cereais usados no estudo de Stanford.[3] Portanto, os resultados alarmantes observados pelos pesquisadores são, provavelmente, modestos se comparados aos picos de glicose que vêm ocorrendo na população em geral.

Quando 60 milhões de americanos comem cereais como o Honey Nut Cheerios no café *todos os dias*,[4] 60 milhões de americanos estão elevando seus níveis de glicose, frutose e insulina a níveis nocivos todas as manhãs. Sessenta milhões de americanos estão gerando enxames de radicais livres no próprio corpo, sobrecarregando seus pâncreas, inflamando suas células, aumentando o armazenamento de gordura e se posicionando para um dia cheio de compulsões alimentares pouco depois de acordar.

Falando francamente, não é culpa deles. Cereais são baratos, saborosos e fáceis de preparar quando ainda se está semiadormecido. Minha mãe fez isso todo dia, durante muito tempo.

Os cereais parecem inofensivos, mas não são. Isso também vale para a granola.

Por conta do nosso jeito de comer atualmente, picos logo de manhã cedo parecem ser a norma. Seja com cereais, torrada com geleia, croissants, granola, folhados, aveia adocicada, biscoitos, suco de frutas, smoothies de frutas, açaí ou pão de banana, o café da manhã típico dos países ocidentais é composto, na maioria, de amido e açúcar: uma tonelada de glicose e frutose.

Costuma-se acreditar que comer algo doce no café da manhã é bom porque *nos dá energia*. Era isso que eu achava, quando era pequena e passava Nutella no crepe toda manhã. Mas na verdade isso não está certo: embora comer coisas doces nos dê *prazer*, não é a melhor forma de nos proporcionar *energia*.

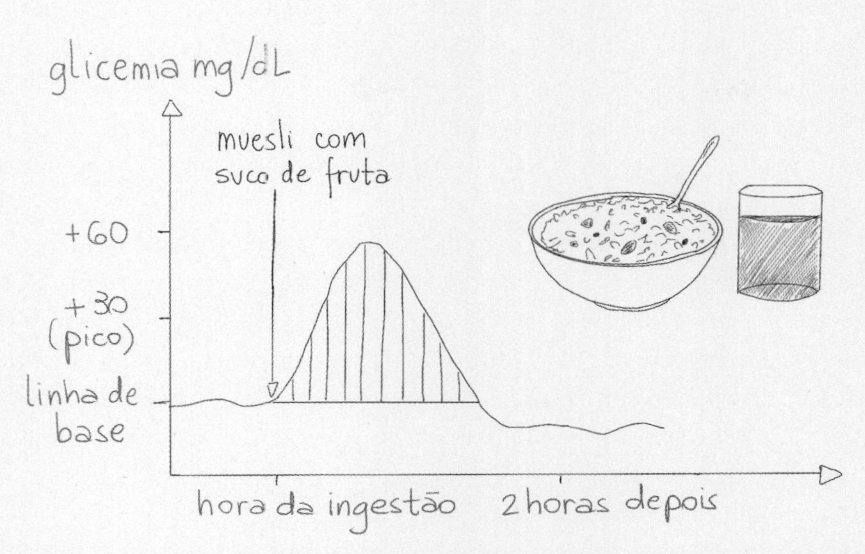

Nos Estados Unidos, o café da manhã típico é uma tigela de cereais com suco de frutas, o que gera um enorme pico.

Por quê? Bem, como você sabe, quando ingerimos glicose, desencadeamos a produção de insulina. A insulina quer nos proteger do ataque da glicose; para isso, retira-a de circulação. Por isso, em vez de ficarem em nosso sistema para uso como combustível, as moléculas recém-digeridas são armazenadas – como glicogênio ou gordura.

Experiências científicas confirmam isso: quando você compara duas dietas, aquelas com mais carboidratos levam a uma menor disponibilidade de energia circulando pós-digestão.[5] Mais carboidratos no café da manhã significam *menos* energia disponível.

E isso não é tudo que vou desmascarar aqui. Sabe o ditado "o café da manhã é a refeição mais importante do dia"? É verdade, mas não da maneira que você poderia imaginar.

COMO NOSSO CAFÉ DA MANHÃ NOS CONTROLA SECRETAMENTE

Quando batemos com o pé na quina da penteadeira enquanto dançamos pelo quarto, sentimos na hora. Dói. Já quebrei um dedo do pé assim. Colocamos gelo e ataduras, mesmo assim incha tanto que às vezes não dá nem para calçar o sapato. Isso nos deixa de mau humor.

Quando um colega ou parente pergunta o que aconteceu, explicamos de forma bem clara: machuquei o dedo do pé de manhã, e por isso estou mal-humorado. A conexão é clara.

Quando a questão é como a comida nos afeta, a conexão é mais indefinida. Não sentimos *na hora* o mal que um café da manhã glicêmico nos faz. Se na mesma hora que comêssemos uma tigela de cereais tivéssemos um ataque de pânico e em seguida caíssemos no sono na própria mesa do café, entenderíamos. Mas como os processos metabólicos levam horas para se desenrolar, acumulam-se com o tempo e misturam-se às outras coisas que acontecem durante o dia, ligar os pontinhos exige um pouco de trabalho de detetive — pelo menos até a hora em que sacamos a coisa.

O café da manhã que leva a um forte pico de glicemia nos dá fome de novo em pouco tempo.[6] Além disso, esse café da manhã vai desregular nossa glicemia pelo resto do dia, fazendo o almoço e o jantar também gerarem picos elevados.[7] É por isso que um café da manhã que causa picos é uma passagem só de ida para uma montanha-russa glicêmica. Um café da manhã que achata, em compensação, estabiliza tanto o almoço quanto o jantar.[8]

Como se não bastasse, assim que acordamos, quando ainda estamos em jejum, é a hora em que nosso corpo está mais sensível à glicemia. Nossa pia (ou estômago) está vazia, de modo que qualquer coisa que vai parar ali será digerida com extrema rapidez. É por isso que ingerir açúcares e amido no café da manhã muitas vezes nos leva ao maior pico do dia.

O café da manhã é a *pior* hora para ingerir apenas açúcar e amido; apesar disso, é a hora em que a maioria de nós ingere *apenas* essas duas coisas (é muito melhor ingerir açúcar como sobremesa *depois* de uma refeição; contarei mais a respeito na dica 6, "prefira a sobremesa às boquinhas").

FAÇA A EXPERIÊNCIA: Ponha no papel a lista de ingredientes típica do seu café da manhã. Quais deles são amidos? Quais são açúcares? No café da manhã você está ingerindo apenas amidos e açúcares?

GERALMENTE EU COMO...	AÇÚCARES	AMIDOS	PROTEÍNAS, GORDURA OU FIBRAS
Exemplo: suco de laranja	✓		
Exemplo: aveia		✓	
Exemplo: manteiga			✓

Ao conversar com pessoas que alteraram a dieta para manter a glicemia estável, aprendi que essa dica do café da manhã é chave. Escolha bem seu café da manhã e você se sentirá melhor ao longo do dia — mais energia, compulsões reduzidas, humor melhor, pele mais limpa etc. Em vez de se sentir como se estivesse em uma montanha-russa glicêmica, você estará na cabine de pilotagem. Olivia levou algum tempo para aprender isso, mas, depois que aprendeu, nunca mais as coisas voltaram atrás.

AÇÚCAR DO BEM, AÇÚCAR DO MAL E OLIVIA

Os sintomas de uma glicose desregulada podem nos impactar em qualquer idade. Olivia, dezoito anos, natural de um vilarejo perto de Buenos Aires, na Argentina, já sentia uma série desses sintomas: fissura por doces (como o doce de leite), muita acne na testa, ansiedade, esgotamento à noite, mas sem conseguir pegar no sono.

Dois anos antes, aos dezesseis, Olivia tinha se tornado vegetariana, para reduzir sua pegada de carbono. Infelizmente, como expliquei anteriormente, não é por ser vegetariano (ou vegano, ou sem glúten, ou orgânico) que um prato é bom para você. Todos nós, qualquer que seja nossa dieta, também precisamos pensar na glicemia.

Quando ela comentou seus sintomas com amigos, eles recomendaram que comesse algo mais saudável pela manhã, algo vitaminado. Sugeriram um smoothie de frutas para substituir a torrada com geleia e o chocolate quente de sempre. Explicaram a ela que há o "açúcar do mal", do chocolate, e o "açúcar do bem", das frutas.

Olivia prestou atenção. Logo depois, começou a tomar todas as manhãs um smoothie de frutas que ela batia em casa — banana, maçã, manga e kiwi.

Muita gente acredita que algumas fontes de açúcar (mais exatamente as frutas) são boas para nós, enquanto outras — os açúcares refinados nos doces, bolos e confeitos — são ruins.

De fato, é uma ideia introjetada em nós. Um século atrás, a Bolsa de Fruticultores da Califórnia (representante dos produtores de laranja americanos), mais tarde rebatizada como Sunkist, lançou uma campanha nacional apregoando o consumo de uma dose diária de suco de laranja por suas "vitaminas, ácidos e sais raros saudáveis".[9] Mas esqueceram de mencionar que o suco de frutas é muito nocivo, e que se pode obter vitaminas e antioxidantes em dezenas de outros alimentos que não nos fazem mal ao mesmo tempo.

Infelizmente para Olivia, seus amigos acreditavam na mesma coisa. Achavam que tudo que é feito de frutas é uma opção saudável.

Pensar assim é não compreender a natureza do açúcar, porque açúcar é açúcar; pouco importa se vem do milho ou da beterraba, se foi cristalizado em um pó branco, que é como o açúcar de mesa é feito, ou de laranjas e mantido sob forma líquida, que é como se faz o suco de laranja. Qualquer que seja a planta de onde venham, as moléculas de glicose e frutose têm o mesmo efeito sobre nós. E negar que o suco de frutas seja nocivo *por causa das vitaminas que contém* é um jogo perigoso de seletividade.

A verdade, porém, é que se é para ingerir açúcar, um pedaço da fruta *natural* é o melhor veículo. Em primeiro lugar, no pedaço de fruta integral, o açúcar se encontra em quantidades menores. E você teria dificuldade em comer três maçãs ou três bananas de uma vez só — que é a quantidade encontrada em um smoothie. Mesmo que você de fato coma três maçãs ou três bananas, vai levar algum tempinho para ingeri-las, muito mais do que o tempo que você leva para bebê-las no smoothie. Por isso, a glicose e a frutose seriam digeridas muito mais lentamente. Em segundo lugar, no pedaço de fruta integral, o açúcar

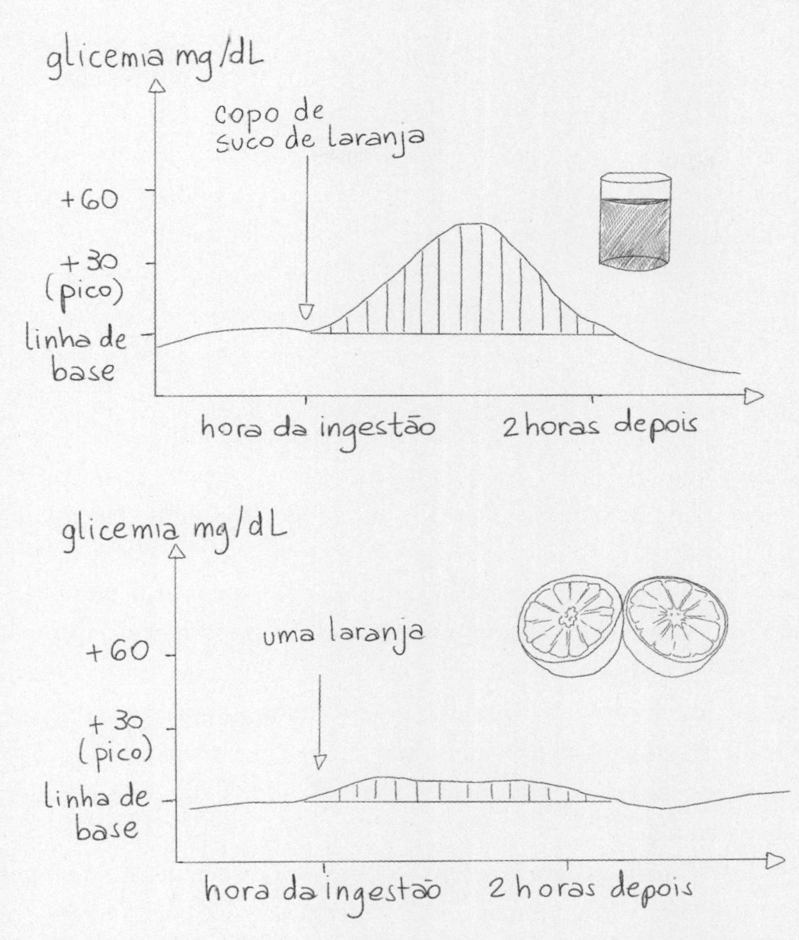

Sim, o suco de frutas tem vitaminas, mas isso não é um motivo para tomar suco, tanto quanto os antioxidantes do vinho não são um motivo para ingerir bebida alcoólica.

sempre vem acompanhado de fibras. Como expliquei antes, as fibras reduzem significativamente o pico causado por qualquer açúcar ingerido.

Ao bater um pedaço de fruta, pulverizamos as partículas de fibras em micropartículas que já não conseguem desempenhar seu papel protetor.[10] Caso você esteja em dúvida, isso não acontece quando mastigamos — temos mandíbulas poderosas, mas não tão poderosas quanto as lâminas metálicas de um liquidificador a quatrocentas rotações por segundo. Ao bater, espremer, secar e concentrar o açúcar e retirar as fibras das frutas, nosso corpo é atingido com força — o que leva a um pico.

Quanto mais a fruta perde sua natureza original, pior para nós. Maçãs são melhores para nós do que purê de maçã, que é melhor para nós do que suco de maçã. Basicamente, ao transformar a fruta em suco, doce, compota, geleia ou fruta seca, é melhor passar a pensar nas frutas como *sobremesa*, assim como você pensaria em uma fatia de bolo. Um copo de suco de laranja (seja ele espremido na hora, industrializado, com ou sem polpa) contém 24 gramas de açúcar[11] — o equivalente ao açúcar concentrado em três laranjas inteiras, sem fibra alguma.[12] É a mesma quantidade de açúcar de uma latinha de coca-cola.[13] Com um só copo de suco de laranja, você atingiu a quantidade de gramas de açúcar recomendados para um dia inteiro, segundo a Associação Americana do Coração (que recomenda não mais que 25 gramas diários para mulheres e 36 para homens).[14]

Não admira que, com seu novo café da manhã, as coisas não tenham melhorado para Olivia. Mas ela continuou tomando smoothies diariamente. O resultado? A acne piorou, a energia diminuiu, a ansiedade aumentou, e ficou ainda mais difícil dormir à noite. Por que ela tinha a impressão de estar piorando, quando vinha tentando mais do que nunca fazer a coisa certa?

Porque seu smoothie estava, na verdade, criando um pico ainda maior que seu café da manhã anterior.

Olivia descobriu a conta Glucose Goddess do Instagram. Ela reconheceu que estava sentindo os sintomas de picos de glicemia. E foi um grande alívio entender que aquilo que ela considerava uma decisão inteligente — o smoothie de frutas — não era. O que ela fez? Olivia optou pelo salgado.

OPTE PELO SALGADO

A melhor coisa que você pode fazer para achatar sua curva de glicemia é comer um café da manhã não doce. Na verdade, a maioria dos países tem uma opção não doce: no Japão, é comum haver salada no cardápio; na Turquia, você encontra carne, vegetais e queijo; na Escócia, peixe defumado; nos Estados Unidos, omelete.

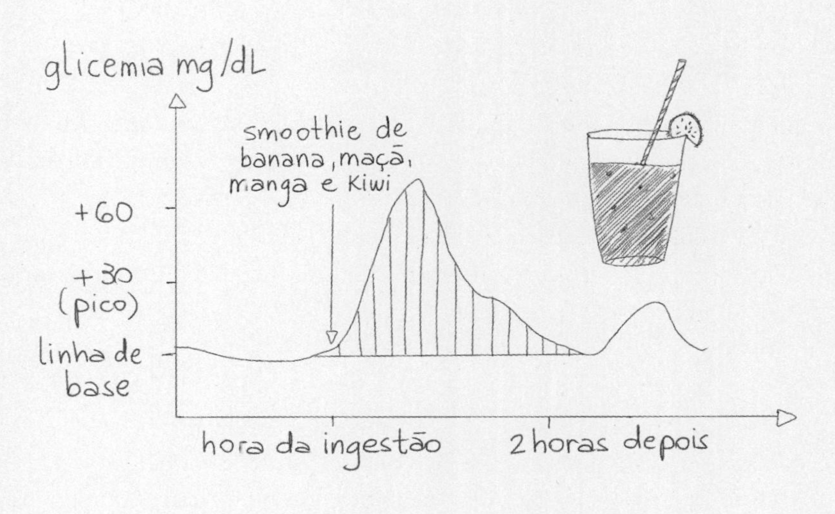

A maioria de nós acha que um smoothie de frutas é mais saudável que uma caneca de chocolate quente no café da manhã. Na verdade, quando batemos as frutas, elas não são melhores que o chocolate. Dá para fazer um smoothie adequado, caso outros ingredientes sejam incluídos. Mais sobre a receita ideal de smoothie daqui a algumas páginas.

Essa é uma dica tão poderosa que, se você optar pela opção salgada no café da manhã, poderá até comer coisas doces mais tarde, durante o dia, com poucos efeitos colaterais — e vou lhe mostrar como nas próximas dicas.

Monte seu prato de café da manhã não doce

Um café da manhã ideal para níveis de glicose estáveis contém uma boa quantidade de proteínas, fibras, gordura e, opcionalmente, amido e frutas (de preferência ingeridos por último).

Caso você compre o café da manhã em uma lanchonete, peça uma torrada com abacate, um egg-muffin, ou um misto quente, e não um croissant de chocolate ou uma torrada com geleia.

Certifique-se de que seu café da manhã contenha proteína

E não, isso não significa engolir dez ovos crus toda manhã. Dá para obter proteínas no iogurte grego, no tofu, na carne, em frios, peixe, queijo, cream cheese, pó de proteína, nozes, pasta de castanhas, sementes e, sim, ovos (mexidos, fritos, pochê ou cozidos moles).

Adicione gordura

Faça ovos mexidos na manteiga ou no azeite e adicione fatias de abacate, ou então coma um iogurte grego com cinco amêndoas, sementes de chia ou linhaça. A propósito, nunca coma iogurte desnatado — não vai saciá-lo, e mais adiante vou explicar por quê. Opte por iogurte comum ou iogurte grego.

Ponto extra para as fibras

Pode ser complicado ingerir fibras pela manhã, porque isso representa comer vegetais no café da manhã. Não se penitencie se não curtir muito. Mas, se puder, experimente. Adoro misturar espinafre nos meus ovos mexidos, ou colocar por baixo da fatia de abacate na torrada. Literalmente qualquer vegetal serve, do espinafre ao cogumelo, passando por tomate, abobrinha, alcachofra, chucrute, lentilha e alface.

Adicione amido ou frutas in natura, para dar sabor (opcional)

Também pode ser aveia, torradas, arroz, batata ou qualquer fruta integral (as frutas vermelhas são a melhor opção).

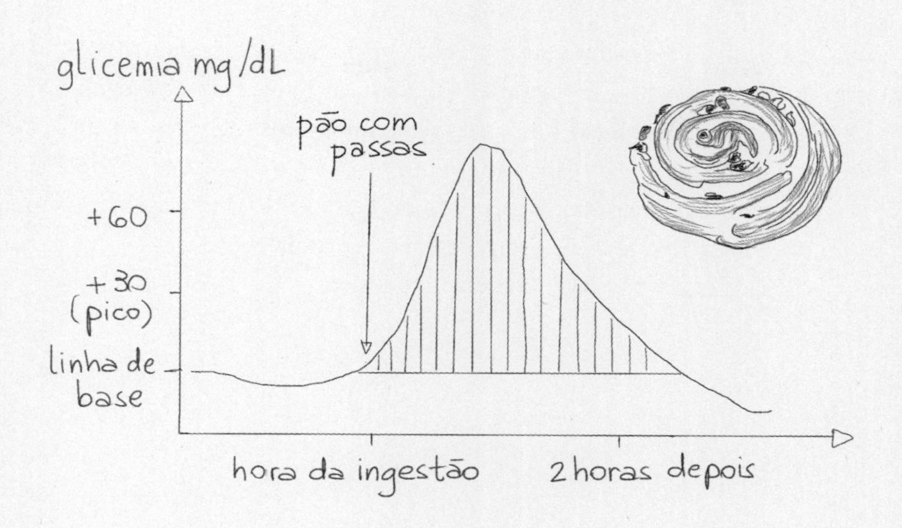

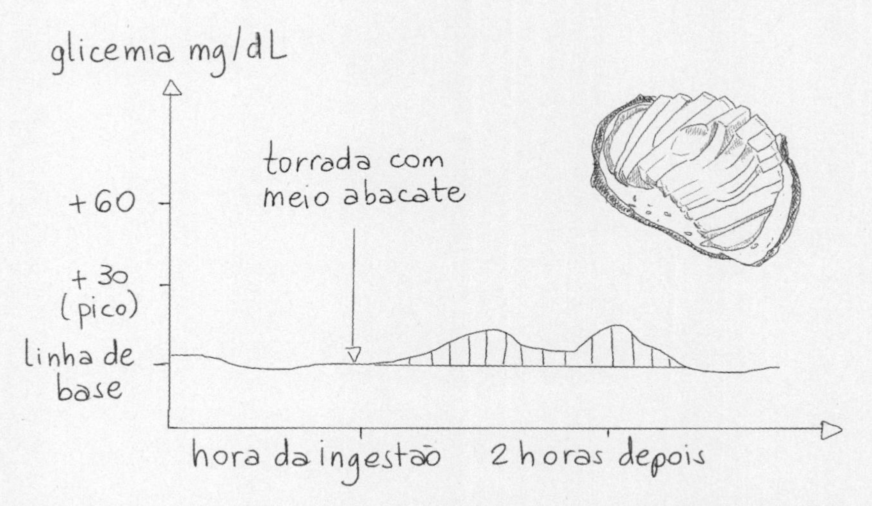

Para fazer um café da manhã saudável, simplesmente opte pela opção salgada. Dois cafés da manhã com o mesmo número de calorias têm efeitos fortemente diferentes sobre a glicemia (e, portanto, sobre o nível de insulina). No gráfico de cima, um café da manhã de amido e açúcar leva a ganho de peso, inflamações e à volta da fome pouco tempo depois. Um café da manhã de amido e gordura (gráfico de baixo) não tem nenhum desses efeitos colaterais.

Olivia resolveu experimentar por conta própria o café da manhã não doce. Assim que acordou, no dia seguinte, foi comprar ovos. Para conseguir ideias novas de coisas para colocar no prato, pensou em seus ingredientes favoritos do almoço e do jantar, e o resultado foi um prato bem saboroso: omelete com abacate, sementes de girassol, azeite e uma pitada de sal marinho. Em pouco tempo ela começou a sentir a diferença em seu corpo — sentiu-se mais leve, menos inchada, mais saudável e cheia de energia.

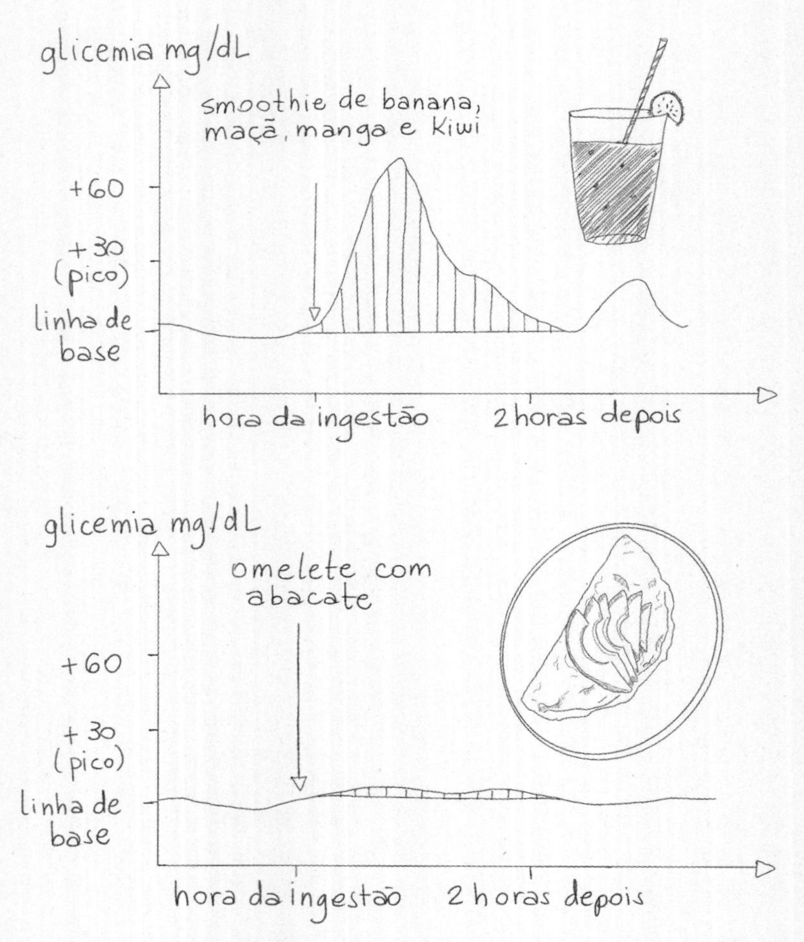

A tradição de que o café da manhã precisa ser doce é completamente equivocada. Monte seu café da manhã em torno de proteínas, gordura e fibras, para conseguir energia estável e saciedade.

Não foi só no corpo, mas no cérebro também. Olivia ficou mais afiada nos estudos (ela está no segundo ano da faculdade de design) e as notas melhoraram. Os cientistas tentaram medir de que forma diferentes cafés da manhã impactam nosso desempenho em testes cognitivos. E a resposta à pergunta "açúcar faz o cérebro render mais?" é... não. Um estudo que analisou 38 casos não chegou a nenhuma conclusão definitiva, mas estabeleceu que, se alguma coisa melhora o desempenho cognitivo, é um café da manhã com uma curva mais achatada.[15]

Além disso, a curva criada pela primeira refeição influencia o andamento do restante do dia. Sem pico, você entra no período da tarde saciado e com a energia estável, como Olivia aprendeu a fazer. Com um pico maior, inicia-se uma reação em cadeia de compulsões, fome e falta de energia, que vai até a noite. E essas reações em cadeia vão se acumulando dia após dia. Por isso, caso queira melhorar um único aspecto de seus hábitos alimentares cotidianos, coma um café da manhã "glicemicamente saudável", para obter o impacto máximo. Você sentirá os efeitos de imediato.

Essa é, de verdade, uma das mudanças mais práticas que podem ser feitas. Dá para planejar com grande antecedência. Sua força de vontade é maior pela manhã. E em geral não há amigos por perto para incentivá-lo a desistir. Juro, um café da manhã glicemicamente saudável é tão fácil de preparar quanto uma tigela de cereais.

O CAFÉ DA MANHÃ NÃO DOCE DE CINCO MINUTOS

(misture ou combine qualquer ingrediente abaixo)

Não é preciso cozinhar

Pão com cream cheese, coberto com algumas folhas de alface e fatias de peru
Atum em lata com nozes pecã e azeitonas e um fio de azeite
Maçã com amêndoas e fatias de cheddar
Iogurte integral com pedaços de frutas como pêssego, um fio de tahine e sal
Iogurte grego mexido com duas colheres de sopa de pasta de amêndoas e um punhado de frutas vermelhas

Meio abacate com três colheres de sopa de homus, suco de limão, azeite e sal
Granola caseira com ênfase em castanhas, ou cereais produzidos especificamente com fibras ou proteínas adicionadas (ver o Lembrete de Dicas no final do livro para saber como decifrar as embalagens)
Fatias de presunto em bolachas salgadas
Fatias de salmão defumado, abacate e tomate
Torradas com pasta de amêndoas
Torradas com purê de abacate
Tomate e mussarela com um fio de azeite
Meu favorito: sobras do jantar de ontem! (a opção mais rápida de todas!)

É preciso cozinhar

Omelete de feijão-preto e abacate picado
Café da manhã à moda inglesa (ovos, linguiça, bacon, feijão, tomate, cogumelos, torradas)
Ovo cozido com molho picante e abacate
Queijo halloumi passado na frigideira com tomate e salada
Ovos pochê acompanhados de verduras salteadas
Mingau de quinoa com um ovo frito por cima
Linguiça com tomate grelhado
Ovos mexidos com pedaços de queijo de cabra
Torradas com ovo frito por cima
Lentilhas aquecidas com ovo frito

UMA OPÇÃO AINDA DOCE DE CAFÉ DA MANHÃ

Caso você não esteja pronto a dizer adeus a um café da manhã doce (ou caso esteja na casa de uma tia particularmente insistente, que gosta de fazer panquecas do zero pela manhã), eis o que fazer: coma a parte doce *depois* de alguma coisa salgada.

Primeiro, coma proteínas, gorduras e fibras — um ovo, uma ou duas colheres de iogurte integral ou uma combinação dos alimentos da parte "O café da manhã não doce de cinco minutos", acima. *Depois* coma os alimentos doces, cereais, chocolate, torradas, granola, mel, geleia, xarope de agave, folhados, panquecas, açúcar, variedade de cafés adoçados. Por exemplo, quando eu realmente quero chocolate na hora de acordar (problema nenhum, acontece), eu como *depois* de um prato de ovos e espinafre.

Lembre-se da analogia da pia na dica número 1, "Coma na ordem certa". Com um estômago forrado por outras coisas, o impacto desse chocolate, ou de açúcar e amido, será reduzido.

DICAS BÁSICAS PARA UM CAFÉ DA MANHÃ DOCE

Não consegue ficar sem algo doce pela manhã? Eis algumas formas de não deixar de comer, porém reduzindo o pico que isso provocaria.

Aveia

Caso você ame aveia (que é amido), coma junto com pasta de amêndoas, pó de proteína, iogurte, sementes e frutas vermelhas. Evite comer açúcar mascavo, xarope de agave, mel, frutas tropicais ou frutas secas. Também dá para experimentar, em vez deles, um pudim de chia: deixe sementes de chia de molho em leite de coco sem açúcar, de um dia para o outro, com uma colher de manteiga de coco.

Tigela de açaí

A tigela de açaí — um prato tradicional brasileiro que hoje se come no mundo inteiro — é, basicamente, um smoothie espesso do açaí coberto com granola, frutas e outros ingredientes. Parece saudável por ser à base de fruta, mas agora você já sabe que isso não significa necessariamente que é saudável. Um exame mais detalhado mostra que é uma refeição composta inteiramente de açúcar e amido. Por isso, aplique as mesmas instruções da aveia, logo acima.

Caso tenha pensado em agave e mel, e como se comparam a adoçantes de baixa caloria, trataremos do assunto na dica 5, "Coma o açúcar que preferir – são todos iguais".

Smoothies

Você *pode* desfrutar de um smoothie no café da manhã: é só incluir nele proteínas, gordura e fibras. Comece a bater seu smoothie com pó de proteína, e em seguida junte uma combinação de óleo de linhaça, óleo de coco, abacate, sementes, nozes e uma xícara de espinafre. Por fim, adicione um pouco de açúcar para dar sabor: de preferência, frutas vermelhas, que adoçam, mas são significativamente mais ricas em fibras que outras frutas. Minha receita favorita de smoothie são duas colheres de sopa de pó de proteína, uma colher de sopa de óleo de linhaça, um quarto de abacate, uma colher de sopa de pasta crocante de amêndoas, um quarto de banana, uma xícara de polpa de frutas vermelhas congeladas e um pouco de leite de amêndoas sem açúcar.

Uma regrinha de ouro para um smoothie: não coloque no liquidificador mais frutas do que você comeria de uma vez só.

Cereais e granola

Alguns cereais são melhores para sua glicemia que outros. Procure aqueles que apregoam o próprio conteúdo rico em fibras e pobre em açúcar (no Lembrete de Dicas incluído no final deste livro, explicarei como decifrar os rótulos nutricionais das embalagens para selecionar o melhor cereal possível). Então, coma esse cereal, trocando o leite por iogurte grego integral, o que adiciona gordura à combinação. Cubra com nozes, sementes de cânhamo e/ou chia para adicionar proteínas. Caso queira adoçar, faça-o com frutas vermelhas em vez de açúcar.

Pode parecer que a granola é mais saudável, mas em geral ela é tão cheia de açúcar quanto os cereais. Se fizer muita questão, dê preferência a uma granola com pouco açúcar e bastantes sementes e castanhas – ou, melhor ainda, faça a sua própria.

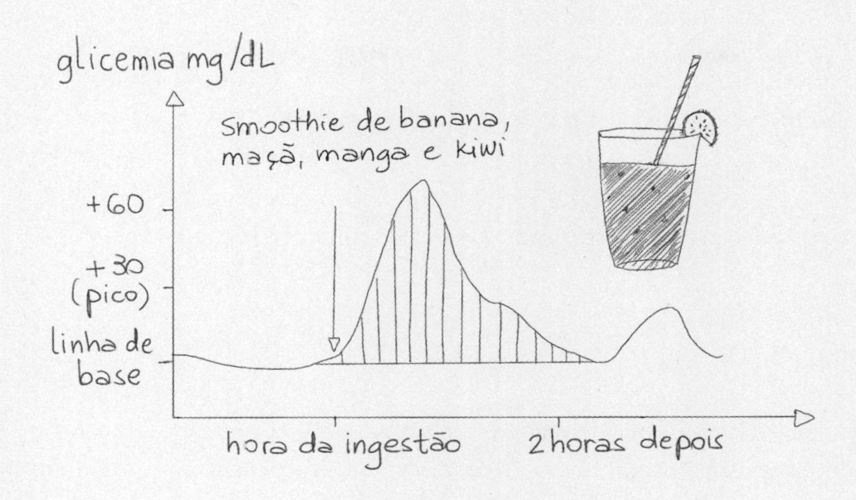

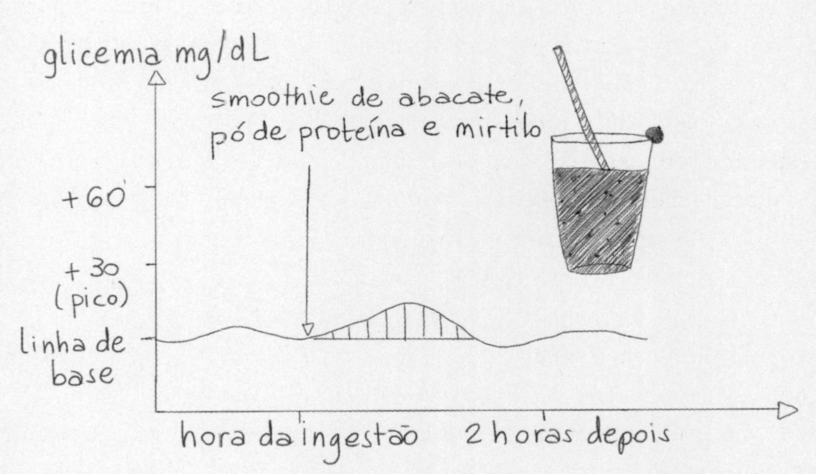

Quanto mais proteína, gordura e fibras e menos frutas seu smoothie contiver, melhor será para sua glicemia.

Para os viciados em cereais: pode-se continuar a comê-los de manhã, desde que não seja a parte principal do café da manhã. Uma sugestão é comer por último, depois de algo proteico.

Frutas

As melhores opções para manter uma glicemia estável são as frutas vermelhas, as cítricas e as maçãs gala, porque são as que contêm mais fibras e menos açúcar. As piores opções – por serem as que mais contêm açúcar – são manga, abacaxi e outras frutas tropicais. O ideal é comer outra coisa antes delas.

Café

Cuidado com os cafés adoçados – e saiba que o cappuccino é melhor para a glicemia que o moca, que contém chocolate e açúcar. Caso queira um café adoçado, tente, em vez de açúcar, misturar o café com leite integral ou creme (não é preciso ter medo da gordura) e salpicar pó de cacau. Leite de amêndoas ou de outras castanhas, sem lactose, são outra opção, mas o leite de aveia é o que mais tende a causar picos, porque contém mais carboidratos que outros tipos de leite, por ser feito de grãos e não de castanhas. Caso queira colocar açúcar no café, não deixe de comer antes algo que estabilize sua glicose – ainda que seja apenas um pedacinho de queijo. E, se estiver na dúvida se alguns adoçantes são melhores que outros, continue a ler.

E se eu pular o café da manhã?

Não tem problema. A mesma ideia continua valendo – qualquer que seja sua primeira refeição do dia, priorize o salgado para que ela seja eficaz.

Devo tentar ingerir os ingredientes do meu café da manhã na ordem certa, como especificado na dica 1?

O ideal é que sim, mas, se não der, não precisa se estressar. As dicas deste livro são para serem usadas quando for prático. Se for uma tigela de iogurte integral com granola enriquecida com sementes e castanhas por cima, e você quiser comer todos esses ingredientes juntos, vá em frente. Só de optar por isso, em vez de cereais, você já fará uma boa escolha.

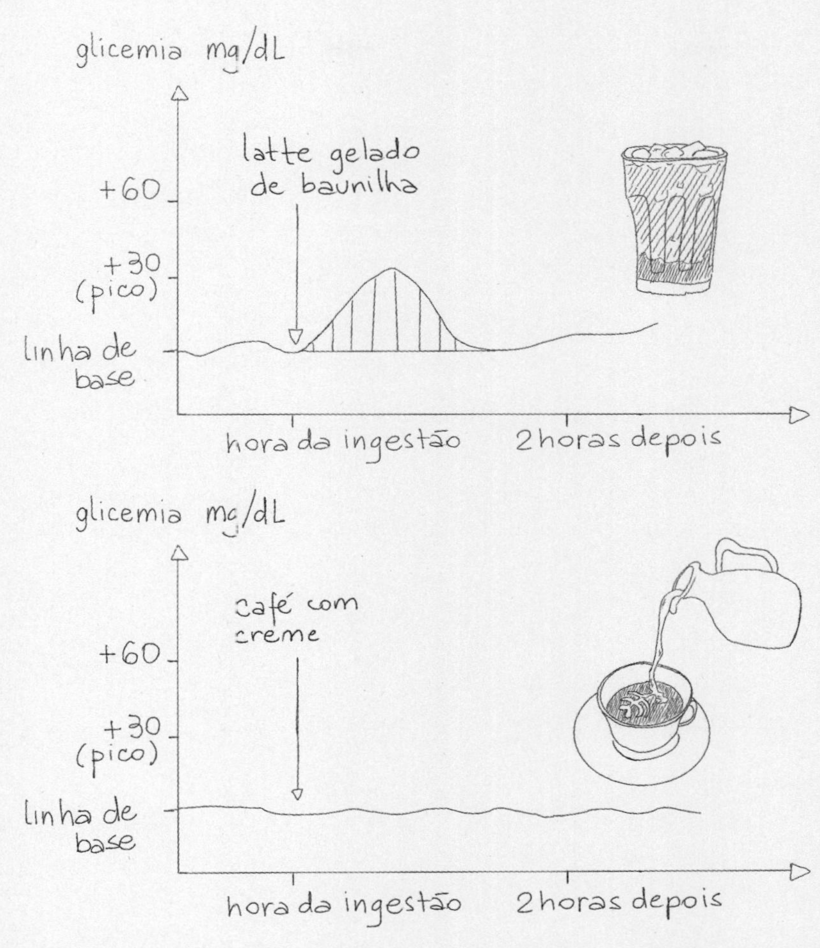

Bebidas à base de café, adoçadas, podem levar a um pico elevado. Dê preferência a cappuccinos, macchiatos, americanos e lattes sem açúcar, em detrimento de cafés com sabores, xaropes e açúcar.

Ovo não faz mal ao coração?

Os cientistas acreditavam que ingerir alimentos com colesterol (como ovos) aumentava seu risco de doenças cardíacas. Hoje em dia, sabemos que isso não é verdade — como aprendemos na Parte II, na verdade o vilão é o açúcar. As pesquisas mostram que, quando os diabéticos substituem a aveia por ovos no café da manhã (e mantêm constantes as calorias), reduzem os processos inflamatórios e o risco de doenças cardíacas.[16]

FAÇA A EXPERIÊNCIA: Trate seu café da manhã como se fosse o almoço, e coma algo não doce. O que acontece? Como você se sente?

RECAPITULANDO

Comer cereais pela manhã se tornou um hábito para muitos de nós, mas, como você leu nestas páginas, um café da manhã doce é o bilhete para uma montanha-russa glicêmica. Um café da manhã mais salgado vai ajudá-lo a reduzir a fome, cortar as compulsões alimentares, ter mais energia e melhorar a clareza mental, entre outras coisas, pelas doze horas seguintes. Cereais no café da manhã são apenas um dos hábitos que estou aqui para desmistificar. O próximo tem a ver com adicionar açúcar, mel e adoçantes àquilo que comemos — e com o fato de que a ideia preconcebida a respeito daquilo que é "mais saudável" é equivocada.

Dica 5: Coma o açúcar que preferir — são todos iguais

Sabe aquela frase famosa de *Romeu e Julieta*? "Aquilo a que chamamos rosa, mesmo com outro nome, cheiraria igualmente bem"? Bem, dá para dizer o mesmo do açúcar: sob qualquer outro nome, ele continua a ter o mesmo impacto sobre nosso corpo.

O mel é mais saudável que o açúcar?

Como você aprendeu na dica 3, "Pare de contar calorias", quando se trata de compreender aquilo que a comida faz ao nosso corpo, o que importa são as moléculas, e não as calorias. Existe mais uma coisa que não importa: o *nome* do alimento.

Pode surpreender a maioria das pessoas, mas, do ponto de vista molecular, não existe diferença entre o açúcar de mesa e o mel. E não existe diferença entre o açúcar de mesa e o xarope de agave. Na verdade, não existe diferença entre o açúcar de mesa e nenhuma das seguintes substâncias: xarope de agave, açúcar castanho, açúcar cristal, açúcar de coco, açúcar de confeiteiro, açúcar demerara, açúcar mascavo, suco de cana evaporado, mel, xarope de palma, melaço, açúcar de palma e açúcar turbinado (cru). São, todos, feitos de moléculas de glicose e frutose. Apenas são empacotados de modos diferentes, batizados com nomes diferentes, e custam valores diferentes.

O mel nasce como néctar, a partir de plantas, mas contém glicose e frutose, igualzinho ao açúcar de mesa. O açúcar mascavo (soa saudável, não?) é feito exatamente do mesmo produto que o açúcar cristal, exceto pelo fato de ser tingido (isso mesmo *tingido*) pelo melaço, um subproduto do processo de fabricação do açúcar, o que lhe dá um ar mais integral.

Ele pode ficar ainda mais escuro quando contém mais melaço. O açúcar cristal e o açúcar de confeiteiro são açúcares de mesa, apenas mais moídos. Os açúcares demerara, turbinado (cru) e de cana têm a coloração dourada por conta de menos alvejamento no processo do refino. O açúcar de coco vem do coco, em vez da cana ou da beterraba. O açúcar de palma (ou de palmeira) vem da palma. A lista não para por aí. E grassa a desinformação: nas Filipinas, por exemplo, um grande produtor de açúcar de coco divulgou dados segundo os quais o açúcar de coco seria mais saudável que o açúcar comum,[1] e depois se provou que não era verdade.[2]

Você já entendeu: qualquer tipo de açúcar, independentemente da cor, do sabor ou da planta de origem, continua a ser glicose e frutose, e continua a provocar picos de glicemia no corpo.

O açúcar natural é melhor?

Muitos de nós já ouviram que o mel e o agave contêm açúcares "naturais", e que as frutas secas, como a manga, contêm açúcares "naturais" provenientes de frutas.

Bem, é *natural* achar que essas opções são melhores que o açúcar branco. Mas eis uma observação para ser digerida: todo açúcar é natural, porque sempre vem de uma planta. Alguns tipos de açúcar de mesa vêm de um vegetal (a beterraba). Mas isso não o torna diferente. Não existe açúcar "bom" ou "ruim"; todo açúcar é igual, qualquer que seja a planta de onde provenha.

O que importa são as moléculas: quando atingem seu intestino delgado, não passam de glicose e frutose. Seu corpo não processa o açúcar de um modo diferente só porque ele veio de uma beterraba, do agave ou da manga. Assim que ele é desnaturado e processado, e suas fibras são extraídas, torna-se açúcar igual a qualquer outro.

É verdade que, nas frutas secas, ainda há alguma presença de fibras. Mas como toda a água foi tirada da fruta, acabamos comendo muito mais porções da fruta seca do que comeríamos da integral. Assim, consumimos bem mais açúcar e muito mais rápido do que a natureza pretendia — e o resultado são enormes picos de glicose e frutose.

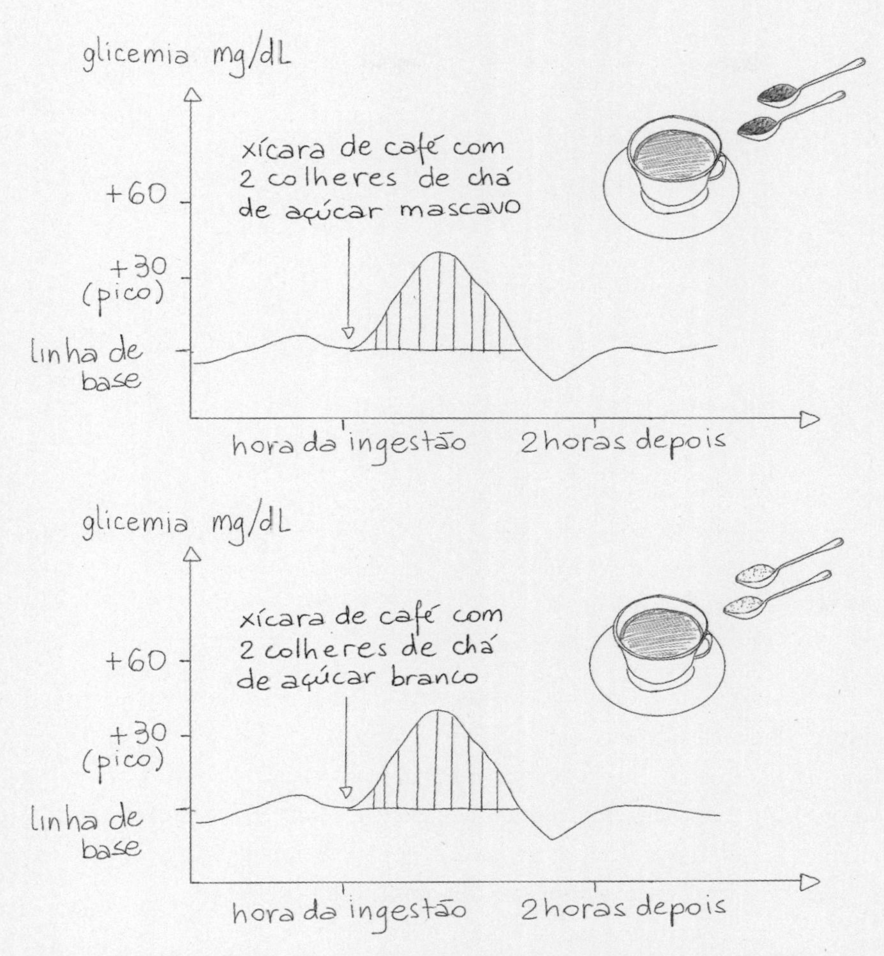

Muitos de nós acreditamos que o açúcar mascavo é melhor que o açúcar branco. Na verdade, não há diferença.

CONHEÇA AMANDA

Amanda está perto dos trinta anos, descreve-se como "tarada por saúde", presta atenção no que come e adora malhar regularmente — tanto que continuou até quase o fim de sua primeira gravidez. Por isso, o diagnóstico de diabetes gestacional veio como um verdadeiro choque. Ela ficou apavorada, tanto por si quanto pelo bebê — e se sentiu julgada pelos amigos e pela família.

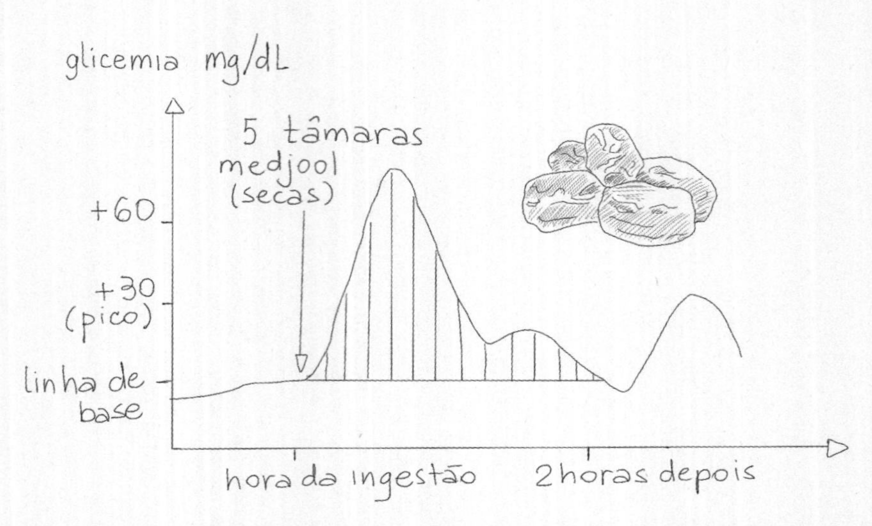

Açúcar é açúcar. Frutas secas, como o damasco, têm altas doses de açúcar concentrado, e geram enormes e nocivos picos de glicemia. Dê preferência às frutas integrais, e não às secas.

Ela mesma mal podia crer no diagnóstico. *O quê, você? A gente achava que você era saudável! Como isso é possível?*

À medida que os meses avançavam, rumo ao parto, sua glicemia não parava de subir, e a resistência à insulina foi se agravando. Ela se sentia fora de controle. E acreditava sinceramente que comia de forma saudável, incluindo um monte de frutas secas para saciar a compulsão por doces.

Ela me escreveu que as informações encontradas na conta Glucose Goddess no Instagram a ajudaram a recuperar um pouco do controle. Ela se deu conta de que o diagnóstico não era culpa dela. Os posts e as informações que ela leu a ajudaram a compreender que o diabetes gestacional atinge muitas mulheres saudáveis. Ela ficou sabendo de coisas que podia fazer para achatar a curva de glicemia e evitar medicação.

Por isso, ela parou de comer as frutas secas que costumava ingerir todos os dias. Adotou um café da manhã salgado, trocando a aveia por ovos. Essas pequenas alterações a ajudaram tanto a administrar o diabetes gestacional que ela conseguiu manter um peso saudável durante toda a gravidez e não teve que tomar remédios. Fiquei feliz quando ela contou que seu menino tinha nascido e que ambos estavam sadios e felizes.

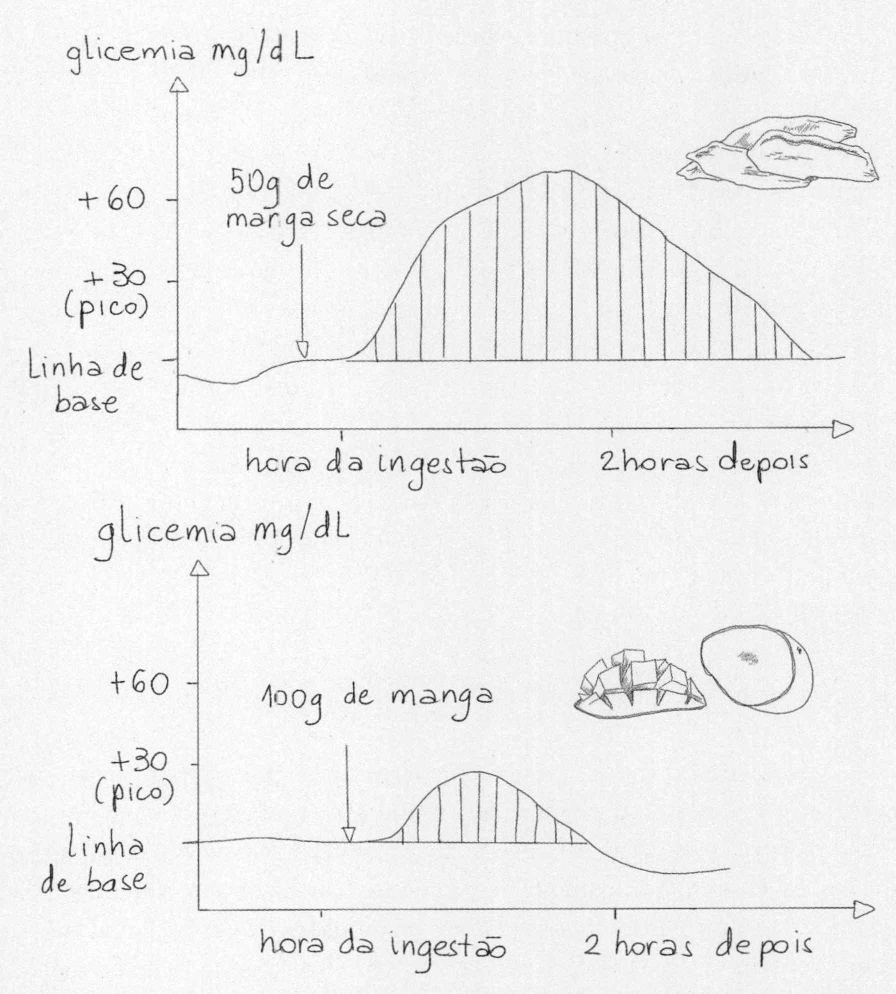

Frutas secas podem parecer saudáveis, mas não são. Elas contêm um pouco de fibras, mas têm majoritariamente as mesmas moléculas do açúcar de mesa: a glicose e a frutose concentradas nelas atingem o corpo com a mesma força.

E o tal "índice glicêmico mais baixo" do xarope de agave?

Durante a gravidez, Amanda também ouviu falar que o xarope de agave era melhor para ela que o açúcar, por ter um baixo índice glicêmico. Do que se trata? Vamos nos aprofundar.

Embora o açúcar seja sempre açúcar, qualquer que seja a origem, a *verdade* é que a proporção de moléculas de glicose e frutose difere de um açúcar para outro. Alguns contêm mais frutose, enquanto outros contêm mais glicose.

Por exemplo, o xarope de agave costuma ser recomendado para diabéticos e mulheres com diagnóstico de diabetes gestacional por conter um "índice glicêmico mais baixo" do que o açúcar comum. É verdade — ele de fato causa menos picos de glicemia. Mas o motivo disso é que ele contém mais frutose e menos glicose que o açúcar de mesa (o agave tem cerca de 80% de frutose, se comparado ao açúcar de mesa, que tem 50%). Embora isso signifique que ele causa um pico de glicemia menor, o pico da frutose é maior.

Portanto, preste atenção: lembre-se que na Parte I dissemos que a frutose é pior que a glicose. Sobrecarrega o fígado, transforma-se em gordura, provoca resistência à insulina, faz ganhar mais peso e não nos sacia tanto.[3] Em consequência, como o agave tem mais frutose que o açúcar de mesa, é na verdade *pior* para a saúde.

Não acredite na modinha.

Mas e quanto aos antioxidantes do mel?

Isso é (essencialmente) o mesmo que perguntar sobre as vitaminas no suco de frutas, e a resposta é a mesma: não existe lógica em ingerir mel *pelos antioxidantes*, assim como não existe lógica em tomar suco de frutas *pelas vitaminas*. Sim, o mel contém antioxidantes e o suco de frutas contém vitaminas, mas isso não sobrepuja o impacto das grandes quantidades de glicose e frutose que ambos contêm. E, fato curioso, nem há tantos antioxidantes assim no mel; dá para encontrar em *meio mirtilo* todos os antioxidantes de uma colher de sopa de mel.[4] É isso mesmo — meio mirtilo!

A BOA NOTÍCIA: ESCOLHA O AÇÚCAR QUE BEM ENTENDER

Não precisamos de açúcar para viver (lembre-se de que o corpo não precisa de frutose, apenas de glicose, e consegue produzi-la mesmo sem a ingerirmos), e não precisamos ingerir açúcar para obter energia (o açúcar na verdade *reduz* o nível de energia).

Como todo açúcar, qualquer que seja a fonte, é ingerido pelo prazer, escolha aquele de sua preferência — e aprecie com moderação. Caso prefira o sabor do mel ao do açúcar de mesa, vá em frente. Caso prefira usar açúcar mascavo na cozinha, tudo bem também.

E OPTE POR FRUTAS NO LUGAR DE DOCES O QUANTO PUDER

Quando dá vontade de algo doce, o melhor que podemos fazer é comer frutas in natura. Lembre-se, é assim que a natureza planejou nosso consumo de glicose e frutose — em pequenas quantidades, não muito concentradas, combinadas com fibras.

Em vez de açúcar de mesa, coloque pedaços de maçã na aveia; frutas vermelhas no iogurte, em vez de mel.

Outros complementos bem bolados, tanto para a aveia quanto para o iogurte, são canela, pó de cacau, lascas de cacau, coco ralado sem açúcar ou pasta de amêndoas sem açúcar (sei que pode parecer estranho, mas a pasta de amêndoas, por si só, já tem um sabor adocicado e, numa combinação, vale como sobremesa).

ADOÇANTES ARTIFICIAIS

Falamos dos açúcares "naturais". E quanto aos adoçantes artificiais?

Alguns adoçantes artificiais levam a picos de nosso nível de insulina, ou seja, aumentam a tendência do corpo a armazenar gordura, incentivando o ganho de peso. Pesquisas mostram, por exemplo, que quando se troca o refrigerante diet por água perde-se mais peso (um quilo a mais em seis meses, segundo um estudo), sem alterar o número de calorias ingeridas.[5]

Além disso, estudos preliminares apontam que o sabor do adoçante pode aumentar nossa compulsão por alimentos doces, assim como o açúcar.[6] Ainda segundo essa hipótese, aumentaria a probabilidade de saciarmos essa vontade, porque o adoçante tem poucas calorias, levando-nos a achar que não há problema em comer um biscoitinho a mais.[7] Os adoçantes artificiais também podem levar a alterações na composição das bactérias do intestino, com potenciais consequências negativas.[8]

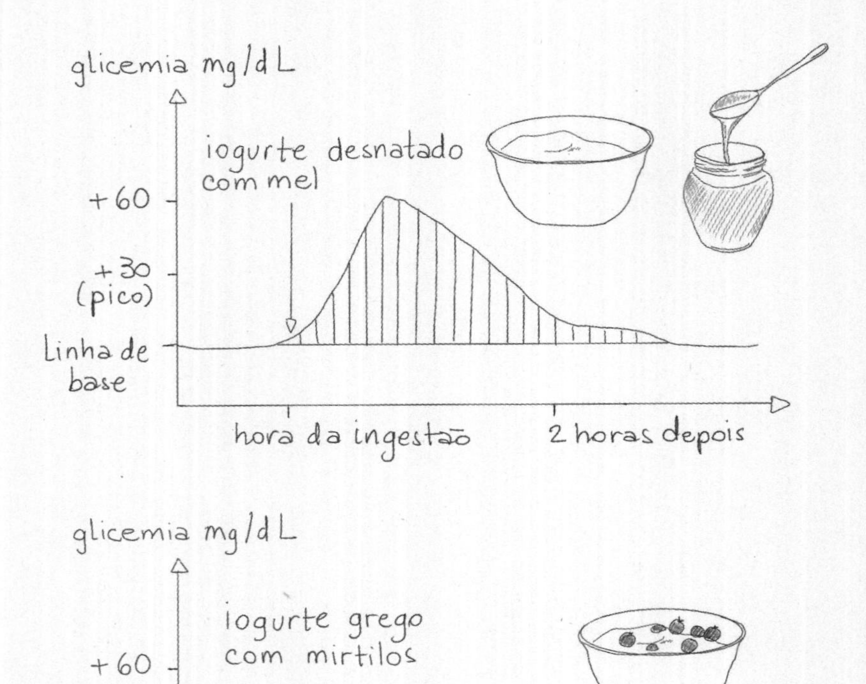

O iogurte integral com mirtilos é tão doce quanto um iogurte desnatado comum com mel, mas muito melhor para sua curva de glicemia.

Os melhores adoçantes, que não causam efeitos colaterais nos níveis de glicose e insulina, são:

- Alulose (ou psicose);
- Monkfruit (fruta-dos-monges);
- Estévia (prefira *extrato* de estévia pura, porque algumas formas de estévia são misturadas com preenchedores que causam pico de glicemia);
- Eritritol.

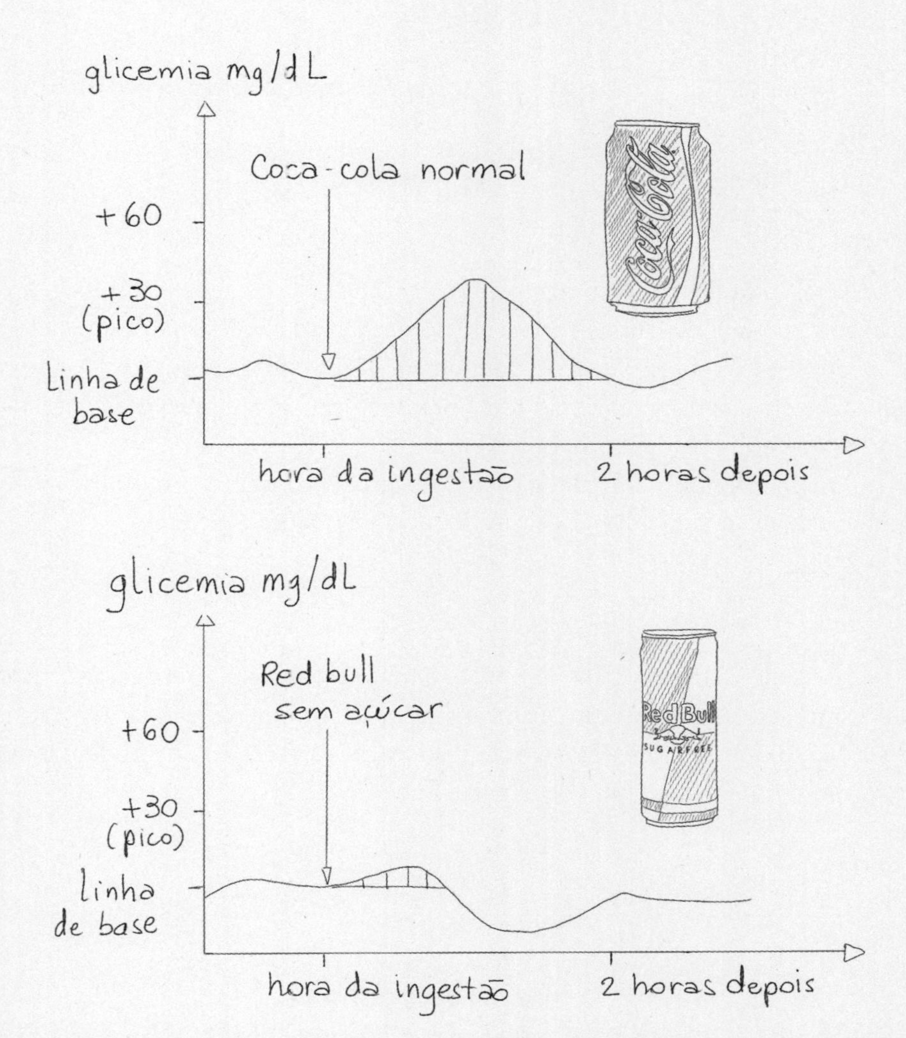

Red Bull não contém açúcar, mas contém aspartame. Ele pode causar um pico de insulina, embora os cientistas ainda não tenham chegado a uma conclusão definitiva. O aspartame pode ser a explicação para a queda na minha glicemia depois que tomo Red Bull — um aumento da insulina leva à queda da glicemia.

Existem alguns adoçantes artificiais que eu recomendaria evitar, porque sabidamente aumentam os níveis de insulina e/ou glicose, principalmente quando combinados a certos alimentos,[9] ou porque causam outros problemas de saúde. São eles:

- Aspartame;
- Maltitol (ao ser digerido, vira glicose);
- Sucralose;
- Xilitol;
- Acesulfame-K.

Os adoçantes não são um substituto perfeito para o açúcar. Muita gente não gosta do sabor, e outras sentem até dor de cabeça e cólicas por causa deles. E o fato é que o gosto não é tão bom quanto o do açúcar. Monkfruit vai bem no shake do café da manhã, mas tem horas em que a gente precisa da coisa de verdade — ao fazer um bolo, por exemplo.

O melhor a fazer, em minha opinião, é usar o adoçante para se livrar aos poucos da necessidade de adoçar tudo, porque doçura é viciante.

E quanto aos refrigerantes diet?

Que fique claro: na falta de opção, é melhor tomar um refrigerante diet adoçado artificialmente que um refrigerante comum. Mas o refrigerante diet *não é* o mesmo que água. Contém adoçantes artificiais, que podem levar a resultados danosos, como descrevi acima.

O DILEMA DO VÍCIO

É fácil ser viciado em comer doces. Também já fui viciada em doce. Essa sensação não é culpa nossa — lembre-se, a doçura ativa a central do vício em nosso cérebro. Quanto mais comemos, mais queremos.

Para se livrar aos poucos desse sabor, há algumas coisas que você pode fazer. Troque aquela colher de açúcar do café por alulose, e vá reduzindo a quantidade gradualmente. Da próxima vez que quiser um doce, experimente comer uma maçã. Na hora em que bater aquela fissura por doce, perceba e respire fundo algumas vezes. Em minha experiência, a vontade passa depois de uns vinte minutos. Mas se ainda estiver sob o domínio dela, experimente comer outra coisa — algo gorduroso, como queijo, em geral resolve. Também gosto de tomar chás naturalmente adocicados, como de canela e alcaçuz. Sempre me ajuda.

E caso ainda queira comer aquela coisinha doce, o melhor a fazer é comer sem culpa.

RECAPITULANDO

É muito improvável que consigamos nos livrar totalmente do açúcar na nossa dieta. E estou aqui para dizer que tudo bem. Festas de aniversários não são muito divertidas quando servimos couve-de-bruxelas em vez de bolo de aniversário.

E se, em vez de fazer tanto esforço para resistir, refletíssemos mais sobre a hora de comer essas coisas e aceitássemos — contentes — que isso faz parte da nossa vida?

Eu como açúcar quando minha mãe faz um bolo de aniversário (chocolate com uma crosta crocante, resplandecente, açucarada), quando vovó faz brigadeiro (uma deliciosa sobremesa brasileira, à base de chocolate e leite condensado com açúcar), quando eu como meu sorvete favorito (Häagen-Dazs de chocolate belga coberto com duas colheres cheias de calda de chocolate), ou quando fico desesperada por um pedaço de chocolate (já deu para notar que eu gosto de chocolate?). O resto do tempo, quando quero alguma coisa doce, como frutas vermelhas, monkfruit, pasta de amêndoas ou pedacinhos de cacau.

É comum me fazerem perguntas como "antes de ir para a cama, tomo leite com mel, tudo bem?" ou "faz mal colocar xarope de agave na panqueca?". Respondo o seguinte: se você ama muito e se acha que vale o pico de glicemia correspondente, coma.

AÇÚCAR? EM DOSE MODERADA, TUDO BEM

Também é importante tentarmos nos livrar daquelas promessas impossíveis de cumprir que fazemos a nós mesmos. Eu já disse coisas como "a partir de amanhã, nunca mais vou comer um cupcake" ou "esta é a última barra de chocolate que compro". Quando vetamos este ou aquele alimento, na tentativa de forçar uma mudança de estilo de vida, não dá certo. Chega um momento em que não aguentamos mais e esvaziamos a lata de biscoitos.

Em geral, quando não conseguimos fazer uma coisa com perfeição, como obedecer a uma dieta, ficamos achando que nem compensa fazer. Nada poderia estar mais distante da verdade. A questão é fazer o possível.

À medida que você começar a se sentir melhor, suas compulsões irão desaparecendo, e você vai se impressionar com a facilidade com que diminuirá sua ingestão de açúcar.

No capítulo anterior, prometi que, caso você pulasse o açúcar no café da manhã, mostraria como você poderia desfrutar dele no restante do dia. As três dicas seguintes explicam como fazer isso mantendo sua curva de glicemia estável. Isso significa que você poderá comer aquilo que ama sem ganhar peso, sem aprofundar suas rugas, sem adicionar placa às suas artérias, nem quaisquer das consequências de curto ou longo prazo de uma glicemia alta. Parece mágica, mas é ciência.

Dica 6: Em vez de lanches doces, coma sobremesa

Depois de uma refeição, temos tendência a passar de imediato a outra atividade – pode ser lavar a louça, retomar o trabalho ou outras tarefas do cotidiano. Mas, quando terminamos de comer, nosso corpo está só começando – e continua trabalhando durante *quatro horas*, em média, depois da nossa última mordida.[1] Esse tempo ocupado é conhecido como estado *pós-prandial*, ou pós-ingestão.

O que ocorre no estado pós-prandial

O estado pós-prandial é o período do dia em que ocorrem as maiores alterações hormonais e inflamatórias.[2] Para digerir, separar e armazenar as moléculas dos alimentos que acabamos de consumir, nosso aparelho digestivo recebe sangue, nossos hormônios aumentam como a maré, o funcionamento de alguns sistemas pode ser interrompido (inclusive nosso sistema imunológico),[3] enquanto outros são acionados (como a acumulação de gordura). Aumentam os níveis de insulina, o estresse oxidativo e os processos inflamatórios.[4] Quanto maior o pico de glicemia ou de frutose depois de uma refeição, mais o estado pós-prandial exige de nosso corpo, por conta do aumento dos radicais livres, da glicação e da liberação de insulina.

O estado pós-prandial é normal, mas também exige esforço do organismo. O processamento de uma refeição pode demandar maior ou menor esforço, conforme a quantidade de glicose e frutose que acabamos de consumir. Das

24 horas do dia, tendemos a passar cerca de vinte em um estado pós-prandial, porque em média fazemos diariamente três refeições e dois lanches.[5] Antigamente não era assim: até os anos 1980, não se faziam tantas boquinhas entre refeições, e por isso passava-se oito a doze horas em estado pós-prandial.[6] As boquinhas são uma invenção dos anos 1990, assim como o jeans de cintura baixa (o que vale uma reflexão).

Quando o corpo não está no estado pós-prandial, a coisa fica mais fácil. Nossos órgãos entram no modo de limpeza, substituindo as células danificadas por novas e purificando nossos sistemas.[7] Por exemplo, o gorgolejar que sentimos no intestino delgado quando ficamos algumas horas sem comer é o nosso trato digestivo limpando suas paredes.[8] Quando o corpo não está no estado pós-prandial, nosso nível de insulina cai, e podemos retomar a queima de gordura em vez do seu acúmulo.

Talvez você já tenha ouvido falar que nos tempos pré-históricos conseguíamos, em caso de necessidade, ficar um tempão sem comer. É porque podíamos alternar facilmente entre o uso de glicose (da nossa última refeição) e o uso da gordura (do nosso acúmulo no corpo) como combustível. Essa capacidade de alternar, como mencionado antes, é chamada de *flexibilidade metabólica*. É o parâmetro básico de um metabolismo sadio.

Lembra-se de Marie, que antes saía de casa com a bolsa cheia de guloseimas? Ela era um exemplo de baixa flexibilidade metabólica. Ela *precisava* comer a cada hora e meia, porque suas células tinham se tornado dependentes da glicose como combustível em intervalos de poucas horas. Quando Marie mudou o jeito de comer, "reacostumou" as células a usar a gordura como combustível. Assim, ela podia ficar horas sem comer. Marie ampliou sua flexibilidade metabólica.

Para aumentar a sua própria flexibilidade metabólica, faça refeições maiores e que saciam mais, de modo a não precisar fazer lanchinhos a cada uma ou duas horas. Isso vai contra a crença popular de que "fazer seis pequenas refeições por dia" é melhor do que fazer duas ou três grandes, mas é o que as pesquisas mostram. Em 2014, cientistas da República Tcheca testaram essa hipótese em pessoas com diabetes tipo 2. Estabeleceram uma cota diária de calorias e fizeram um grupo de participantes consumi-las em duas refeições grandes; o outro grupo as consumia em seis refeições pequenas. O grupo das duas refeições não apenas perdeu mais peso (quatro quilos contra dois quilos

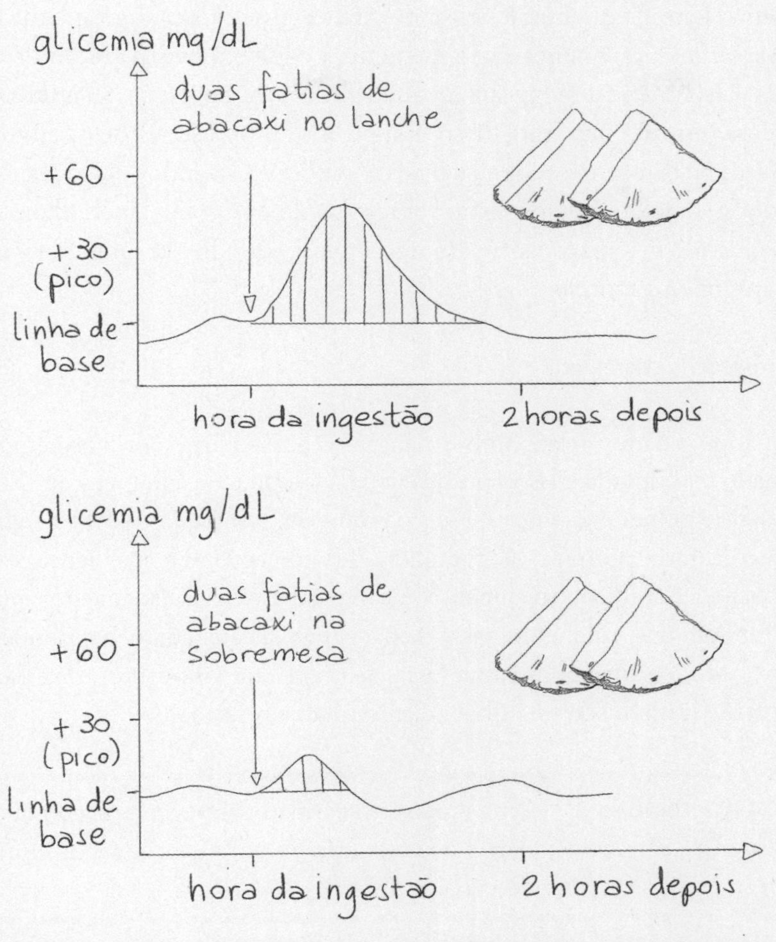

O mesmo abacaxi, picos diferentes. Quando ingerido como sobremesa depois de uma refeição com gordura, fibras e proteínas, o abacaxi cria um pico menor. Constatamos, de fato, uma pequena hipoglicemia reativa, mas esse é um problema menor que o pico elevado quando o abacaxi é ingerido como lanche. Pico maior, sintomas maiores.

e meio em três meses), mas também apresentou melhora nos marcadores-chave da boa saúde geral: a glicemia de jejum e a gordura hepática baixaram, a resistência à insulina caiu e as células do pâncreas ficaram mais saudáveis.[9] Mesmas calorias, efeitos diferentes (de volta a um de meus temas favoritos: calorias não são tudo).

Outro jeito de melhorar sua saúde metabólica é pelo que foi batizado de *jejum intermitente*, em que você faz jejum por seis, nove, doze ou dezesseis horas de cada vez, ou reduz sua ingestão de calorias em alguns dias da semana. Mas este capítulo não trata disso. Este capítulo traz sugestões oriundas das pesquisas mais recentes sobre os picos de glicemia: quando você quiser comer algo doce, é melhor ingerir como sobremesa do que como lanchinho no meio do dia, com o estômago vazio. Compreender o estado pós-prandial é crucial para aprender o motivo.

A vantagem da sobremesa

Quando pulamos o lanchinho, mantemos nosso corpo por mais tempo fora do estado pós-prandial. Isso significa que há tempo para a limpeza que descrevi acima. E ao comer algo doce depois da refeição, reduzimos o pico de glicemia que isso causaria, porque — lembrando a dica número 1 — comer açúcar e amido *por último*, depois de outro alimento (e não primeiro, ou isoladamente como lanche), faz com que o alimento passe da pia para o encanamento mais lentamente.

Portanto, se for comer uma fatia de fruta, um smoothie, uma barra de chocolate ou um biscoito, coma no fim de uma refeição.

> FAÇA A EXPERIÊNCIA: Caso sinta a necessidade imperiosa de comer algo doce entre refeições, guarde na geladeira ou em outro lugar e coma na sobremesa, ao fim da refeição seguinte.

CONHEÇA GHADEER

Ghadeer mora no Kuwait. É tradutora e mãe de três filhos. Ela sofre de SOP desde que começou a menstruar, aos treze anos. Enfrentou todos os sintomas, da acne às oscilações de humor, passando pelo ganho de peso. Sofreu diversos abortos espontâneos. Alguns anos atrás, aos 31, foi diagnosticada com resistência à insulina e parou completamente de menstruar.

O médico a incentivou a mudar seu estilo de vida — comer melhor e se exercitar mais, mas ela não fazia ideia de por onde começar. Como conselho,

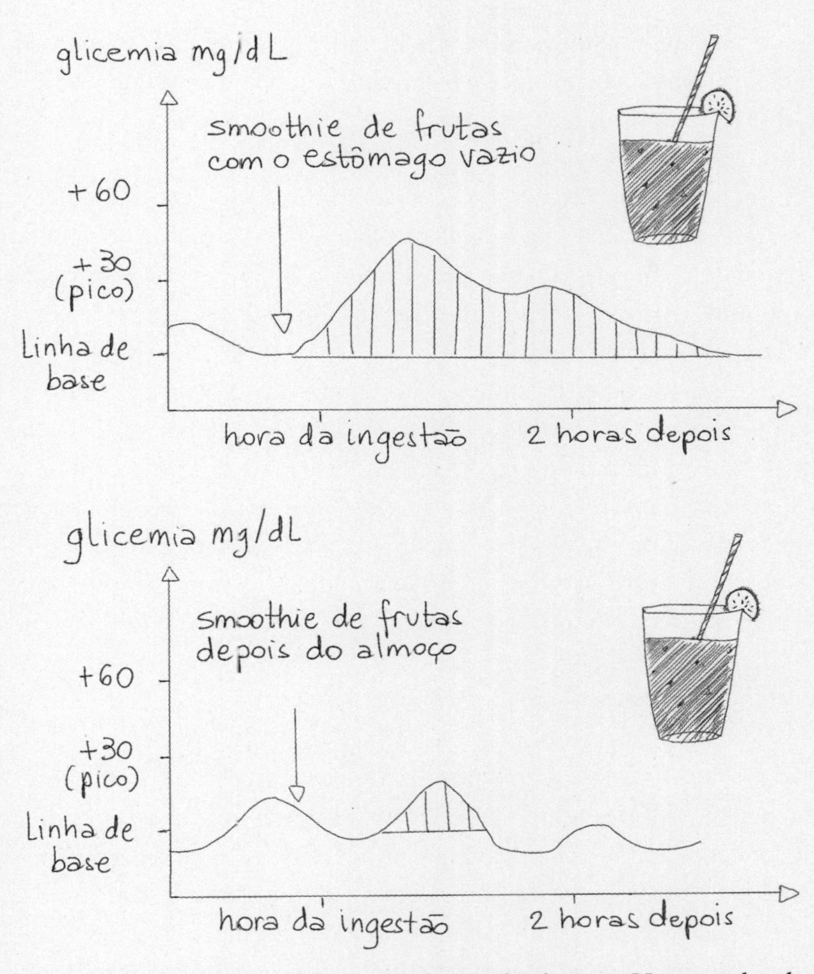

Tudo é uma questão de reduzir as oscilações da glicemia. Um smoothie de frutas em um estômago vazio criou um pico de cerca de 50 mg/dL; depois de uma refeição, a variação geral causada por ele foi menor.

era um tanto vago, e ela o recebeu sem muita empolgação. Ghadeer não sabia o que fazer em seguida, nem acreditava que o que estava fazendo pudesse ajudá-la a controlar o problema, até o dia em que topou com a conta Glucose Goddess no Instagram.

Foi aí que tudo fez sentido. A resistência à insulina e a SOP estão interligadas. Ambas têm a mesma causa – glicemia desregulada. Essa informação mudou a vida de Ghadeer. Além disso, ela ficou empolgada quando se deu conta de que podia cuidar de seus sintomas sem fazer outra dieta. Ela tinha a impressão de já ter feito cem dietas – e estava cansada. Não queria nunca mais começar outra.

Por isso, ela experimentou algumas dessas dicas. Começou a comer na ordem certa. Trocou o suco de frutas pelo chá. Trocou o açúcar por monkfruit. Não parou de comer chocolate e doces, que ela adora, mas passou a comê-los na sobremesa, e não no lanche. Hoje, seu dia consiste em três refeições, e não três refeições mais lanchinhos.

Em três meses, a menstruação voltou. Outras mudanças: a glicemia média, que era de 162 mg/dL, agora é de 90 mg/dL. Ela perdeu mais de dez quilos, e se livrou dos sintomas de SOP e da resistência à insulina. Ela também sente a diferença no humor: ficou mais paciente com os filhos. "Nunca me senti assim na vida. Sinto-me tão bem. Meu corpo passou a ser meu amigo."

Foram mudanças tão radicais que seu médico ficou maravilhado. "O que você fez?", ele perguntou. Ela contou tudo o que tinha aprendido.

Devo tentar comer apenas uma ou duas vezes por dia?

Não é preciso chegar a esse ponto. Alguns acabam concluindo que essa forma de jejum intermitente lhes convém bastante; outros descobrem que é difícil dar conta. Estudos mostram que os benefícios são mais acentuados para os homens[10] e que, para as mulheres em idade reprodutiva, o jejum prolongado e frequente demais pode causar distúrbios hormonais e outros tipos de estresse biológico.[11] Experimente três refeições por dia, e veja como se sente.

E quanto às boquinhas noturnas?

Caso tenha o hábito de comer algo doce algumas horas depois do jantar, uma alternativa melhor é comer logo depois da entrada, como uma sobremesa antecipada. Caso uma boquinha noturna seja inevitável, continue lendo: outras dicas irão ajudá-lo.

Como saber se eu sou metabolicamente flexível?

Se você tiver facilidade de ficar cinco horas entre refeições e não sentir tontura, tremedeira ou irritação de fome, você deve ser metabolicamente flexível.

RECAPITULANDO

A melhor hora para comer doces é depois de ter ingerido uma refeição com gorduras, proteínas e fibras. Quando comemos açúcar com o estômago vazio, lançamos o organismo em uma espiral pós-prandial, levando a grandes picos de glicemia e frutose. Mas, caso você não tenha como evitar comer açúcar com o estômago vazio — um convite de última hora para um aniversário, um bolinho no escritório, um encontro com o crush na sorveteria —, estou aqui para ajudar você. Continue lendo para descobrir outra dica superbacana.

Dica 7: Use o vinagre antes de comer

Quer colocar vinagre no brownie? Acho que não. Não se preocupe, não é isso que vou sugerir. Estou falando de preparar uma bebida com vinagre e bebericá-la antes da sua próxima guloseima doce — seja ela uma sobremesa ou um lanchinho isolado ocasional.

A receita é simples, mas de forte impacto. Uma bebida composta de uma colher de sopa de vinagre em um copo d'água grande, ingerida alguns minutos *antes* de comer algo doce, achata os picos de glicemia e insulina. Assim, cortam-se as compulsões, controla-se a fome e queima-se mais gordura. Também é uma dica baratíssima: uma garrafa de vinagre comum no mercado da esquina custa pouco e rende mais de sessenta colheres de sopa. De nada.

O vinagre é um líquido azedo fabricado pela fermentação do álcool, graças a bactérias comuns, que o transformam em ácido acético. São bactérias presentes em toda parte no nosso mundo — até mesmo no ar que respiramos. Se você deixar uma taça de vinho em cima da mesa e sair de férias, ao voltar semanas depois o vinho terá se tornado vinagre.

Entre as variedades de vinagre mais comuns estão os de arroz, vinho branco, vinho tinto, xerez, balsâmico e o de maçã. Dentre todos os vinagres, porém, um é o mais popular para esta dica: o de maçã. O motivo é que muita gente o considera mais saboroso que os outros ao ser diluído em um copo grande de água. Mas todos os vinagres têm o mesmo efeito sobre nossa glicemia; por isso, pegue o que preferir (note que o suco de limão não tem o mesmo efeito, porque contém ácido cítrico, e não ácido acético).

CONHEÇA MAHNAZ

O vinagre foi apregoado como medicamento durante séculos. No século XVIII, chegou a ser prescrito para pessoas diabéticas sob a forma de chá. No Irã, é consumido várias vezes por dia, em diversas bebidas à base de água, por gente de todas as idades. "Na minha família, bebemos vinagre de maçã há gerações", explica Mahnaz, de Teerã, membro da comunidade Glucose Goddess. "Minha avó faz o dela e distribui para toda a família. Bebemos porque é parte da nossa cultura e sempre disseram que faz bem. Eu não fazia ideia do porquê até descobrir sua conta."

Esta é a receita da avó de Mahnaz, caso também queira aderir à fermentação.

Bata maçãs limpas e doces.
Guarde em potes.
Cubra e reserve por dez a doze meses.
Guarde em um lugar quente.
Boa iluminação solar também é importante.
Tudo bem se der insetos, é sinal de vinagre bom.
Então, não entre em pânico, eles só ajudam.
Quando ficar pronto, coe muito bem, duas vezes, com um tecido bem fino.

Embora se beba vinagre há séculos, só recentemente os cientistas conseguiram entender os mecanismos por trás de seus benefícios para a saúde.

Na última década, cerca de duas dúzias de equipes de pesquisadores do mundo inteiro mediram os efeitos do vinagre no corpo. Eis como a maioria desses estudos foi realizada: junte um grupo de participantes, entre trinta e algumas centenas. Peça à metade desse grupo para beber uma ou duas colheres de sopa de vinagre em um copo grande de água antes das refeições, durante três meses. Ao outro grupo, dê um placebo, algo com gosto de vinagre. Monitore peso, marcadores sanguíneos e composição corporal. Certifique-se de que a dieta e os exercícios de ambos os grupos sejam os mesmos, pegue uma pipoca e assista.

O que os pesquisadores descobriram foi que, ao acrescentar vinagre antes das refeições durante três meses, os participantes perderam de um a dois quilos e reduziram a gordura visceral, as medidas da cintura e dos quadris e os níveis de triglicerídeos.[1, 2] Em um estudo, ambos os grupos foram colocados em uma dieta rigorosa de perda de peso, e o grupo do vinagre perdeu o dobro de peso (cinco quilos contra dois quilos e meio), embora tenha ingerido a mesma quantidade de calorias do grupo placebo.[3] Uma equipe de pesquisadores brasileiros explicou que, por seu efeito na perda de gordura, o vinagre é mais eficaz que muitos suplementos termogênicos anunciados como queimadores de gordura.[4]

Os efeitos positivos do vinagre são inúmeros. Tanto nos não diabéticos quanto nos resistentes à insulina, nos diabéticos tipo 1 e tipo 2, uma simples colher de sopa diária reduziu de forma significativa a glicemia.[5, 6] Esse efeito também se verifica em mulheres com SOP: em um estudo de amostragem diminuta (que certamente precisa ser replicado antes de ser confirmado), quatro em cada sete mulheres recuperaram a menstruação em quarenta dias, depois de passar a beber uma dose diária de vinagre de maçã.[7]

Para compreender como isso ocorre, dispomos de uma pista importante: a quantidade de insulina também cai quando o vinagre é consumido antes de comer (em cerca de 20%, segundo um estudo).[8]

Isso nos indica que tomar vinagre não achata a curva de glicemia por aumentar a quantidade de insulina no corpo. E isso é muito bom. De fato, *daria* para achatar a curva de glicemia injetando insulina no corpo ou tomando um medicamento ou bebida que liberasse mais insulina no organismo. Isso ocorre porque quanto mais insulina houver no corpo, mais o fígado, músculos e células adiposas trabalham para remover qualquer excesso de glicose da corrente sanguínea, armazenando-o rapidamente. No entanto, embora a insulina baixe a glicemia, também aumenta os processos inflamatórios e o ganho de peso. O que desejamos de fato é achatar a curva de glicemia *sem aumentar a quantidade de insulina no corpo*. E é isso que o vinagre faz.

Como isso ocorre? Os cientistas acreditam que diversas coisas podem influir.

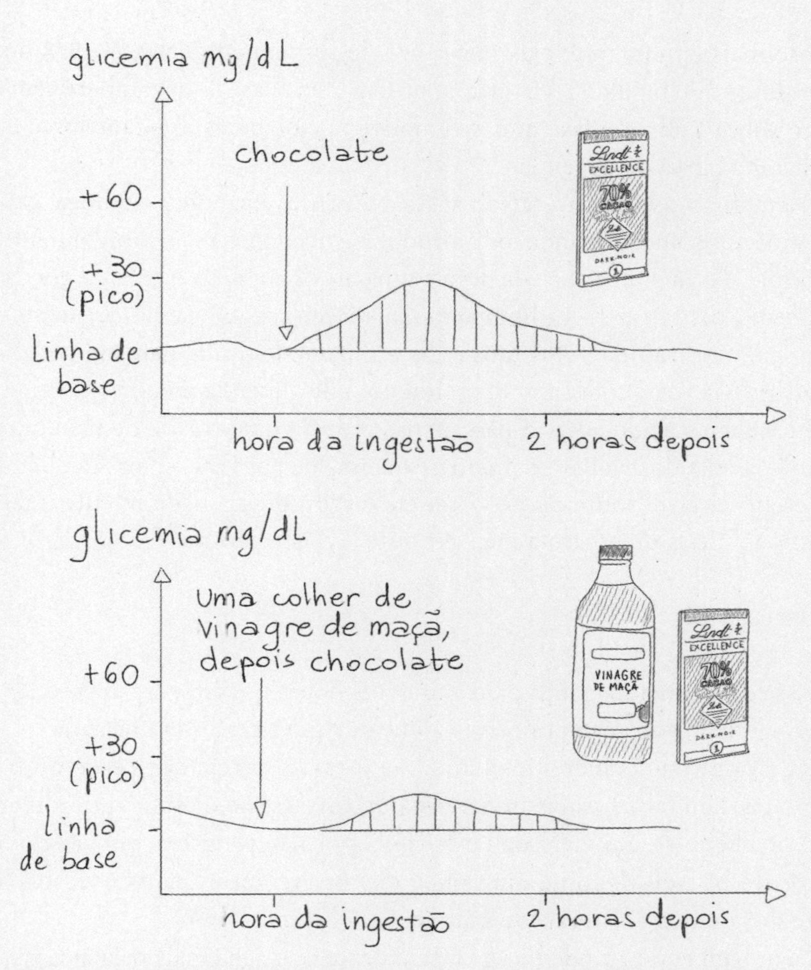

Eis um teste que realizei para ilustrar a descoberta científica: o vinagre de maçã corta um pico de glicemia.

COMO O VINAGRE AGE

Lembra-se da enzima que Tinho e os seres humanos têm em comum, a alfa--amilase? É a enzima que, nas plantas, decompõe o amido, transformando-o em glicose; nos seres humanos, transforma o pão em glicose na boca. Os cientistas descobriram que o ácido acético do vinagre desativa temporariamente a alfa-amilase.[9] Em consequência, o açúcar e o amido se transformam em glicose mais lentamente, e a glicose age de forma mais suave no organismo. Lembre-se que na dica 1, "Coma na ordem certa", as fibras também têm esse efeito sobre a alfa-amilase, um dos motivos pelos quais elas também ajudam a achatar a curva de glicemia.

Além disso, assim que o ácido acético entra na corrente sanguínea, penetra nos músculos, incentivando-os a produzir glicogênio mais rapidamente que o normal,[10] o que, por sua vez, leva a uma absorção mais eficaz da glicose.

Esses dois fatores — a liberação mais lenta da glicose no organismo e a absorção mais rápida pelos músculos — fazem com que haja menos glicose circulando livremente e, com isso, um pico de glicemia menor.

Ademais, o ácido acético não apenas reduz a quantidade de insulina presente — ajudando a voltar ao modo de queima de gordura —, mas também tem um efeito notável sobre nosso DNA: ele o reprograma ligeiramente, fazendo as mitocôndrias queimarem mais gordura.[11] É isso mesmo.

E nós com isso?

Essa dica funciona tanto para alimentos doces quanto para alimentos com amido. Talvez você esteja prestes a encarar um pratão de macarrão. Talvez esteja a ponto de comer aquela fatia de torta de cereja que reservou para a sobremesa, ou talvez esteja numa festa de aniversário e tenha que comer um bolo de chocolate no meio da tarde (feliz por não servirem, em vez do bolo, couve-de-bruxelas). Tome um pouco de vinagre antes, para contrabalançar parte dos efeitos colaterais de um pico de glicemia.[12]

Pegue um copo grande de água (tem gente que acha mais palatável quando a água é quente) e ponha uma colher de sopa de vinagre de maçã. Se não gostar do sabor, comece com uma colher de chá, até menos, e vá se acostumando aos poucos. Pegue um canudo e beba tudo vinte minutos antes de comer, durante a refeição ou menos de vinte minutos depois de comer o alimento causador do pico de glicemia.

Eis um jeito ainda mais fácil de colocar essa dica em prática: agora que você está adicionando uma entrada verde a todas as suas refeições, dá para adicionar vinagre ao molho. No primeiro estudo já realizado sobre vinagre e picos de glicemia, os participantes fizeram duas refeições diferentes: um grupo comeu salada com azeite, e depois pão; o outro comeu salada com azeite e vinagre, e depois pão. Entre os participantes com vinagre no molho, o pico

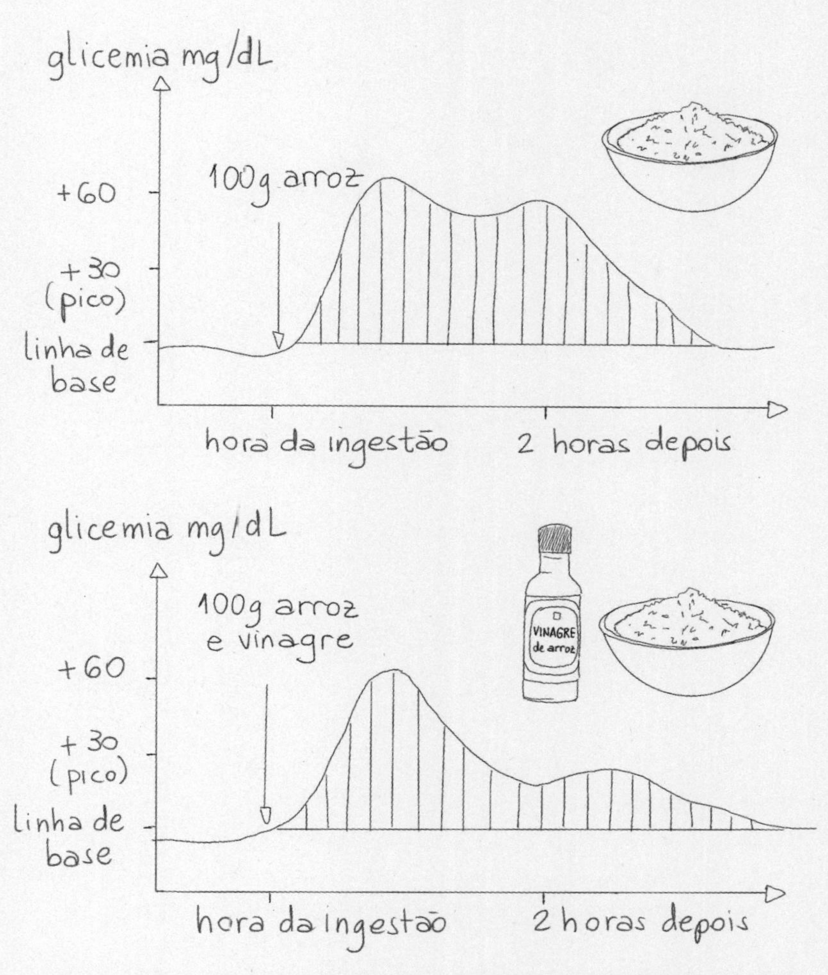

Qualquer vinagre serve. Uma colher de sopa de vinagre de arroz em uma tigela de arroz branco (como é tradicional no Japão) ajuda a estabilizar sua glicemia.

de glicemia foi 31% menor.[13] Portanto, da próxima vez peça molho vinagrete em vez de molho ranch.

O vinagre para cortar um pico de glicemia é mais útil quando consumido durante uma refeição que, do contrário, causaria um pico elevado,[14] mas na verdade pode ser usado a qualquer momento, a depender do seu grau de força de vontade (e, nas próximas páginas, compartilharei ainda mais receitas para usar o vinagre desse jeito).

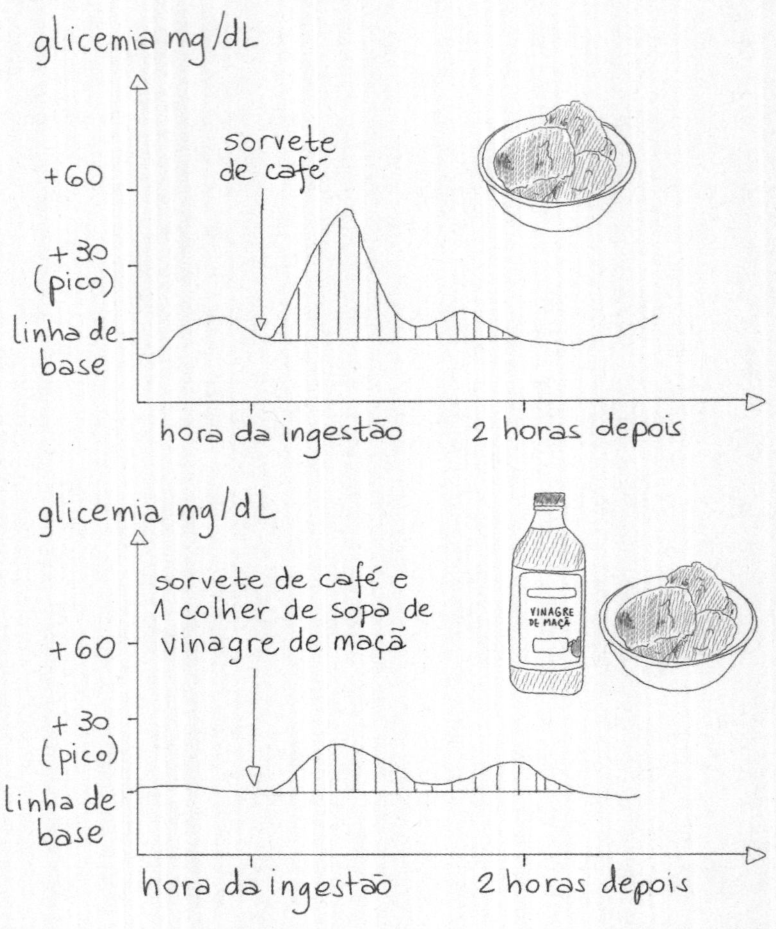

Pode mandar ver: coma seu sorvete e ajude seu organismo ao mesmo tempo.

Sejamos claros: não dá para se livrar de uma dieta ruim só usando vinagre. O vinagre reduz os picos, mas não os elimina. Vai ajudá-lo, se você o adicionar à dieta – mas não é uma desculpa para ingerir mais açúcar, porque, no cômputo geral, isso tornaria sua dieta pior que antes.

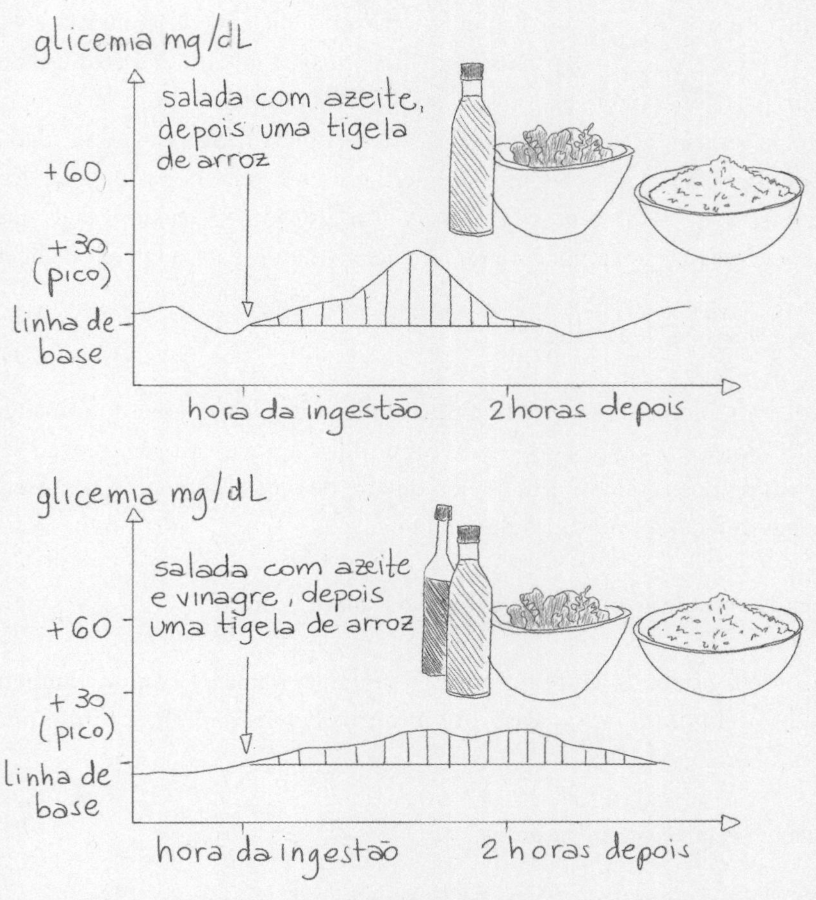

Como entrada verde, o melhor molho para sua glicemia inclui vinagre, como o vinagrete tradicional.

VOLTANDO A MAHNAZ

A mãe de Mahnaz recebeu um diagnóstico de diabetes tipo 2 depois da terceira gravidez, dezesseis anos atrás. Ela sofreu para administrar o problema, apesar de pertencer a uma família produtora de vinagre de maçã (o consumo de vinagre, por si só, não previne o diabetes). Por isso, Mahnaz contou a ela as dicas deste livro. A mãe de Mahnaz começou a comer na ordem certa, e adotou um café da manhã salgado. Ela já bebia vinagre em um copo grande de água, e só precisou manter o hábito. Em quatro meses, a glicemia de jejum caiu de 200 mg/dL para 110 mg/dL, passando de diabetes grave para diabetes nenhum.

Em parte, menciono este caso para lhe lembrar que as dicas deste livro são como as ferramentas de uma caixa. Pode ser mais fácil incorporar algumas, e não outras, à sua vida. Algumas podem funcionar melhor com você do que com outros, e em diferentes combinações. Mas todas são benéficas. E quanto mais você usá-las, mais sucesso terá no achatamento da sua curva de glicemia.

Por que preciso de um canudo?

Mesmo diluído, o vinagre tem uma acidez que causa danos ao esmalte dos dentes. Por isso, sugiro bebê-lo de canudinho, apenas por segurança. Nunca beba direto do gargalo. Contudo, como parte de outros alimentos, por exemplo o vinagrete, não é preciso se preocupar.

Quanto tempo devo esperar entre tomar o vinagre e comer?

O ideal é bebê-lo vinte minutos (ou menos) antes de comer. Também dá para bebê-lo *durante*, ou até vinte minutos *depois* de comer. Funciona do mesmo jeito.

Há algum efeito colateral negativo?

Em princípio, você não sofrerá nenhum efeito colateral negativo, desde que não saia do vinagre bebível — ou seja, com 5% de acidez (o vinagre de limpeza tem 6%, então, se no supermercado ele estiver do lado do pano de chão e das toalhas de papel, não beba!). O vinagre pode irritar as mucosas de pessoas sensíveis, ou causar azia em outras. Não é recomendado para quem tem problemas estomacais, embora isso seja mais por precaução — não foram feitos estudos para medir os efeitos.[15] Aparentemente o vinagre não danifica o revestimento estomacal, já que na verdade é até menos ácido que o suco gástrico, e menos que coca-cola ou suco de limão.[16] Como sempre, a decisão é sua — escute seu corpo e, se o vinagre não lhe cair bem, não force a barra.

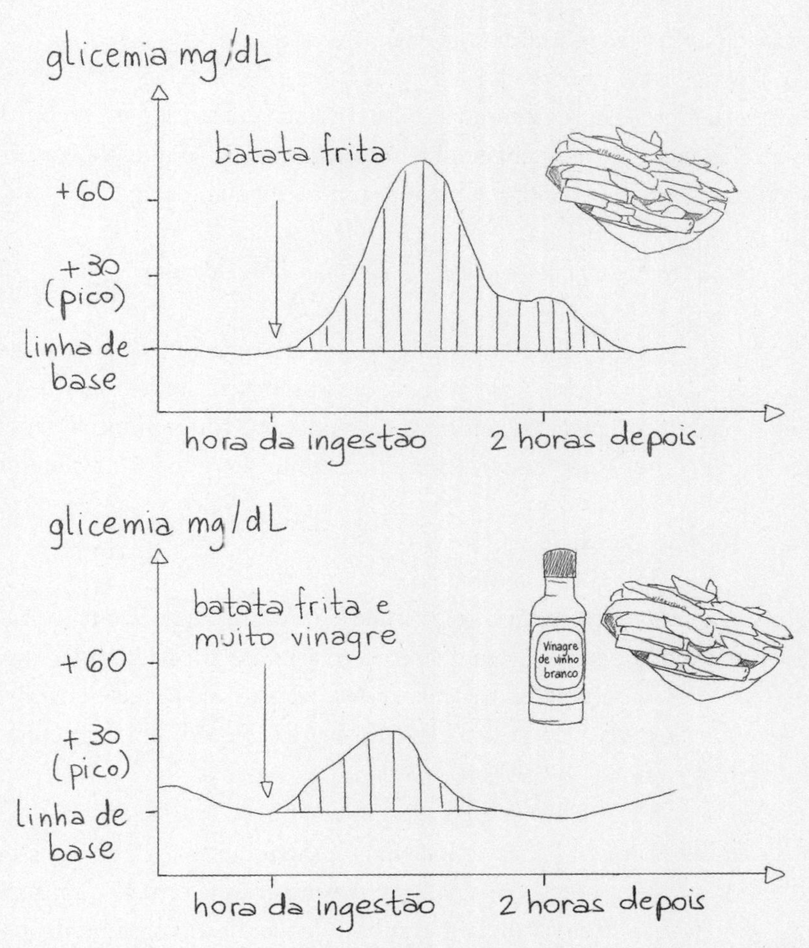

Qualquer vinagre funciona. Aqui, o vinagre de vinho branco. Os ingleses sabem das coisas!

Existe um limite para o quanto posso beber?

Bem... existe. Uma mulher de 29 anos que tomava dezesseis colheres de sopa de vinagre todo dia, durante seis anos, foi parar no hospital com baixíssimos níveis de potássio, sódio e bicarbonato.[17] Portanto, não faça como ela. É demais. Mas a maioria das pessoas fica bem tomando uma colher de sopa, em um copo grande de água, algumas vezes por dia.

Posso tomar vinagre na gravidez ou na amamentação?

A maioria dos vinagres comuns é pasteurizada e segura para o consumo. O vinagre de maçã, porém, em geral não é pasteurizado, o que pode acarretar riscos para as pessoas grávidas. Consulte seu médico antes.

Ops, esqueci de tomar o vinagre e já comi meu bolo. Tarde demais?

Não! Isso acontece toda hora comigo. Às vezes o pedaço de bolo é tão saboroso que esqueço a bebida pré-bolo. Não se preocupe. Beber vinagre depois de comer algo com açúcar ou amido (repetindo, até vinte minutos depois) é muito melhor do que não beber. Ainda terá efeito de redução da glicemia.[18]

E quanto a pílulas e gomas?

Quando a questão são pílulas ou cápsulas de vinagre, ainda não há consenso. Pode ser que funcionem tão bem quanto o vinagre sob forma líquida, mas não há certeza.[19, 20] Caso queira experimentá-las, talvez você precise engolir três ou mais pílulas para atingir a dose de ácido acético contida em uma colher de sopa de vinagre (cerca de 800 ml).

As gomas de vinagre não são uma boa ideia, pois contêm açúcar (cerca de 1 g por pastilha). Por isso, não apenas não contribuem para achatar a curva de glicemia, mas também provocam picos (entrei em contato com um dos maiores fabricantes de pastilhas, perguntando qual o embasamento para o que apregoam, e não recebi resposta).

E quanto ao kombucha?

O kombucha tem menos de 1% de ácido acético, e quando não é caseiro costuma ter açúcar adicionado. Embora não seja um matador de picos de glicemia, tem seus benefícios para a saúde: sendo um alimento fermentado, contém bactérias benéficas, que alimentam os micróbios bons do nosso intestino.

Não gosto do sabor do vinagre. O que devo fazer?

Comece com uma quantidade menor, e vá aumentando. Ou experimente vinagre de vinho branco, em vez de vinagre de maçã (há quem prefira o sabor). Ou pense na ideia de misturar o vinagre e a água com outros ingredientes – não importa quais sejam (desde que não seja açúcar, que vai anular os efeitos). Eis algumas receitas dos membros da comunidade Glucose Goddess:

- Uma xícara de chá de canela quente com uma colher de sopa de vinagre de maçã;
- Um copo de água, uma pitada de sal, outra de canela, e uma colher de sopa de vinagre de maçã;
- Um copo de água, uma pitada de sal, uma colher de sopa de amino líquido, e uma colher de sopa de vinagre de maçã;
- Um bule de água quente com um quarto de limão, um pouco de gengibre, uma colher de sopa de vinagre de cidra e uma pitada de alulose, monkfruit, extrato de estévia ou eritritol, para adoçar;
- Água com gás, gelo e uma colher de sopa de vinagre de maçã;
- Vegetais fermentados em um vidro cheio de vinagre de maçã.

RECAPITULANDO

Adicionar vinagre à dieta, seja numa bebida ou no molho da salada, é um jeito excelente de achatar a curva de glicemia. Isso se dá de duas formas: desacelera a chegada da glicose na corrente sanguínea e aumenta a velocidade com que os músculos a sugam, transformando-a em glicogênio. E por falar em músculo, aparentemente eles sabem fazer isso muito bem...

Dica 8: Depois de comer, mexa-se

A cada três ou quatro segundos, os músculos das nossas pálpebras recebem um sinal do cérebro, sob a forma de sinais elétricos, ou *impulsos*. Esses sinais transmitem uma instrução simples: "por favor, pisque agora, para podermos hidratar esses olhos e continuar lendo este livro fantástico". Em todo o nosso corpo, os músculos se contraem para que possamos andar, nos inclinar, agarrar, levantar, entre outras coisas. Alguns músculos são controlados conscientemente (por exemplo, os dedos), e outros não (por exemplo, o coração).

Quanto mais e com mais força mandamos um músculo se contrair, voluntária ou involuntariamente, maior a energia de que ele necessita. Quanto mais ele necessita de energia, mais ele necessita de glicose.[1] (As mitocôndrias, nas células musculares, também utilizam outras coisas para produzir energia, como gordura, mas quando a glicose é abundante, é o combustível preferido, rápido e disponível.) Existe até um nome especial, a propósito, para a energia criada pela degradação da glicose para servir de combustível para as células: adenosina trifosfato, ou ATP.

A taxa de queima da glicose varia enormemente de acordo com nosso esforço — isto é, quanta ATP é exigida pelos músculos. Pode multiplicar-se por mil do momento em que estamos descansando (sentados no sofá assistindo TV) ao momento em que estamos fazendo um exercício intenso (dando um pique para pegar o cachorro que corre pelo parque).[2]

A cada nova contração dos músculos, queimam-se moléculas de glicose. E podemos usar esse fato a nosso favor para achatar a curva de glicemia.

CONHEÇA KHALED

Khaled tem 45 anos. Mora nos quentes e ensolarados Emirados Árabes Unidos, onde a regra são dias de praia o ano inteiro. Até recentemente, Khaled evitava se bronzear quando ia à praia — ficava sempre de camiseta, para esconder dos amigos a barriga.

Mudanças são sempre difíceis, por isso, a chance de dar certo aumenta quando adotamos estratégias que exigem pouquíssimo esforço, mas geram grandes resultados (como, por exemplo, as dicas deste livro).

É totalmente compreensível, acontece com muitos de nós. Khaled não tinha vontade de mudar o que comia, mas estava aberto a outras ideias. Pouco antes da pandemia de covid-19, ele descobriu a conta Glucose Goddess no Instagram. Ao ver o efeito das dicas, mapeadas nos gráficos, uma luzinha acendeu dentro dele — até porque o pai e os irmãos são diabéticos. Quando veio a quarentena, Khaled subitamente passou a ter muito tempo livre, e resolveu experimentar algo novo — desde que fosse fácil.

Ele resolveu experimentar caminhadas depois das refeições, uma das dicas que discuto em minha conta do Instagram. Não era preciso mudar nada do que ele comia. Só precisava se levantar depois do prato de arroz com carne e dar uma caminhada de dez minutos pela redondeza.

Ao caminhar, ele imaginava a glicose do arroz passando para os músculos das pernas, em vez de se dirigir às reservas adiposas. Quando chegou em casa, ficou surpreso — em vez daquela vontade de pegar um doce e dar um cochilo, como geralmente fazia depois do almoço, ele voltou para o escritório e ficou trabalhando a tarde inteira. Sentiu-se... bem. No dia seguinte, os dez minutos de caminhada viraram vinte. Ele manteve esse hábito novo.

Em várias culturas a tradição recomenda caminhar depois de uma refeição. Os indianos, por exemplo, têm o costume dos "cem passos depois de comer", que existe por um bom motivo. Assim que a glicose (por exemplo, de uma tigela grande de arroz) começa a entrar no corpo, duas coisas podem acontecer. Se ficarmos sedentários no momento máximo do pico, a glicose inunda nossas células e sobrecarrega as mitocôndrias. Radicais livres são produzidos, os processos inflamatórios aumentam e o excesso de glicose é armazenado no fígado, nos músculos e nas reservas adiposas.

Quando, por outro lado, contraímos nossos músculos enquanto a glicose atravessa o intestino para a corrente sanguínea, as mitocôndrias passam a ter uma capacidade de queima maior. Não ficam sobrecarregadas tão rapidamente — ficam animadíssimas por usar a glicose extra na produção de ATP, como combustível para os músculos em atividade. No gráfico do monitor contínuo de glicose, a diferença é chocante.

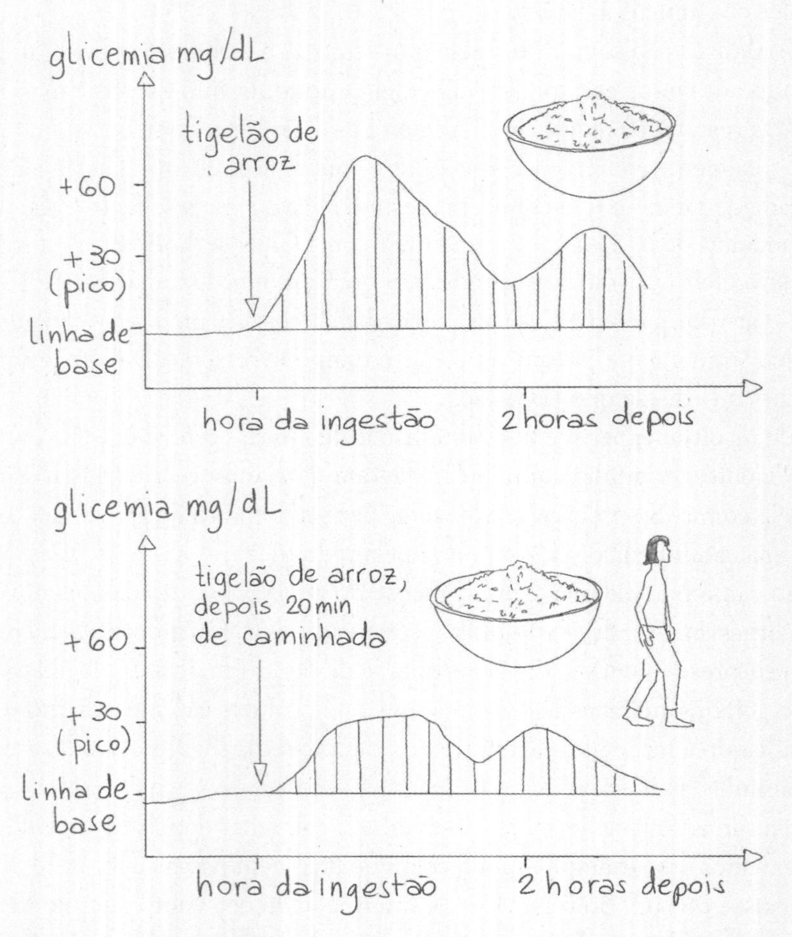

Quando comemos amido ou açúcar, temos duas opções: ou ficamos parados e deixamos o pico acontecer, ou nos mexemos e o cortamos.

Também podemos enxergar a questão de outra forma: quando fazemos exercícios (repetindo, dez minutinhos de caminhada já ajudam), o fogo na caldeira do trem a vapor de vovô fica mais forte e mais quente. Vovô joga as pás de carvão numa velocidade maior, a locomotiva queima numa velocidade maior. Em vez de se acumular, a glicose extra é gasta.

Assim, podemos comer exatamente as mesmas coisas, e então, usando nossos músculos logo depois (em até uma hora e dez minutos depois de comer; mais a respeito abaixo), achatar a curva de glicemia daquele alimento.

Ao longo dos seis meses seguintes, Khaled continuou fazendo caminhadas de vinte minutos depois do almoço ou do jantar. Depois, passou a comer na ordem certa. Perdeu oito quilos. Incrível, eu sei. E ele está todo animado. Contou-me: "Nunca me senti tão jovem. Quando me comparo às outras pessoas da minha idade, estou fazendo muito mais, tenho mais energia e me sinto mais feliz. Meus amigos me perguntam o que eu fiz [...], fico contente em compartilhar as dicas. Também ajudou todo mundo na minha família".

Muita gente, assim como Khaled, caminha dez a vinte minutos depois das refeições, e constata resultados excelentes. Um amplo estudo realizado em 2018 analisou 135 pessoas com diabetes tipo 2 e concluiu que o exercício aeróbico (caminhar) depois de comer reduzia o pico de glicemia em 3% a 27%.

Caso queira fazer academia depois das refeições, será ainda melhor — embora algumas pessoas sintam certa dificuldade em fazer exercícios cansativos com o estômago cheio. A boa notícia é que você pode malhar em qualquer momento até setenta minutos depois do fim da refeição para conter um pico de glicemia. Setenta minutos são aproximadamente o tempo até o pico chegar ao ápice, por isso usar os músculos antes disso é o ideal. Você também pode pôr os músculos para trabalhar com força fazendo flexões, prancha, agachamentos ou qualquer exercício de levantamento de peso. Demonstrou-se que exercícios de resistência (levantamento de pesos) reduzem o pico de glicemia em até 30%, e a dimensão de picos subsequentes nas 24 horas seguintes em 35%.[3] Raramente você conseguirá impedir *todo* o pico de glicemia, mas dá para reduzi-lo significativamente.

E eis um incentivo extra: quando nos mexemos depois de comer, achatamos a curva de glicemia *sem aumentar nosso nível de insulina* — assim como ocorre com o vinagre. Enquanto normalmente os músculos precisam de insulina para se livrar da glicose, quando nossos músculos estão se contraindo de verdade não precisam de insulina para conseguir absorvê-la.[4,5]

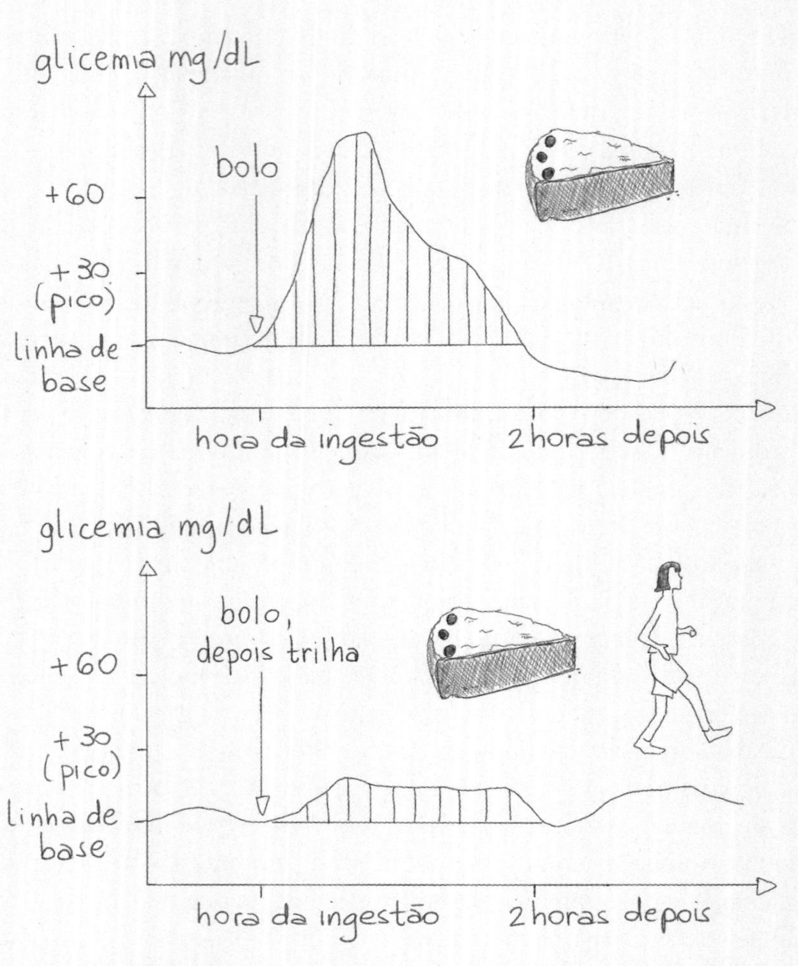

Quando nos sentamos por uma hora depois de comer uma fatia de bolo, a glicose se acumula no corpo e causa um pico. Se, em vez disso, nos exercitamos, a glicose imediatamente será gasta pelos músculos. Não se acumula nem causa um pico.

E quanto mais os músculos se contraem e absorvem glicose sem necessidade de insulina, menor será o pico de glicemia, e menos insulina será despachada pelo pâncreas para lidar com a glicose restante. É uma boa notícia sob vários aspectos. Sair para uma simples caminhada de dez minutos depois de uma refeição reduzirá os efeitos colaterais de qualquer coisa que tenhamos ingerido.

E quanto mais tempo nos exercitamos, mais nossas curvas de glicemia e insulina serão achatadas.[6]

POR QUE É BOM ASSISTIR TV DEPOIS DO JANTAR

Você está em casa, jantou um prato de macarrão (depois da salada, não é?), está prestes a sentar-se no sofá e ligar a TV em seu programa favorito. Porém, caso consiga fazer multitarefas, faça alguns agachamentos enquanto olha para a tela. Ou tente um *wall sit* com as costas contra a parede, faça flexões no braço do sofá, uma prancha lateral ou uma postura do barco no tapete. Uma integrante da comunidade Glucose Goddess chamada Monica criou uma técnica divertida: ela deixa um peso kettlebell atrás do sofá, e depois de comer alguma coisa doce marca vinte minutos no temporizador do celular – quando ele toca, ela pega o peso e faz trinta agachamentos.

Variante para o local de trabalho: você não tem tempo de dar uma caminhada depois das refeições. Tudo bem. Suba e desça as escadarias do prédio duas ou três vezes, fingindo que precisa ir ao banheiro. Durante uma reunião, eleve as panturrilhas sem fazer alarde. Outra opção é uma série de flexões usando a mesa de trabalho. Problema resolvido.

> FAÇA A EXPERIÊNCIA: Dê uma nota para como você se sente depois de comer algo doce no lanche e em seguida ficar sentado. Dê outra nota para como se sente depois de comer a mesma coisa e em seguida caminhar por vinte minutos. Como fica sua energia? Como fica seu nível de fome durante as horas seguintes?

É preciso andar depressa depois de comer?

Monica se exercita vinte minutos depois da refeição, mas, para que faça efeito, você pode se exercitar a qualquer momento dentro dos setenta minutos depois de comer. Como foi dito acima, o ideal é começar a contrair os músculos antes que o pico de glicemia chegue ao ápice. Eu gosto de dar uma caminhada ou fazer exercício de força ou resistência na frente da TV por cerca de vinte minutos depois de uma refeição. Em vários estudos, porém, testaram-se diversos cenários: alguns começaram a caminhar logo depois de largar o garfo; outros, dez a vinte minutos depois da refeição.[7] Outros esperaram 45 minutos antes de começar a malhar, mas todos deram bons resultados.

Devo me exercitar antes ou depois da refeição?

Exercitar-se depois da refeição parece ser a melhor opção, mas antes também ajuda. Em um estudo sobre treinamento de resistência em pessoas obesas, exercitar-se *antes* do jantar (comendo trinta minutos depois do final do exercício) reduziu os picos de glicose e insulina em 18% e 35%, respectivamente, contra 30% e 48% quando o exercício começou 45 minutos *depois* do jantar.[8]

E em outras horas do dia?

Exercitar-se *em qualquer hora* é excelente para você e tem muito mais efeitos positivos do que simplesmente reduzir um pico de glicemia. Entre outras coisas, aumenta nosso bem-estar mental, nos dá energia, ajuda o coração a permanecer sadio,[9] e reduz as inflamações e o estresse oxidativo.[10] Esteja ou não em jejum, se você iniciar uma nova atividade física, sua glicemia em geral começará a cair à medida que sua massa muscular aumenta.

No entanto, caso você esteja pensando em acrescentar mais caminhadas a seu regime diário e puder fazê-las em qualquer momento do dia, o impacto será maior após as refeições.[11]

De quantos minutos de exercício necessito?

Cabe a você descobrir o que dá certo. Em geral, os estudos analisam dez a vinte minutos de caminhada ou sessões de força ou resistência de dez minutos. Eu concluí que preciso fazer uns trinta agachamentos para constatar uma alteração na minha glicemia.

Como o exercício em jejum leva a um pico de glicemia? Isso é ruim?

Quando você se exercita sem ter comido, isto é, inicia um exercício em jejum, seu fígado libera glicose no sangue para alimentar as mitocôndrias dos músculos. No monitor de glicose, isso se reflete em um pico — porque é o que acontece. Esses picos causam estresse oxidativo, pela liberação de radicais livres, mas o exercício que os causa também aumenta sua capacidade de se livrar deles. O que é importante é que essa defesa reforçada contra os radicais livres dura mais tempo que a produção aguda deles provocada pelos exercícios. Assim, o efeito final do exercício é a redução do estresse oxidativo.[12] O exercício, portanto, é considerado um estresse *hormético* no organismo. Isso significa que é um tipo de estresse benéfico, que torna o corpo mais resiliente.

RECAPITULANDO

Caso queira comer algo com açúcar ou amido, use os músculos logo depois. Eles absorverão alegremente o excesso de glicose assim que ele chegar ao sangue, reduzindo o pico de glicemia e a probabilidade de ganho de peso e evitando uma baixa de energia. A sonolência pós-refeição, em especial, diminui muito com essa técnica. E ela funciona ainda melhor quando tomamos vinagre de maçã misturado com um copo grande de água antes de comer.

Agora você já conhece o incrível combo para fazer uma boquinha doce sem provocar um enorme pico de glicemia no corpo: vinagre antes, exercício depois.

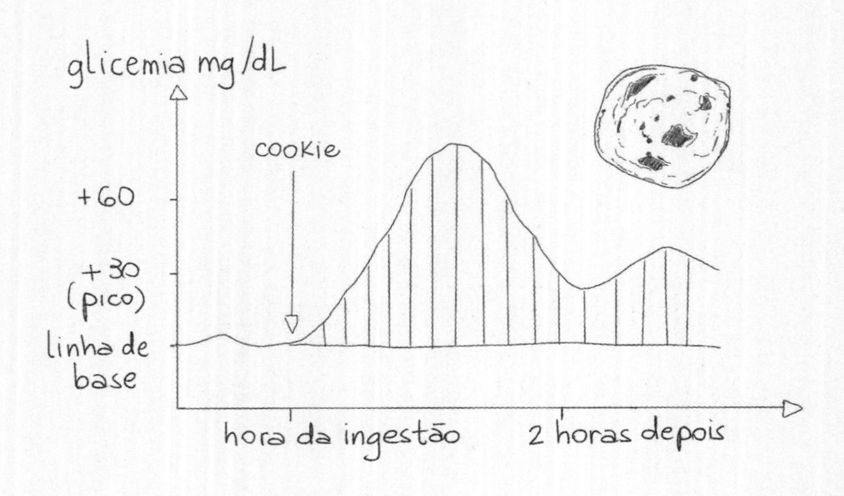

Quanto mais, melhor: combinar as dicas é incrivelmente poderoso. Compensar uma guloseima tomando vinagre antes e usando os músculos depois ajuda a reduzir os efeitos colaterais.

Dica 9: Se fizer uma boquinha, evite o doce

Ao longo do livro, comentei como a glicose impacta tanto o corpo quanto a mente. Na época em que iniciei esta pesquisa, porém, era sempre mais fácil distinguir os efeitos físicos da glicose que os mentais. Eu sabia porque aparecia acne no meu nariz ou porque eu ganhava peso. Até um dia em que comi um donut e vi os números do meu próprio monitor de glicemia.

Desde meu acidente aos dezenove anos, enfrentei uma condição mental que batizei de "desligamento" ou "sensação de desligamento". Clinicamente, ela é conhecida como *despersonalização*. Quando ela acontece, tenho a sensação de sair parcialmente do meu corpo. Quando me olho no espelho, não me reconheço. Quando olho para minhas mãos, tenho a impressão de que pertencem a outra pessoa. Minha vista fica turva. Perco o senso unificado do "eu", e minha mente começa a girar descontroladamente, enquanto fico pensando em questões existenciais. É bem assustador, sobretudo quando estou sozinha.

O que me faz superar esses momentos é a lembrança de que eles são passageiros. Encontrei muita ajuda na terapia de conversação, na terapia EMDR (dessensibilização e reprocessamento dos movimentos oculares) — lembrando-me do acidente enquanto o terapeuta dá batidinhas alternadas nos meus joelhos — e na terapia craniossacral (uma forma de trabalho corporal). Tive a felicidade de ter uma pessoa próxima que passou pelo mesmo na juventude — um primo. Eu mandava mensagens para ele sempre que precisava de conforto.

"Sei que é terrível. Confie em mim, vai passar", respondia ele. Também recorri a meus diários. Escrevia muito.

Depois da cirurgia, passei um ano inteiro me sentindo desligada. Em seguida, essa sensação passou a ir e vir, uma vez por semana, ou uma vez por mês, e durar algumas horas. Fiz o possível para tentar descobrir quais eram os gatilhos e o que fazia a sensação passar. Mas na maior parte do tempo eu não conseguia detectar.

Então, oito anos depois do acidente, eu me dei conta de que um dos gatilhos podia ser... a alimentação.

Em abril de 2018, eu, meu namorado e alguns amigos estávamos visitando a cidade litorânea de Kamakura, no Japão. Fazia um mês, mais ou menos, que eu estava usando o monitor de glicemia. Tomamos o café da manhã bem cedo. Cinco horas depois, deu fome de novo. Paramos para um café com donuts e saímos para dar uma caminhada na praia.

Na hora em que estávamos conversando sobre nossas próximas experiências — observar as cerejeiras em flor, visitar Harajuku, entre outras coisas —, comecei a sentir uma alteração em meu estado mental. Era uma sensação que eu conhecia muito bem. Sabia que estava prestes a me desligar.

Veio aquela névoa. Olhei para mãos que não eram minhas. Sabia que estava falando, mas não entendia direito o que estava dizendo nem por quê. Como costumava ocorrer, não revelei nada aos amigos, com medo de virar um fardo para eles.

Durante a névoa, dei uma olhada no monitor de glicemia. Já tinha virado um hábito; desde que comecei a usá-lo, olhava de tempos em tempos.

Os donuts comidos meia hora antes tinham gerado o maior pico de glicemia que eu já vira: de 100 mg/dL para 180 mg/dL.

Percebi que talvez tivesse achado um gatilho para a despersonalização: um pico de glicemia bastante acentuado. E na verdade, nos meses e anos seguintes, achei a prova disso. Quando me sentia desligada, buscava lembrar o que tinha comido naquele dia. Acontecia quando, em vez de jantar, eu comia um bolo de chocolate no lugar de uma refeição normal, ou biscoitos como café da manhã.

Que fique claro, não estou dizendo que achatar minha curva de glicemia curou minha despersonalização. Ainda me sinto desligada quando não passo tempo o bastante comigo mesma, quando acumulo estresse no corpo e por outras razões que ainda não compreendo. Às vezes, sofro um pico de glicemia intenso sem me sentir despersonalizada. Mas ter ciência disso me ajudou, com certeza.

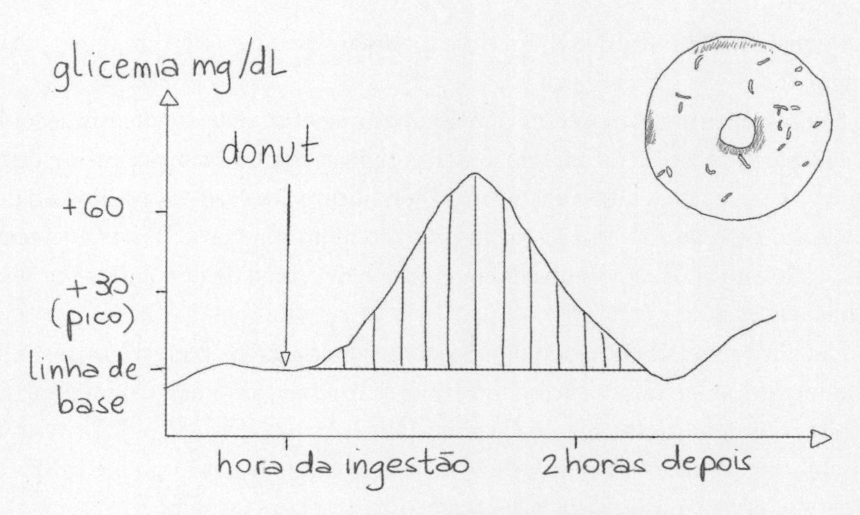

O pico do donut que levou a uma despersonalização.

Pesquisei um pouco e não encontrei nenhum estudo comprovando que um episódio de despersonalização possa ser desencadeado pela alimentação. Porém, descobri que em pessoas com essa condição de saúde mental algumas regiões do cérebro são metabolicamente mais ativas — isto é, consomem mais glicose — que outras.[1] Mais glicose no corpo significa mais glicose no cérebro, e, portanto, potencialmente mais glicose também nessas áreas hiperativas. Pode ser que isso seja a causa do problema.

Sabemos, é certo, que a alimentação afeta como nos sentimos. A ciência nos diz que, quando se ingere uma dieta que leva a muitos picos de glicemia, relatam-se uma piora do humor e mais sintomas de depressão ao longo do tempo, na comparação com uma dieta semelhante em calorias, mas com curvas mais achatadas.[2, 3, 4, 5]

Muitos membros da comunidade também compartilharam que alimentos doces aumentam a ansiedade.

Todos nós, de vez em quando, sentimos a necessidade de mastigar algo doce — muitas vezes, quando sentimos sono. No entanto, a ideia de que comer algo doce vai nos trazer energia é um mito. Um lanche açucarado não nos dá mais energia que um lanche salgado, podendo até, na verdade, nos deixar mais cansados pouco tempo depois. Algo que, quando se tem que dirigir doze horas por dia, como Gustavo, pode ser francamente perigoso.

CONHEÇA (DE NOVO) GUSTAVO

Gustavo nos ensinou que sua fantástica dica do brócolis-antes-do-churrasco permitiu que ele desfrutasse do jantar com os amigos achatando suas curvas. Cá está ele de volta, ao vivo do México, com novas informações.

Gustavo precisa dirigir em turnos prolongados, de um estado a outro, como parte de seu trabalho como vendedor. Muitas vezes, ele passa seis, oito, doze horas na estrada de uma vez só. Antigamente, quando ele parava exausto em um posto, pegava um doce ou uma barra de granola para "recuperar um pouco as energias". Ele voltava para o volante, sentindo-se energizado por uns 45 minutos, para logo em seguida ficar exausto de novo. Muito provavelmente, ele não era metabolicamente flexível: seu corpo não conseguia recorrer às reservas adiposas como combustível; por isso ele precisava ingerir amido ou açúcar constantemente. Mal sabia ele que, como aprendemos na dica 4, "Achate sua curva do café da manhã", devido à forma como a insulina age, a glicose no doce ou na barra de granola tende a ser armazenada, em vez de usada como combustível.[6] Por isso, quando comemos algo doce, na verdade há *menos* energia em circulação no corpo depois da digestão do que quando comemos algo salgado. O lanche fazia Gustavo se sentir brevemente turbinado. Mas isso não durava muito, e uma hora depois ele já estava cansado e precisava parar para outro lanche.

Como mencionei na dica 2, "Adicione uma entrada verde a todas as suas refeições", Gustavo resolveu fazer alterações em seu estilo de vida pela primeira vez depois que pessoas próximas dele faleceram por complicações relacionadas ao diabetes tipo 2. Gustavo também abandonou os cereais matutinos, trocando-os por um smoothie equilibrado em glicose, feito à base de linhaça, figo-da-índia (um cacto em forma de pera com espinhos) e raiz de maca (ele jura que é mais saboroso do que parece). Depois de comer, adeus ao sedentarismo, e bem-vindas as caminhadas. Em seguida, ele cuidou do lanche na estrada: nunca mais comeu doce nem barra de granola do posto de gasolina; muito melhor levar consigo cenoura, pepino e pasta de amendoim. E é isso que ele faz agora.

Atualmente, com a curva de glicemia mais achatada, Gustavo não sente aquela necessidade extrema de tirar uma soneca no meio da estrada. Sua energia é constante durante a viagem inteira. Ele também perdeu quarenta

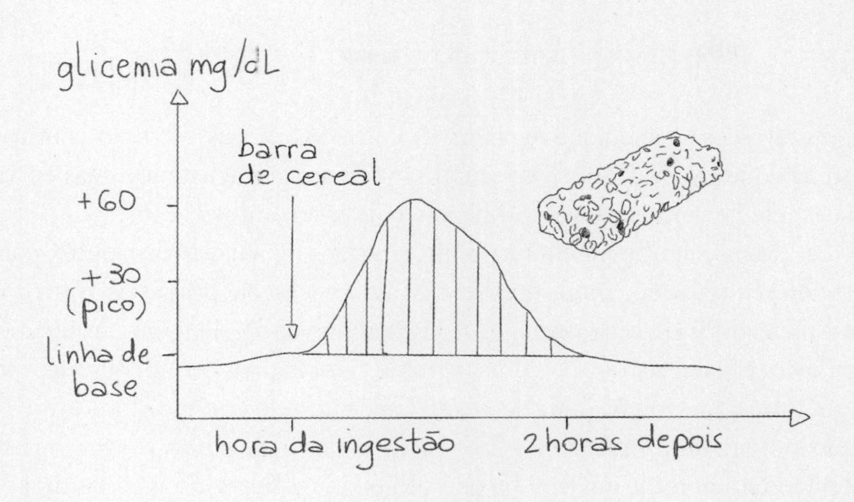

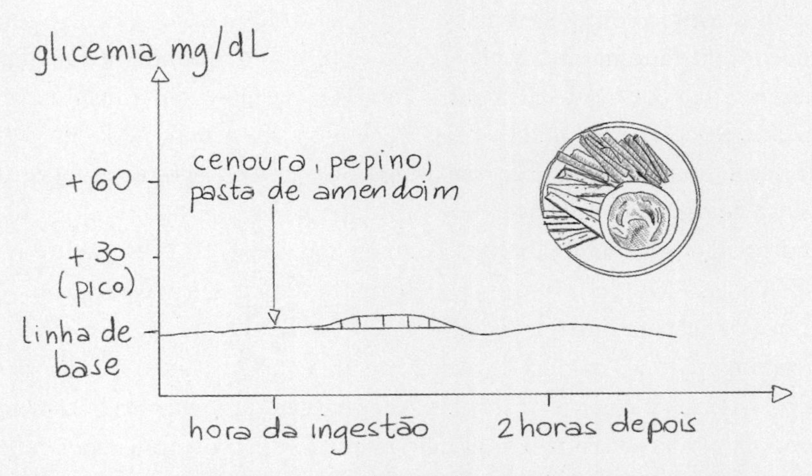

Para uma energia constante, escolha lanches que não causam picos na sua glicemia.

quilos, passou a tomar menos medicamentos para depressão e sente menos névoa mental.

Caso esteja em busca de energia, e sei que parece paradoxal, pule o lanchinho doce — não opte por doce ou barra de granola. Escolha, em vez disso, um lanche salgado. E tampouco com amido, já que ele se transforma em glicose também.

Eis meus lanchinhos salgados favoritos.

OS LANCHES SALGADOS DE TRINTA SEGUNDOS SEM PICO DE GLICEMIA

Uma colherada de pasta de castanhas
Uma xícara de iogurte grego integral coberto com um punhado de nozes-pecã
Uma xícara de iogurte grego integral misturado com pasta de castanhas
Um punhado de cenouras baby com uma colher de homus
Um punhado de macadâmias com um quadradinho de chocolate 90% de cacau
Uma lasca de queijo
Fatias de maçã com uma lasca de queijo
Fatias de maçã besuntadas com pasta de castanhas
Pimentão fatiado com uma colher de guacamole
Aipo passado em pasta de castanhas
Um punhado de torresmo
Um ovo cozido com uma pitada de molho apimentado
Lascas de coco com uma pitada de sal
Bolachas salgadas enriquecidas com grãos e um pedaço de queijo
Uma fatia de presunto
Um ovo cozido mole com uma pitada de sal e pimenta

Dica 10: “Vista” seus carboidratos

Não sei quanto a você, mas nem sempre eu tenho tempo de me sentar para comer. E muitas vezes sinto fome sem nenhuma comida por perto — à minha volta, apenas um mercadinho de esquina perto do local da próxima reunião, ou a lanchonete do portão do aeroporto na hora de embarcar.

Então esta dica é para esses momentos — comer com pressa na vida real, quando precisamos pegar alguma coisa antes de entrar no ônibus, ou estamos em uma festa ou um café da manhã de negócios, no trânsito voltando do trabalho, ou na estrada. É para aquelas horas em que acabamos encarando um pedaço de bolo no café da manhã porque estamos com fome e é o que tem.

A solução é simples e já a mencionei nestas páginas: combine amido e açúcar com gordura, proteínas ou fibras. Eis, portanto, a dica: em vez de deixar os carboidratos correrem pelados (sozinhos) pelo seu corpo, “vista-os”. Os carboidratos “vestidos” reduzem a quantidade de glicose absorvida pelo corpo e a velocidade dessa absorção.

Pode comer o brownie na casa dos amigos, mas peça junto com ele um iogurte grego também. Pode comer a bisnaga na reunião da empresa, mas junto coma um filé de salmão. Pode comprar o almoço pré-preparado na lanchonete, mas adicione ingredientes da delicatéssen: tomate-cereja e algumas castanhas. Caso queira fazer biscoitos, coloque castanhas na massa. E se for servir torta de maçã, coloque um pouco de creme por cima.

Quando for degustar carboidratos (e você vai, e pode, e deve), adote o hábito de acrescentar fibras, proteínas e gordura e, se puder, coma-as antes.[1] Até o lanche salgado – que já é melhor para sua curva de glicemia, mas ainda pode conter amido – precisa de "roupa": adicione abacate e queijo às torradas, passe manteiga de castanhas no biscoitinho, e coma algumas amêndoas antes do croissant.[2, 3]

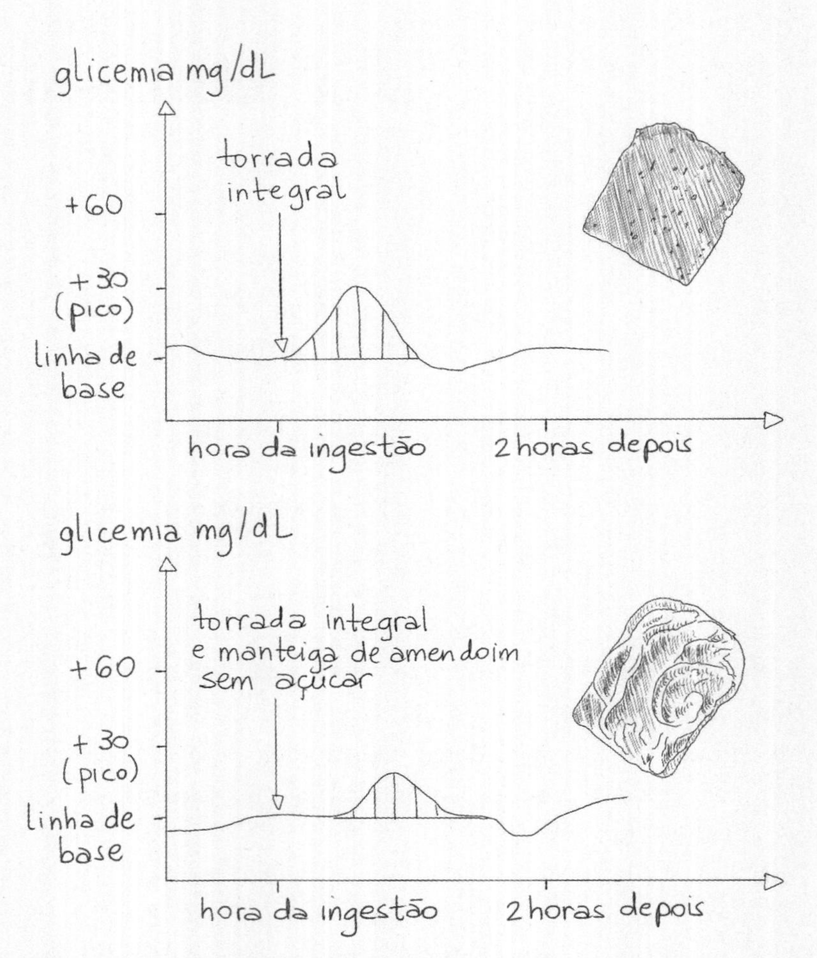

Muitas vezes, "vestir" os carboidratos também os torna mais saborosos.

Ouvi dizer que acrescentar gordura à refeição é ruim devido ao pico de insulina.

Essa é uma crença que foi popularizada por um francês, Michel Montignac, nos anos 1980, mas as descobertas científicas mais recentes demonstram o contrário.[4] Acrescentar gordura a uma refeição não intensifica o pico de insulina causado por ela. Repito, adicionar gordura à refeição não piora o pico de insulina. Isso não manda o corpo liberar mais insulina. Na verdade, ingerir gordura depois de uma refeição rica em carboidratos *reduz* a quantidade de insulina produzida como reação à comida.[5]

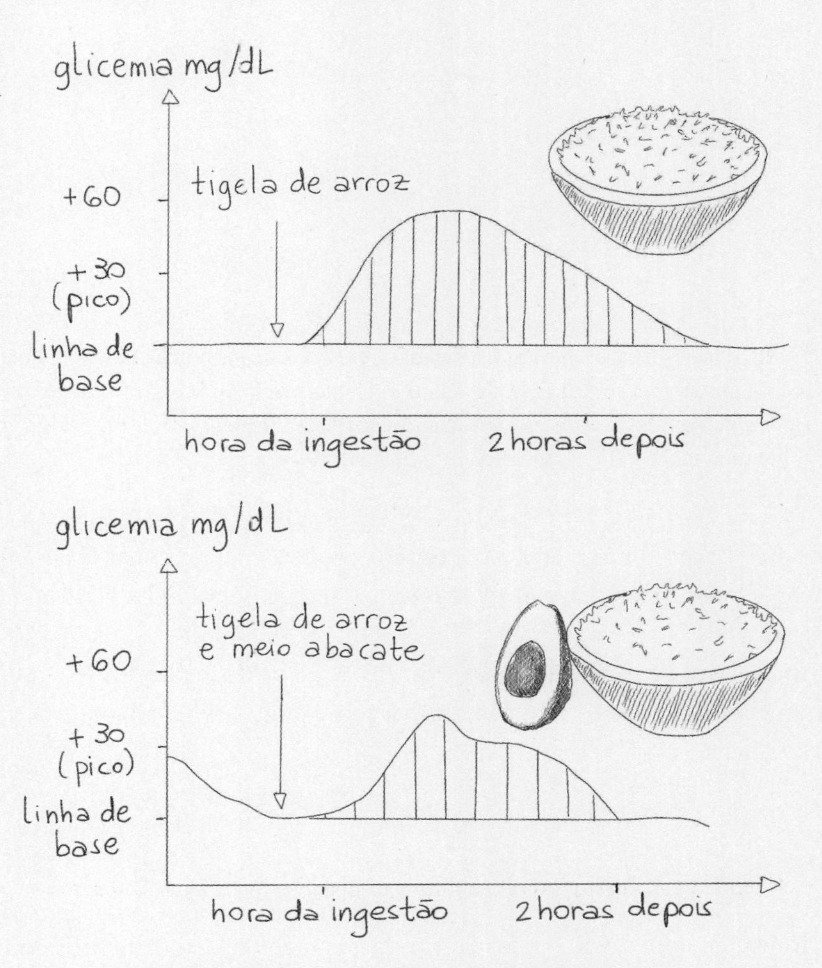

Arroz é melhor para a glicemia quando está "vestido".

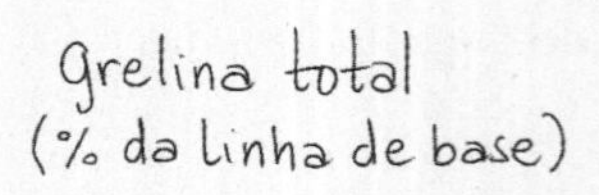

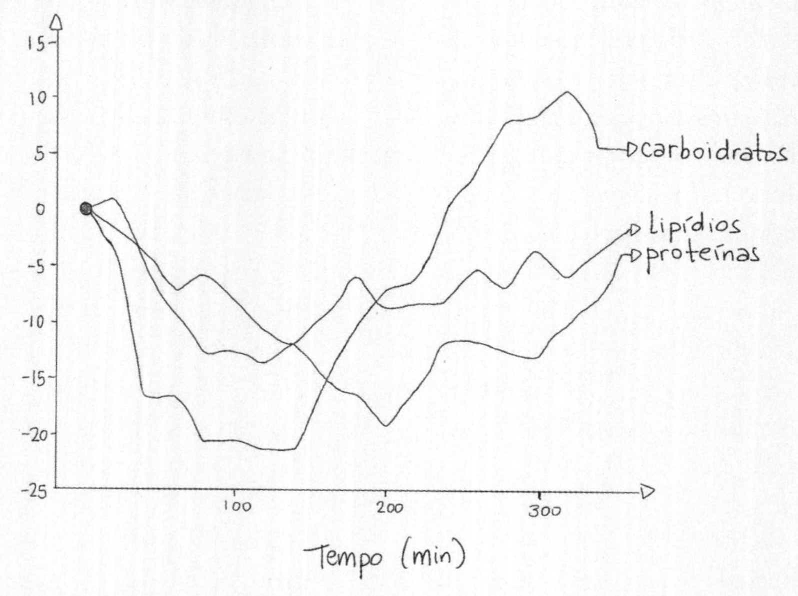

Quando ingerimos carboidratos sozinhos, a grelina, um hormônio que nos manda continuar comendo, flutua rapidamente, nos deixando com mais fome do que estávamos antes de comer. Os carboidratos fazem nossa fome subir e descer como uma montanha-russa, enquanto as gorduras e proteínas não.[7]

Ingerir carboidratos é ruim não apenas para a glicemia, mas também bagunça os hormônios da fome. Por isso, passamos da saciedade à fome com muita rapidez.[6]

Ao "vestir" os carboidratos, evitamos aquelas dores de fome. Também evitamos o mau humor que vem com a fome, algo que me acometia quase todo dia na adolescência.

CONHEÇA LUCY E SEU TEMPERAMENTO

"Eu fiquei com medo de destruir todos os meus relacionamentos, um por um."

A confissão saiu da boca de Lucy, 24 anos, uma heptatleta que vive no Reino Unido. Lucy só respondia mal aos pais e era agressiva com os amigos. Seu comportamento a transformava aos poucos numa pessoa que ninguém queria ter por perto. E, como ela veio a descobrir, a culpa não era dela — e sim dos carboidratos "pelados".

Milhares de estudos científicos mostram os danos que os picos de glicemia causam ao corpo, mas, como mencionei no capítulo anterior, a fascinante conexão entre a glicose e o cérebro ainda está sendo revelada. Já comentei as pesquisas que provam que quanto mais picos de glicemia na nossa dieta, maiores os sintomas de depressão e ansiedade. Porém, graças a um experimento recente e fascinante, descobrimos também que, ao ingerir um café da manhã causador de picos de glicemia, a vontade de punir as pessoas à nossa volta aumenta — ficamos mais vingativos e menos cordiais com o próximo.[8]

A confissão de Lucy pode parecer exagerada, mas seus picos de glicemia também eram exagerados. Isso ocorre porque Lucy é diabética tipo 1, que não tem capacidade de produzir insulina o bastante.

Quando ocorre um pico sem insulina, a glicose não consegue chegar de forma adequada às células. Por isso, ela permanece elevada na corrente sanguínea por um tempo prolongado, enquanto as células vão ficando desprovidas de energia. Isso é causa de sérios problemas — quando tinha quinze anos, antes de ser diagnosticada, Lucy não tinha forças nem para levantar um garfo.

No primeiro dia de sua nova vida como diabética tipo 1, as enfermeiras do hospital deram a Lucy um prato de massa "nua" para comer. Em seguida, ensinaram a ela como injetar insulina no abdome usando uma seringa. A insulina se espalhava por seu corpo inteiro, ajudando a glicose da massa a se encaminhar às células, baixando o pico causado pela comida.

As enfermeiras explicaram: coma carboidratos em toda refeição e injete insulina em toda refeição. Quanto maior o pico de glicemia daquilo que você acabar de comer, mais insulina terá que ser injetada. Para uma pessoa sem diabetes, isso pode parecer simples, mas encontrar a dose exata é uma ciência. Você precisa calcular o tempo todo qual será sua glicemia durante mais ou menos uma hora, sempre se antecipando para evitar as temidas altas e baixas. Comer, tirar uma soneca, exercitar-se: tudo se transforma em um problema matemático. Picos elevados e quedas acentuadas são o nome do jogo para a maioria dos diabéticos. Para dar um exemplo, depois de diagnosticada e de passar a usar insulina, Lucy chegava a ter uma glicemia de 300 mg/dL, que caía em seguida para 70 mg/dL, subindo de novo depois para 250 mg/dL e caindo mais uma vez para 70 mg/dL, todos os dias. Lembre-se, meu maior pico como uma pessoa sem diabetes foi de 100 mg/dL para 180 mg/dL, com um donut no estômago vazio — e eu senti os efeitos colaterais intensamente.

Lucy sentia os efeitos ainda mais. Acordava todas as manhãs como se estivesse de ressaca. Sempre que sua glicemia estava alta, ela brigava com a mãe. Não conseguia se controlar e sempre acabava chorando, depois, de arrependimento. Isso acontecer em casa era uma coisa — até que na escola os colegas começaram a evitá-la também.

Em mim, um pico relativamente baixo (comparado ao que um diabético pode vivenciar) pode desencadear névoa mental e despersonalização. Em Lucy, os picos provocavam uma fúria incontrolável. Ela também se sentia travada. Pensava: "Acho que vou ter que conviver com isso".

Lucy começou a pesquisar os fóruns de diabéticos tipo 1 em busca de conselhos sobre como lidar com os sintomas. Outros diabéticos tipo 1 conversavam sobre maneiras de achatar suas curvas de glicemia e compartilharam a minha conta no Instagram.

Lucy descobriu algumas coisas que a ajudaram: primeiro, viu que não diabéticos como eu também podem sofrer picos de glicose acima de 180. Isso foi um choque para ela. Lucy sempre achou que nas pessoas sem diabetes a glicemia ficava estável, entre 70 e 80 mg/dL, o dia inteiro. Isso a fez se sentir menos solitária: *para todos nós* é difícil achatar a curva de glicemia.

Depois, ela viu que eu usava um monitor de glicemia. Ela disse: "Ver você com ele, orgulhosa, mesmo sem precisar, me deu a coragem de colocar um também. Me ajudou a não me sentir constrangida".

Por fim, ela percebeu que, conforme aquilo que comemos, é possível baixar de verdade a curva de glicemia. Lucy compreendeu que podia fazer algo em relação à sua sensação ruim, de corpo, mente e alma.

Ela marcou uma consulta com a endocrinologista e elaborou um plano (quando você injeta insulina ou está tomando qualquer tipo de medicação, é muito importante conversar com o médico antes de mudar a alimentação para se certificar de que não está provocando interações que podem ser perigosas).

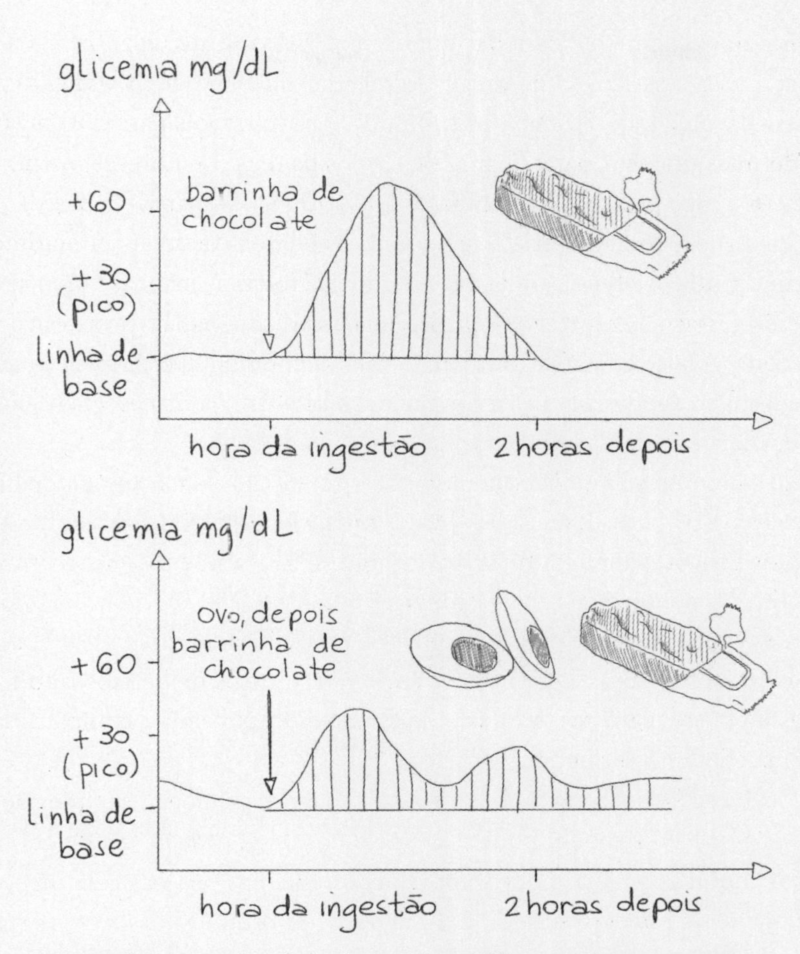

Quando for comer algo doce, "vista-o" com fibras, gorduras e proteínas.

Sempre disseram a Lucy para comer carboidratos em todas as refeições, principalmente no café da manhã. A primeira coisa que ela fez, com a supervisão da endocrinologista, foi achatar seu café da manhã: passou do suco de laranja e dos croissants (de que ela nem gostava mesmo) para salmão, abacate e leite de amêndoas. Ela costumava ter um pico de até 300 mg/dL depois do café da manhã. Hoje, sua glicemia fica praticamente imóvel.

O café da manhã foi fácil de mudar, assim como o almoço e o jantar, mas o lanche foi mais difícil. Por treinar muito, Lucy sente muita fome no meio da tarde, e adora recorrer a uma banana ou uma barra de chocolate.

Ela aprendeu a "vestir" um pouco os carboidratos: colocar pasta de castanhas na banana, comer um ovo cozido antes da barra de chocolate (dica de Lucy: fazer um monte de ovos cozidos toda semana e guardá-los na geladeira).

Com essas dicas, a hemoglobina glicada (medida da variabilidade da glicose) de Lucy caiu de 7,4 para 5,1 em três meses — 5,1 é um nível comum entre muitos não diabéticos. Ela injeta cerca de um décimo da insulina de antes. E é cerca de dez vezes mais feliz que antes.

Quando "vestimos" os carboidratos, o jogo de Tetris que o nosso corpo joga com a glicose passa do nível dez para o nível um. Diminui o estresse oxidativo, os radicais livres, as inflamações e diminui a insulina. Com a curva de glicemia mais achatada, nós nos sentimos melhor e nosso humor fica mais estável.

Agora, em vez de sentir uma espécie de ressaca, Lucy acorda se sentindo renovada. Parece simples, mas às vezes são as pequenas coisas que têm mais significado: ela anda pela cozinha com um sorriso no rosto e, sem ser desaforada, pergunta à mãe se pode preparar um café. Não fica mais tão irritada. Não chora depois de bater boca com os pais ou os colegas — porque não bate mais boca com tanta frequência hoje em dia.

Seus relacionamentos voltaram ao estado ideal. Como ela conta, sua glicemia estável lhe permite "ser a pessoa que eu quero ser, apenas uma pessoa legal, e isso é o mais importante".

Ouvi muitas histórias como essa. Uma curva mais achatada pode nos tornar mais pacientes com os filhos, mais amorosos com o parceiro e mais camaradas com os colegas.

FAÇA A EXPERIÊNCIA: A fome o deixa irritado? Faz você lamentar quando fala grosso com as pessoas amadas? Pense naquilo que você comeu antes de algum desses episódios. Talvez você consiga rastreá-lo a carboidratos "pelados".

E quanto às frutas?

Como expliquei na Parte I, as frutas que comemos hoje em dia são resultado de séculos de reprodução e seleção, visando aumentar a glicose e a frutose e diminuir as fibras. Por isso, embora as frutas in natura ainda sejam o jeito mais saudável de ingerir açúcar, podemos dar um passo além e nos auxiliar um pouco mais combinando-a com amigos do achatamento da glicose – gordura, proteínas e fibras.

Eis algumas dicas a ter em mente.

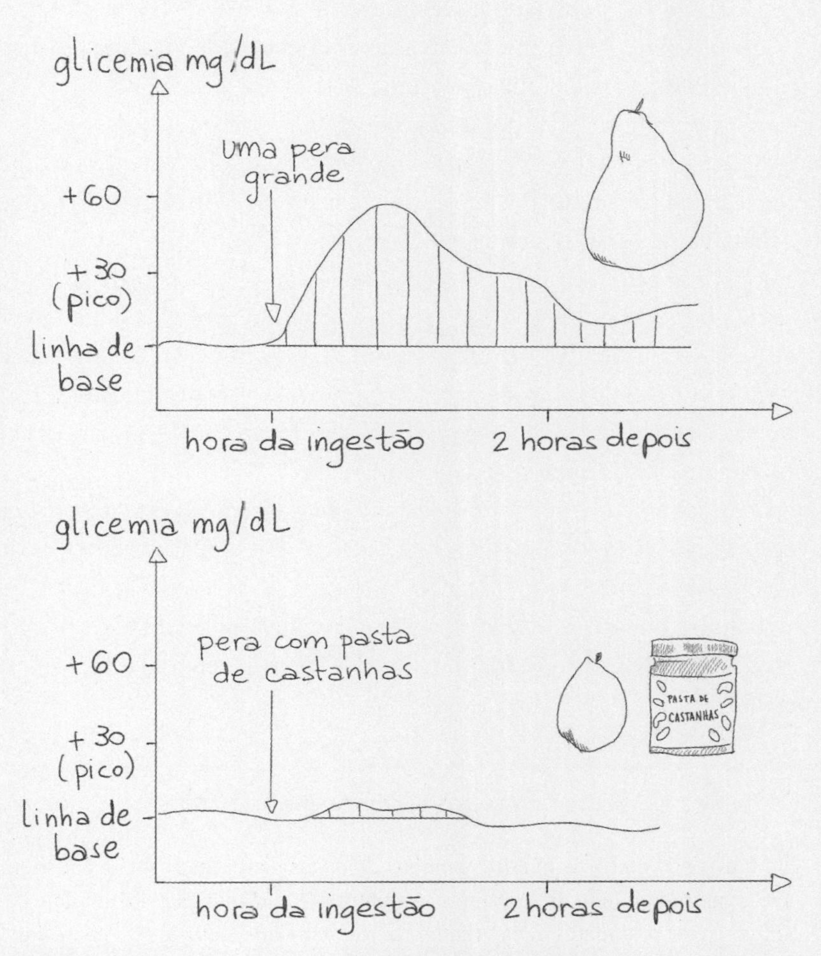

Combine suas frutas – na comunidade Glucose Goddess, as combinações favoritas são pasta de castanhas, castanhas, iogurte integral, ovos e queijo cheddar.

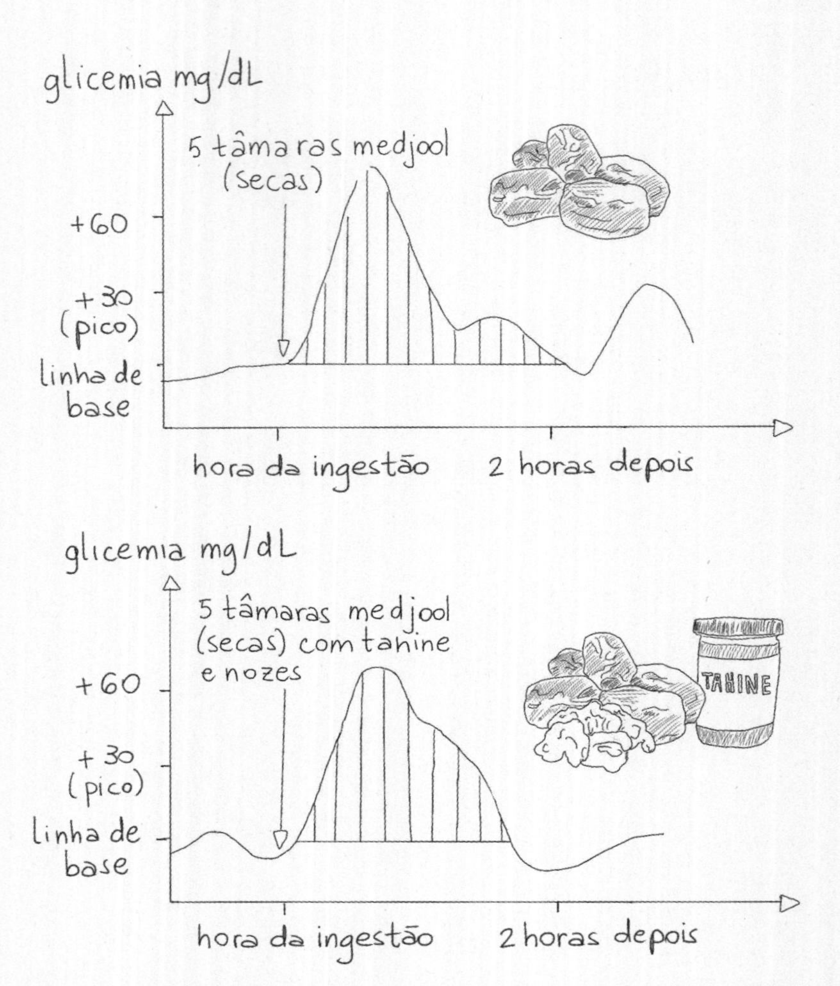

Tâmaras são uma das maiores bombas de glicose entre as frutas e causam picos mesmo quando as "vestimos". E ainda assim dizem que elas ajudam a administrar o diabetes. Vá entender. Sério: é melhor evitá-las ou comê-las em pequenas quantidades.

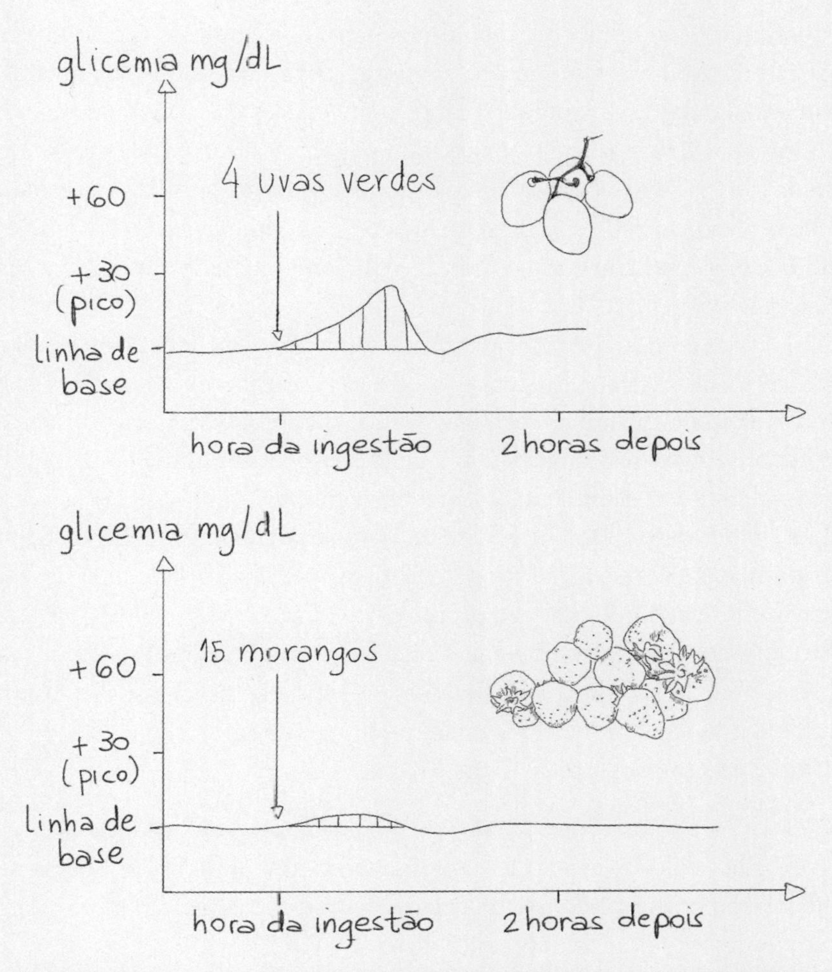

Uma última coisa – quando você tem a opção entre diferentes frutas, a melhor delas são as frutas vermelhas. Frutas tropicais e uvas são cultivadas de modo a acumular enormes quantidades de açúcar; por isso, coma-as na sobremesa ou "vista-as" um pouco.

Grãos integrais também precisam de "roupa"?

Costumamos pensar que, quando os grãos são integrais (arroz integral, macarrão integral etc.), são muito melhores. A verdade é que são apenas ligeiramente melhores — amido é sempre amido. Pão e macarrão que anunciam "grão integral" na embalagem já passaram pelo moinho — o que significa que parte da fibra já se foi. Caso queira pão contendo fibras benéficas, escolha um pão bem preto, como o pão de sementes ou o pumpernickel, pão alemão de centeio (como mencionado na dica 2, "Adicione uma entrada verde a todas as suas refeições").

No fim das contas, todo arroz é arroz, mesmo que seja integral ou selvagem. Não o deixe sair "pelado". Misture ervas frescas picadas, como hortelã, salsinha e endro, além de castanhas torradas, como amêndoas e pistache, e saboreie junto com salmão ou frango assado. *Voilà*, seus carboidratos estão vestidos impecavelmente — e ainda mais gostosos, na minha opinião.

Lentilhas e vagens são outra história, porém: são melhores para você que o arroz porque, embora o arroz (ou pão ou macarrão) seja 100% amido, lentilhas e vagens contêm amido, fibras e proteína.

Lembre-se: quando combinamos a glicose com outras moléculas, sejamos diabéticos ou não, o corpo a recebe numa velocidade mais natural e administrável, e cortamos o pico de glicemia.[9]

Caso você coma os carboidratos sozinhos...

Pão, milho, cuscuz, macarrão, polenta, arroz, tortilhas, bolos, barras de chocolate, cereais, biscoitos, bolachas salgadas, frutas, granola, chocolate quente, sorvete ou qualquer coisa doce

... combine-os com fibras, gordura e/ou proteína:

Qualquer vegetal, abacate, feijão, manteiga, queijo, creme, ovos, peixe, iogurte grego, carne, castanhas, sementes

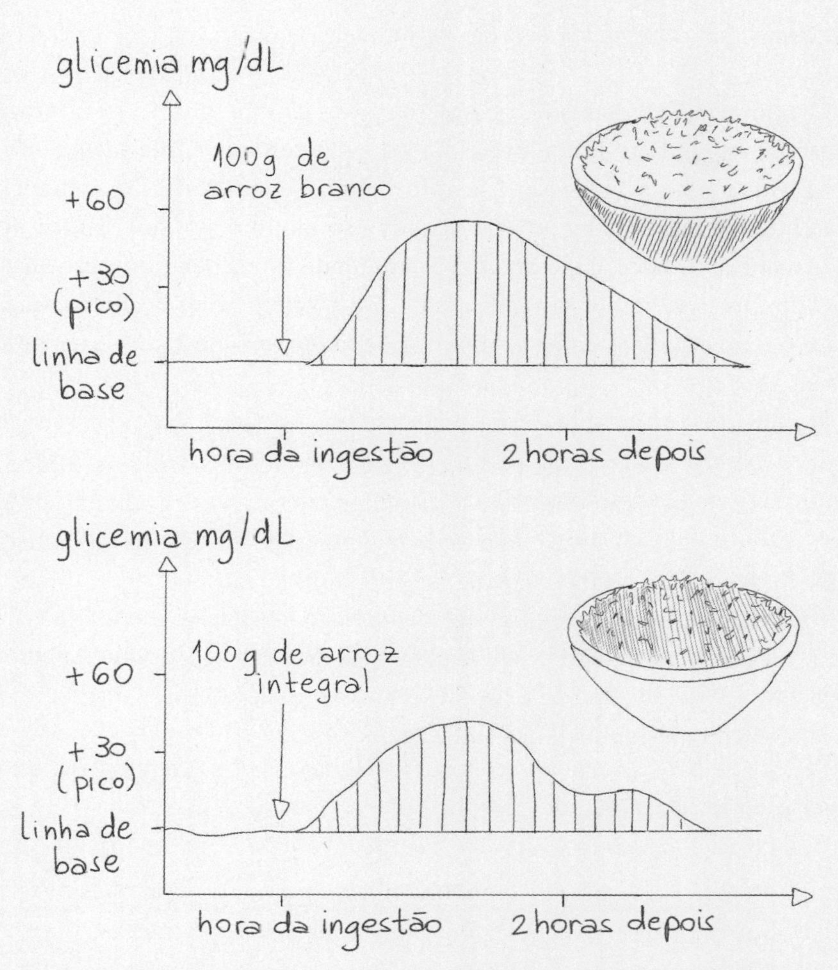

O arroz integral é melhor que o arroz branco para a glicemia, mas é arroz do mesmo jeito. Experimente "vesti-lo" um pouco para achatar sua curva.

Qual gordura devo adicionar?

Ao contrário do açúcar (não existe açúcar bom ou ruim; todo açúcar é igual, qualquer que seja a planta de onde vem), algumas gorduras são melhores para você do que outras.

As gorduras boas são saturadas (gordura de animais, manteiga, ghee e óleo de coco) ou monoinsaturadas (de frutas e castanhas, como abacates, macadâmia e azeitonas). Para cozinhar, use gorduras saturadas — a probabilidade de oxidarem com o calor é menor. A gordura monoinsaturada, como a da azeitona ou a do abacate, não resiste tanto ao calor. Uma regra de ouro é fazer a distinção entre elas: sempre que possível, cozinhe com gorduras sólidas à temperatura ambiente.

As gorduras ruins (que nos causam inflamações, fazem mal ao coração, provocam ganho de gordura visceral e aumentam nossa resistência à insulina) são as gorduras poli-insaturadas e trans, encontradas em óleos processados — óleos de soja, de milho, de canola, de girassol e de flocos de arroz, frituras e fast food (o único óleo de semente que não é tão ruim é o de linhaça).

Nossa saciedade é maior quando há gordura na dieta, mas precisamos ter consciência desse fato: quando adicionamos *muita* gordura, nosso pico de glicemia será fortemente reduzido, mas podemos começar a ganhar peso. Adicione *um pouco* de gordura, como uma ou duas colheres de sopa por refeição, mas não despeje a garrafa de azeite inteira no macarrão.

Por fim, sempre que comprar alguma coisa, não se deixe enganar achando que a versão "desnatada" é melhor para você; iogurte grego integral ajudará sua curva de glicemia muito mais que iogurte desnatado (mais a respeito em "Como identificar um pico nas embalagens", na p. 220).

Como adiciono fibra?

Todo vegetal que existe proporciona fibras. Junto com castanhas e sementes, são a melhor das roupas! Você pode até mesmo experimentar pílulas de fibras, como as de psyllium.

Como adiciono proteínas?

As proteínas são encontradas em produtos de origem animal, tais como ovos, carne de boi, peixe, laticínios e queijos; há também várias fontes vegetais, como castanhas, sementes e feijões. Você também pode usar pó de proteína. Dê preferência àqueles com apenas um ingrediente: a fonte da proteína. Geralmente eu opto por cânhamo ou *pea protein* (proteína de ervilha). Certifique-se de que não seja adoçado.

Tenho diabetes tipo 1. O que devo fazer?

Caso você queira mudar o jeito de comer para achatar a curva de glicemia, converse antes com seu endocrinologista. Ajustar a dieta sem ajustar a medicação pode causar altos e baixos inesperados, e a coisa pode dar errado.

Tenho diabetes tipo 2. O que devo fazer?

Caso você seja dependente de insulina ou esteja tomando alguma medicação, converse com seu médico antes de fazer qualquer alteração na dieta. Com apoio adequado, muita gente pode reverter o diabetes tipo 2. Diversos membros da comunidade Glucose Goddess compartilharam suas histórias de como fizeram isso. Por exemplo, Laura, que tem 57 anos, pesava 150 quilos quando iniciou sua caminhada rumo ao achatamento da curva de glicemia. Ela tomava metformina e glimepirida, dois medicamentos usados para tratar o diabetes tipo 2. Depois de mudar o jeito de comer, graças a um trabalho intenso com o médico e com aquilo que aprendeu em minha conta do Instagram, ela perdeu 25 quilos (e continua perdendo), reduziu tanto a hemoglobina glicada de 9 para 5,5 quanto a dosagem de seus medicamentos.

Quando estou em Paris, onde vivo em parte do ano, costumo sair de manhã para dar uma caminhada. Nessa hora do dia, quando passo em frente à padaria, sinto uma intensa vontade de atacar uma baguete. Quando sentimos fome, os carboidratos "pelados" ficam extremamente atraentes. Mas não perco de vista que, quanto mais fome sinto, mais vazio está meu estômago, e maior o pico que esses carboidratos "pelados" causarão (por isso é tão importante achatar a curva do café da manhã). Criei o hábito de "vestir" essa baguete: hoje em dia, mastigo umas amêndoas no mercadinho da esquina antes de dar a primeira mordida na baguete e, quando chego em casa, passo um pouco de manteiga com sal nela.

As dicas deste livro fizeram enorme diferença na vida das pessoas da comunidade Glucose Goddess: é muito empolgante para mim saber que você também pode começar a experimentá-las. E, ao fazê-lo, lembre-se: tudo bem se nem sempre der para seguir. O simples fato de acrescentar essas dicas um pouco à sua vida, e nas horas mais fáceis, já trará benefícios à sua saúde.

Lembrete de dicas: Como ser um Guru da Glicose nas horas difíceis

Eis algumas dicas baseadas em situações específicas em que me pediram conselhos: quando bate aquela vontade, quando estamos no bar ou quando estamos no mercado.

QUANDO BATER AQUELA VONTADE

Às vezes, mesmo com todas as dicas que eu descrevi nestas páginas, você pode sofrer uma compulsão por açúcar. Eis o jeito de derrotá-la.

1. *Dê uma esfriada na vontade durante vinte minutos*. Na época do ser humano caçador-coletor, uma queda na glicemia era sinal de muito tempo sem comer. Em resposta, o cérebro nos mandava escolher alimentos altamente calóricos. Nos dias de hoje, quando nos deparamos com uma queda na glicemia, geralmente é porque a última coisa que ingerimos causou um pico de glicemia. Mesmo assim, o cérebro continua a nos mandar fazer a mesma coisa, optar por alimentos altamente calóricos, embora não estejamos famintos — dispomos de reservas de energia. Depois de uma queda na glicose, o fígado rapidamente intervém (em até vinte minutos), libera glicose armazenada nessas

reservas na corrente sanguínea e traz o nível de volta ao normal. Nesse momento, a compulsão costuma desaparecer. Por isso, na próxima vez que pensar em pegar um biscoito, marque vinte minutos no alarme. Se a compulsão foi provocada por uma queda na glicose, irá embora até o alarme tocar.

2. Se os vinte minutos passaram e você ainda está pensando naquele biscoito, *separe-o como sobremesa para a próxima refeição*. No meio-tempo, esteja plenamente ciente de que está passando por uma compulsão, e lembre-se de que já passou por isso antes e que é algo temporário. Em seguida, experimente os seguintes matadores de vontade: chá de raiz de alcaçuz ou café misturado com uma colher cheia de óleo de coco. Outras coisas que podem ser tentadas: chá de hortelã, suco de picles, gomas, ou um copo grande de água com uma pitada grande de sal. Escove os dentes. Ou dê uma caminhada.
3. Caso você não consiga esperar pela sobremesa na próxima refeição e decida que vai comer o que está causando a compulsão, *beba um copo grande de água com uma colher de sopa de vinagre de maçã* (ou o mais próximo de uma colher de sopa que lhe convier).
4. *Por fim, "vista" um pouco os carboidratos*. Coma um ovo, um punhado de castanhas, duas colheres de iogurte integral, um buquê de brócolis assado, antes daquilo que queria comer.
5. *Coma o que causa a compulsão*. Aproveite!
6. *Mexa os músculos até uma hora depois*. Saia para uma caminhada ou faça alguns agachamentos, aquilo que funcionar melhor para você.

QUANDO ESTIVER NO BAR

Ao pedir um drinque em um bar, dá para não pedir um pico de glicemia e frutose junto (é coisa demais para o fígado aguentar).

Entre as bebidas alcoólicas que mantêm estáveis nossos níveis estão o vinho (tinto, branco, rosé ou espumante) e os destilados (gim, vodca, tequila, uísque e até o rum). Dá para bebê-los de estômago vazio sem que causem um pico de glicemia. Cuidado com os coquetéis: misturar suco de frutas, coisas doces

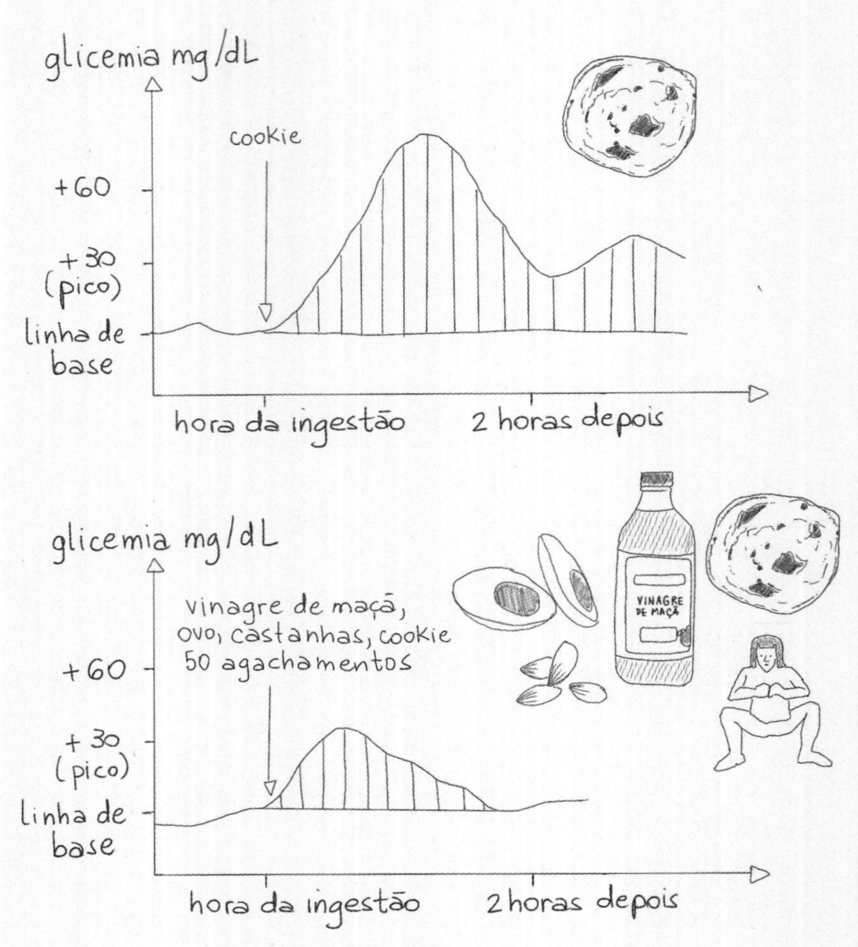

Eis o combo definitivo de dicas para as compulsões.

ou refrigerantes causará um pico. Beba com gelo, com água com gás ou com suco de limão. Quanto à cerveja, que causa picos em razão do elevado conteúdo de carboidratos, as melhores são as ale e lager, em relação à stout (como a Guinness) e a porter. O ideal é pedir uma cerveja pobre em carboidratos.

E caso você curta petiscar, prefira castanhas e azeitonas, que ajudam a equilibrar a glicemia — e tente manter distância de batatas chips, já que estas causam um pico glicêmico.

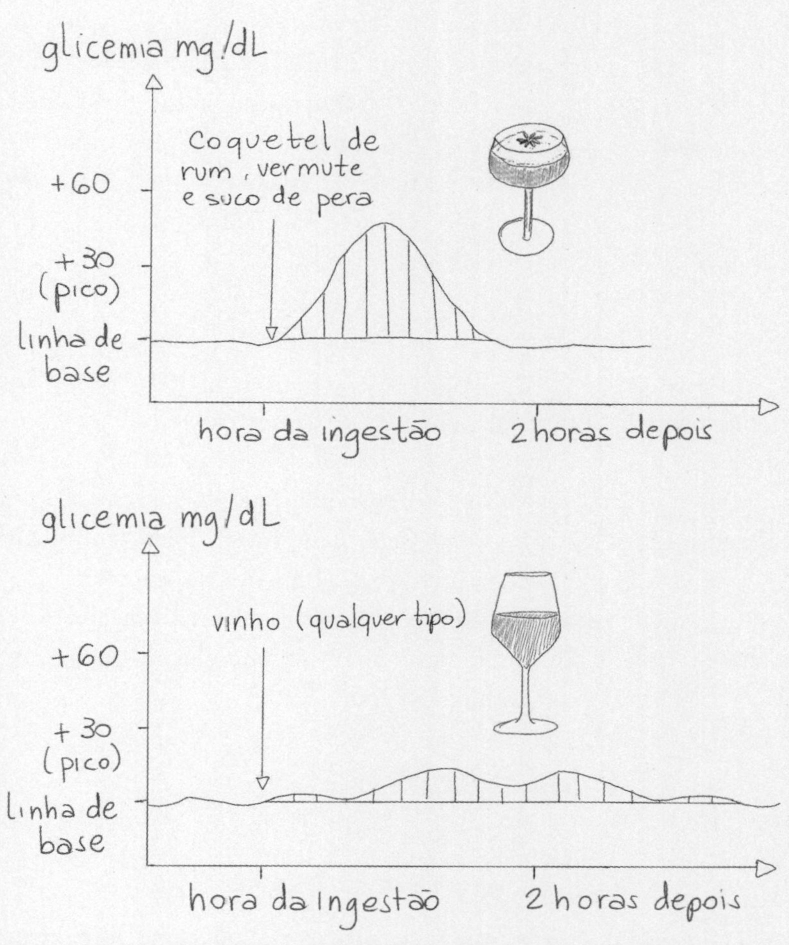

Vinho é bom, champanhe e destilados também, mas passe longe de coquetéis e cerveja.

QUANDO ESTIVER NO MERCADO

Você achatará naturalmente sua curva de glicemia se cortar a maior parte dos alimentos processados; porém, nas horas em que tiver que comprá-los, eis a que se deve atentar.

Os itens na prateleira dos supermercados não receberiam uma medalha de ouro por sinceridade, longe disso. Quando um alimento processado causa picos de glicemia, isso não será destacado na frente da embalagem. Vai ficar bem escondido, e a embalagem procura distraí-lo com dizeres como "zero gordura" ou "sem adição de açúcar" — o que, infelizmente, não quer dizer que seja saudável. Para descobrir se um alimento processado causará um pico de glicemia, não olhe a parte da frente da embalagem. Olhe a parte de trás.

Como identificar um pico nas embalagens

A primeira coisa a observar é a lista de ingredientes. Eles são dispostos em ordem decrescente de peso. Quando o açúcar está entre os cinco principais ingredientes, isso significa que uma enorme proporção do alimento consiste em açúcar, mesmo que o sabor não seja adocicado — um pãozinho de leite, por exemplo, ou um vidro de ketchup —, e que ele causará um pico de glicemia. Caso o açúcar esteja entre os cinco ingredientes principais, o alimento será doce, e você sabe o que isso representa: um pico de frutose oculto.

Os fabricantes se especializaram em dar vários nomes diferentes ao açúcar, dificultando a vida do consumidor. Sei que é um tanto chato, mas recomendo ler a lista abaixo pelo menos uma vez, para conhecer todos os ingredientes que podem causar um pico.

Os muitos nomes do açúcar nas listas de ingredientes

Fique de olho nos seguintes:

Açúcar, açúcar de beterraba, açúcar de cana, açúcar de coco, açúcar de confeiteiro, açúcar de tâmara, açúcar de uva, açúcar demerara, açúcar dourado, açúcar impalpável, açúcar mascavado, açúcar mascavo, açúcar turbinado, caldo de cana evaporado, caramelo, concentrado de purê de frutas, concentrado de suco de frutas, cristais de cana-de-açúcar, dextrina, dextrose, extrato de malte, frutas esmagadas, frutas espremidas, frutose, galactose, glicose, malte de cevada, maltodextrina, maltose, mel, melaço, néctar de agave, rapadura, sacarose, sólido de xarope de glicose, sólido de xarope de milho, sucanat, suco de frutas, xarope de agave, xarope de arroz, xarope de arroz castanho, xarope de malte, xarope de milho, xarope de milho de alta frutose (HFCS), xarope de palma, xarope dourado.

Deve-se fazer menção honrosa a "suco de frutas", "concentrado de suco de frutas", "concentrado de purê de frutas" e "frutas espremidas": esses termos têm pipocado cada vez mais nas caixas de cereais, pacotes de iogurte e embalagens de granola. Como você já sabe a essa altura, assim que a fruta é desnaturada, processada e suas fibras são extraídas, ela se torna um açúcar igual a qualquer outro. Quando você pega um suco ou um smoothie, encare como você encararia qualquer outro alimento processado: caso o ingrediente principal seja o açúcar – isto é, um dos produtos "de fruta" listados acima –, evite-o. Em vez disso, coma um pêssego ou uma maçã.

ingredientes

 meia maçã espremida

 meio pêssego amassado

 13 uvas espremidas

 11 framboesas amassadas

 um fio de suco de limão

A lista de ingredientes de um inocente smoothie: açúcar sob quatro denominações diferentes (e um toque de suco de limão). Sei que parece bacana, mas não esqueça, suco de frutas não passa de açúcar.

Um doce alemão feito com 25% de suco de frutas (mas o açúcar do suco de frutas é exatamente igual ao açúcar de cana).

INGREDIENTES: FARINHA DE TRIGO, AÇÚCAR, GLICERINA VEGETAL, FRUTOSE, DEXTROSE, MALTODEXTRINA, GORDURA VEGETAL MODIFICADA DE ÓLEO DE PALMA, ÓLEO DE PALMA E/OU ÓLEO DE PALMISTE, AMIDO DE MILHO MODIFICADO, MAÇÃ DESIDRATADA MOÍDA, ÓLEO DE PALMA, LEITES MODIFICADOS, PURÊ DE MORANGO CONCENTRADO, AMIDO DE MILHO, FERMENTO, LECITINA DE SOJA, SAL, ÉSTER DE ÁCIDO TARTÁRICO DIACETILADO DE MONO E DIGLICERÍDEO, COLORANTE (CONCENTRADO DE SUCO DE CENOURA), CITRATO DE SÓDIO, SABOR NATURAL, CELULOSE GEL, ÁCIDO CÍTRICO, ÁCIDO MÁLICO, MONO E DIGLICERÍDEOS, GOMA DE CELULOSE, ALGINATO DE SÓDIO.
CONTÉM INGREDIENTES DE TRIGO, LEITE E SOJA.

Os ingredientes de uma barrinha de cereal crocante Special K. Você consegue identificar os seis tipos diferentes de açúcar relacionados na lista?

Atenha-se aos fatos

Às vezes a impressão é de que cada pedaço das embalagens é uma tentativa de nos confundir. Mas tenho a alegria de anunciar que há um oásis de informação objetiva: os Fatos Nutricionais.

Uma coisa a se ter em mente antes de mais nada: nos últimos anos, os fabricantes vêm reduzindo o tamanho das porções recomendadas nas embalagens, de modo a fazer a coisa parecer melhor em termos de gramas de açúcar. Porções menores significam menos açúcar por porção. Mas quem come apenas *dois* Oreos? Por isso, esteja ciente de que os números absolutos que você vê na embalagem não são o mais importante. A chave é as *proporções*. Permita-me explicar essa maneira potente de decodificar tudo.

Começando pelo começo: pode pular a linha das Calorias. Sim, é aquela que aparece com as letras maiores, porque é nisso que os fabricantes querem que você preste atenção. Mas, como expliquei, moléculas são mais importantes que calorias. Nas Informações Nutricionais, as moléculas do alimento são expostas à vista de todos — caso você saiba como olhar.

Ao avaliar alimentos secos, como biscoitos, massas, pães, cereais, barras de cereais, crackers e chips, vá direto à parte "Carboidrato". Os gramas ao lado dos "carboidratos" e dos "açúcares" representam as moléculas que causam um pico de glicemia: amido e açúcar. Quanto mais gramas de ambos, mais o alimento levará a uma alta dos níveis de glicose, frutose e insulina e desencadeará a reação que mantém sua compulsão por doces.

Informação nutricional

Porções por pacote	
Quantidade por porção	
Calorias	**0**
	% VD*
Total de gorduras 0 g	**0%**
Gorduras saturadas 0 g	**0%**
Gorduras trans 0 g	
Sódio 0 mg	**0%**
Carboidratos 0 g	**0%**
Fibra Alimentar 0 g	**0%**
Açúcares 0 g	
Inclui 0 g de Açúcar Adicionado	**0%**
Proteína 0 g	**0%**

Não é fonte significativa de vitamina D, cálcio, ferro e potássio

(*) Valores diários de referência com base em uma dieta de 2.000 kcal. Seus valores diários podem ser maiores ou menores dependendo de suas necessidades energéticas.

Nas Informações Nutricionais do rótulo de um alimento embalado, as calorias podem até ser o que aparece nas letras maiores, mas não é isso que vai lhe dizer se o alimento causará ou não um pico.

Essa parte do rótulo também inclui a linha da Fibra Alimentar, e, como já descrevi neste livro, as fibras são o único carboidrato que o corpo não consegue decompor — quanto mais fibras na alimentação, mais achatada a curva de glicemia após a refeição. Por isso, eis uma dica: preste atenção na *proporção entre carboidratos e fibras alimentares*.

Selecione itens cujos ingredientes se aproximem de um grama de fibra alimentar para cinco gramas de carboidratos. O jeito de fazer isso é o seguinte: pegue o número de carboidratos e divida por cinco. Tente encontrar um alimento que tenha essa quantidade de fibra alimentar (ou o mais próximo possível). Por que cinco? É uma nota de corte arbitrária, mas eu a adoto porque é próxima daquela encontrada, por exemplo, nas frutas vermelhas. A ciência não faz uma recomendação precisa, mas eu concluí que quanto mais o alimento se aproxima dessa proporção, mais achatada será a curva provocada por ele.

Digamos que você precise comprar pão. Vá ao supermercado com a lista de compras e compare as opções, buscando itens que mantenham reduzidos os seus picos. Deixe de lado qualquer pão que relacione açúcar entre os cinco principais ingredientes, e dentre os demais escolha aquele que tiver mais fibra alimentar por grama de carboidrato. *Voilà*!

Informação nutricional	
Porções por pacote: 15	
Tamanho da porção	**30 g**
Quantidade por porção	
Calorias	**60**
	% VD*
Gorduras totais 1 g	**1%**
Gorduras saturadas 0 g	**0%**
Gorduras trans 0 g	
Colesterol 0 mg	**0%**
Sódio 110 mg	**4%**
Carboidratos 25 g	**8%**
Fibra Alimentar 14 g	**57%**
Açúcares 0 g	
Inclui 0 g de Açúcar Adicionado	**0%**
Proteína 2 g	
Vitamina D 2 mcg	10%
Cálcio 260 mg	20%
Ferro 8 mg	45%
Potássio 240 mg	6%
(*) Valores diários de referência com base em uma dieta de 2.000 kcal. Seus valores diários podem ser maiores ou menores dependendo de suas necessidades energéticas.	

Informação nutricional	
Porções por pacote: 15	
Tamanho da porção	**29 g**
Quantidade por porção	
Calorias	**100**
	% VD*
Gorduras totais 0 g	**0%**
Gorduras saturadas 0 g	**0%**
Gorduras trans 0 g	
Colesterol 0 mg	**0%**
Sódio 190 mg	**8%**
Carboidratos 25 g	**8%**
Fibra Alimentar 2 g	**8%**
Açúcares 7 g	
Inclui 7 g de Açúcar Adicionado	
Proteína 2 g	
Vitamina D	20%
Cálcio	
Ferro	30%
Potássio	2%
(*) Valores diários de referência com base em uma dieta de 2.000 kcal. Seus valores diários podem ser maiores ou menores dependendo de suas necessidades energéticas.	

Compare estes dois rótulos de cereais: Fiber One à esquerda e Special K à direita. O da esquerda tem uma taxa de fibras por carboidratos melhor (catorze gramas de fibra por 25 de carboidratos, contra 2/25). O da esquerda é uma opção melhor.

> FAÇA A EXPERIÊNCIA: Pegue na despensa algo que você come com frequência. Vire a embalagem e veja se vai causar um pico. O açúcar está entre os cinco ingredientes principais? Há pelo menos um grama de fibra para cada cinco gramas de carboidratos?

Posso combinar esses alimentos com proteínas e fibras de outra origem?

Sim, com certeza. Sempre dá para comprar um alimento causador de picos e, ao comê-lo, combiná-lo a fibras, proteínas e gorduras — por exemplo, misturar Oreos com iogurte grego e castanhas. Mas o mais fácil mesmo é começar com ingredientes que já ajudam a manter a glicemia estável.

Não devo nunca comprar coisas que causam picos ou com açúcar entre os três ingredientes principais?

Não, não, isso seria uma medida draconiana! O mais importante é estar ciente daquilo que causa picos em você. Quando eu compro sorvete, estou levando um alimento que contém uma tonelada de açúcar. Com certeza vai causar um pico de glicemia. Sei disso, é uma decisão consciente. Tomo sorvete de vez em quando, e não todo dia. Em relação a coisas como iogurte, cereais e pão, que eu de fato como diariamente, compro os tipos que eu sei que manterão minha glicemia estável.

CUIDADO COM AS MENTIRAS

Eis algumas das mais divertidas investigações detetivescas a fazer — o fato de uma embalagem dizer algo bacana na parte da frente não quer dizer que seja bom para você. Os slogans publicitários e das embalagens abaixo não passam de um jeito de tentar convencê-lo a comprar os produtos. Por exemplo, "zero glúten", "vegano" e "orgânico" não significam que o alimento não causará um pico.

> FAÇA A EXPERIÊNCIA: Procure limitar-se aos corredores mais externos do supermercado. Comprando "pelas beiradas", você encontra frutas, legumes, laticínios, carnes e peixes — todos alimentos minimamente processados. Quando se aventurar supermercado adentro, certifique-se de também utilizar as técnicas deste capítulo na hora de selecionar alimentos processados. Em pouco tempo, seu cérebro se tornará um escâner de picos.

E uma última dica: nunca vá às compras com fome... isso baratina o cérebro. Quando faço isso, os vegetais parecem incrivelmente insípidos, e todos os itens achocolatados das prateleiras começam a me chamar pelo nome.

"Zero glúten" não é sinônimo de "saudável". Significa apenas que o alimento não leva trigo. Pode conter outros amidos e um monte de açúcar.

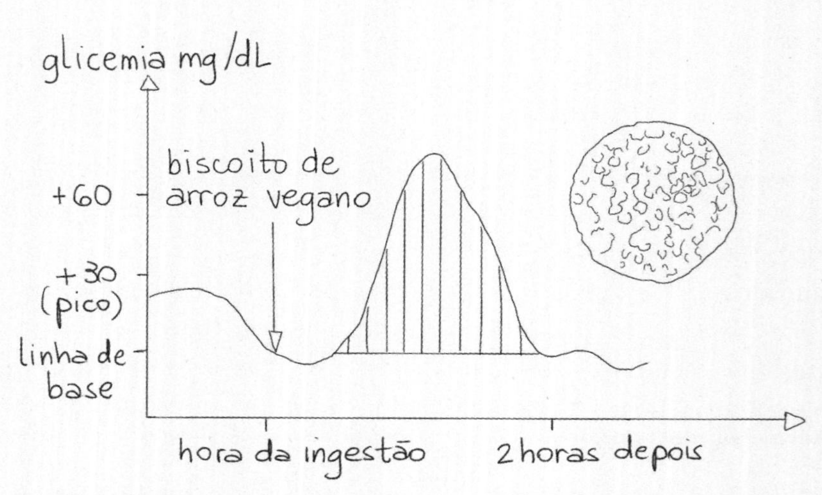

"Vegano" não significa "saudável". Significa apenas que o alimento não tem ingredientes de origem animal. Assim como ocorre com o "zero glúten", pode conter um bocado de amido e açúcar.

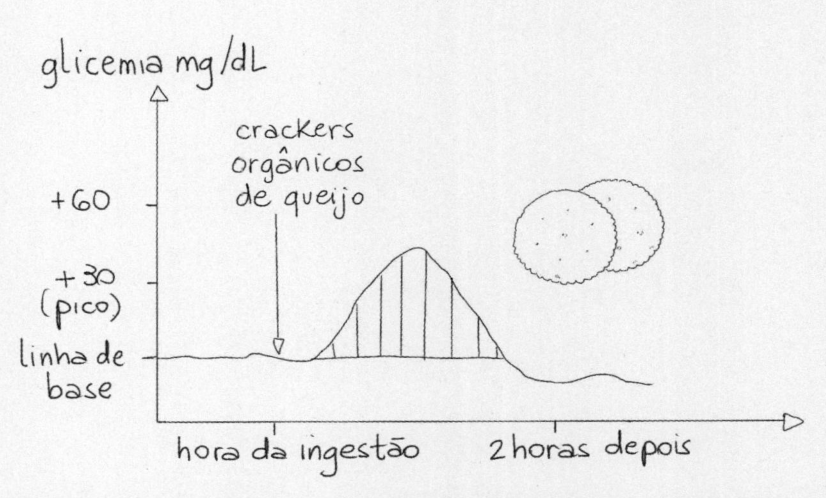

"Orgânico" não quer dizer "saudável". O alimento pode conter um monte de amido e açúcar.

Um dia na vida de um Guru da Glicose

Usando as dicas deste livro, há muitos jeitos de viver como um Guru da Glicose. Eis um exemplo da minha própria rotina, em que uso as dicas para achatar minha curva de glicemia.

Café da manhã: tomo café com um pouco de leite integral (e não creme); o conteúdo mais rico em gordura ajuda a manter estável minha glicemia. Dois ovos mexidos em uma frigideira com manteiga e sal marinho, servidos com duas colheres de homus como acompanhamento. E depois uma torrada de pão preto de centeio com manteiga. Antes de sair de casa, pego um quadradinho de chocolate amargo (80%) – tenho vontade de algo doce, e o ideal é ingerir no final da refeição, e não isoladamente, às 11h, como eu fazia antes. Dicas usadas aqui:

- Dica 4: Achate sua curva do café da manhã
- Dica 6: Em vez de lanches doces, prefira sobremesa

No trabalho: tomo chá preto (antes eu tomava chá verde, mas anda em falta).

Almoço: esquento no micro-ondas as sobras da noite anterior: vagem, bacalhau assado com tahine e arroz selvagem, ingeridos exatamente nessa ordem. Dica usada aqui:

- Dica 1: Coma na ordem certa

À tarde: Na hora da caminhada, topo com o cookie mais bonito do mundo. Nessa hora, saco da minha caixa de ferramentas um truque: compro o cookie, mas não como na hora. Volto para o trabalho, tomo um copo d'água com uma colher de sopa de vinagre de maçã, como cinco amêndoas, *e aí* como o cookie. Uns vinte minutos depois, é hora de mexer os músculos para ajudar a achatar a curva. Por isso, vou para o banheiro, onde faço quarenta agachamentos e dez flexões na bancada da pia. Dicas usadas aqui:

- Dica 7: Use o vinagre antes de comer
- Dica 8: Depois de comer, mexa-se
- Dica 10: "Vista" seus carboidratos

Jantar: Convido os amigos para jantar. Sirvo vinho branco, que contém menos glicose e frutose do que, por exemplo, gim-tônica. Sirvo crudités — cenoura crua e palmito em fatias — como aperitivo. À mesa, saco minha salada favorita de presunto e alecrim com batatas ao forno como acompanhamento. Meus amigos já sabem que é para comer a salada primeiro e depois as batatas, para achatar a curva de glicemia.

Na sobremesa, morangos e *clotted cream* (creme coagulado). Vinte minutos depois da sobremesa, faço todo mundo se levantar e sair para uma caminhada na rua, de dez minutos, até a pracinha do bairro. Na volta, meus convidados se sentem tão energizados que todos querem ajudar a lavar a louça! Dicas usadas aqui:

- Dica 1: Coma na ordem certa
- Dica 8: Depois de comer, mexa-se
- Dica 10: "Vista" seus carboidratos

Você é especial

As dicas deste livro dão certo para todos nós. Não importa quem você seja, comer os carboidratos por último e adicionar uma entrada verde à sua refeição sempre achatará sua curva de glicemia. Um café da manhã salgado é o ideal. Vinagre e exercícios também lhe permitirão comer aquele bolo e continuar saudável.

No entanto, em relação a refeições específicas — digamos, a sobremesa —, a melhor opção pode variar de uma pessoa para outra.

Em 2019, ajudei minha amiga Luna a colocar um monitor de glicemia e a recrutei para um experimento bastante complicado. Primeiro, tomamos o mesmo café da manhã e almoço, de modo a não causar picos. Depois, no meio da tarde, assei uns biscoitos, tirei o sorvete do congelador e pedi que comesse tudo ao mesmo tempo que eu.

O que aconteceu foi espantoso.

Um pico monstruoso para mim, pico quase nenhum para ela. Nenhuma de nós fez qualquer exercício duas horas antes ou depois de comer, e não consumimos vinagre algum. Você deve estar se perguntando o que diabos aconteceu. Por que o biscoito arrebentou minha glicemia, mas não a dela?

Não foi um acidente, nem uma experiência isolada. Desde 2015, equipes de pesquisadores do mundo inteiro chegaram ao mesmo resultado peculiar: o mesmo alimento pode gerar reações diferentes, dependendo da pessoa.[1]

Essas diferenças se devem a vários fatores: nossa quantidade de base de insulina, nossa massa muscular, floras microbianas diferentes no intestino,

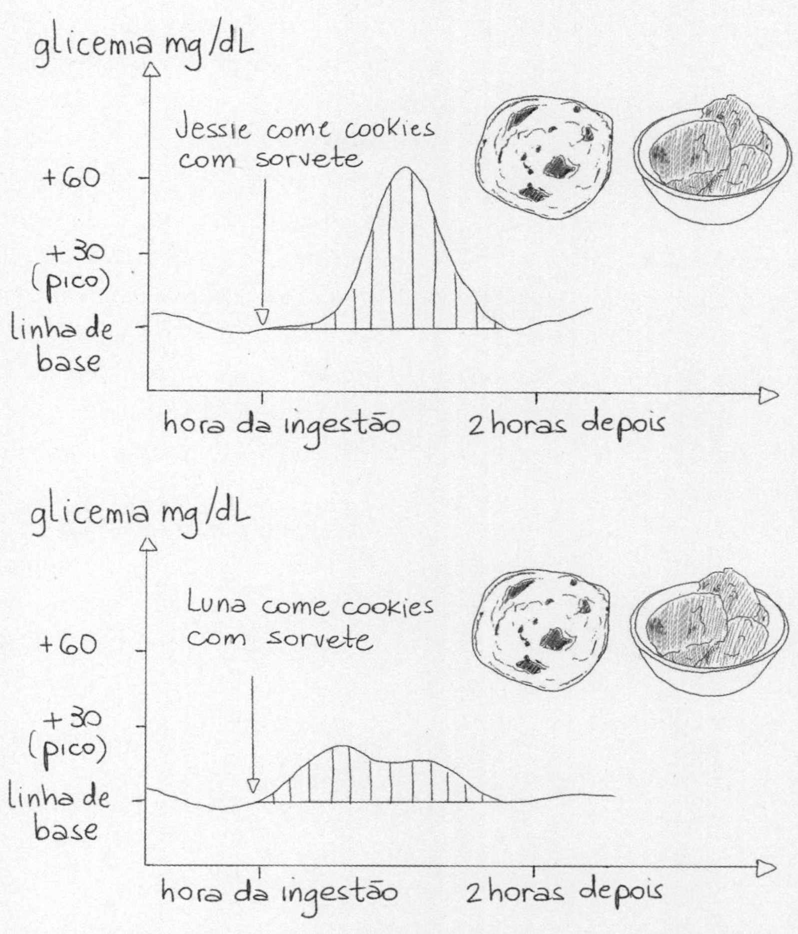

Duas pessoas podem ter reações de glicemia diferentes ao mesmo alimento.

hidratação, repouso, estresse, ter malhado ou não logo antes (ou logo depois) — e assim por diante. Alguns estudos chegaram a concluir que *pensar* que se vai ingerir algo doce já pode fazer o alimento provocar um pico maior em você do que em outra pessoa.[2]

Porém, embora os ápices de nossos picos pessoais possam ter sido diferentes, o princípio geral é o mesmo: caso Luna e eu tivéssemos comido castanhas antes do biscoito, ambos os picos teriam sido proporcionalmente menores.

Diferenças individuais passam a ser úteis quando analisamos categorias de alimentos. Por exemplo, se pensarmos no biscoito, esse alimento específico não foi uma boa opção para mim, enquanto provavelmente foi para Luna. Por isso, quando sinto a necessidade imperiosa de comer algo doce, sei que é melhor não comer biscoitos; já de uma torta de maçã eu consigo dar conta.

Repetindo, tudo isso é relativo. Luna pode ter tido um pico menor por haver mais insulina em seu corpo — e nesse caso isso poderia indicar que ela estivesse menos metabolicamente saudável que eu. A ciência ainda tem muito a descobrir em relação a isso.

As dicas deste livro funcionam para todos — não é preciso colocar um monitor contínuo de glicose para pô-las em prática. Mas, caso você use esse monitor um dia, pode acabar descobrindo alimentos específicos que funcionem bem para você.

Para ir ainda mais longe, você pode combinar os dados de um monitor contínuo com uma análise do seu microbioma intestinal e da reação lipídica do seu sangue aos alimentos. Tim Spector, que escreveu um depoimento para a capa da edição em inglês deste livro, é cientista, criador de uma empresa chamada Zoe, que faz exatamente isso. Testei o produto — e para mim está claro a quem pertence o futuro.

Epílogo

O feedback diário de vocês é uma honra e uma felicidade para mim. Em suas mensagens, há uma conclusão poderosa: quaisquer que sejam sua dieta, estilo de vida, idade, o local onde vive, os problemas de saúde anteriores, aplicar as dicas fez uma grande diferença em suas vidas. Ao finalizar este livro e escrever estas palavras da minha casa em Paris, quero agradecer a vocês por me proporcionar a oportunidade de compartilhar esses conhecimentos científicos.

Sei como pode ser difícil tentar ficar bem. Muitos se sentem enganados, diante de mensagens contraditórias que chegam de todo canto. Foi assim comigo, durante muito tempo. Há, de fato, um monte de problemas com os conselhos alimentares que recebemos hoje em dia. Um deles, e não dos menores, é que raramente são imparciais.

Por conta disso, talvez você já tenha seguido um ou outro regime de saúde que não só não deu certo como agravou sua condição. Talvez você sinta como se seu corpo fosse uma caixa-preta. Talvez se sinta cansado há vários anos; talvez esteja lutando para superar as compulsões alimentares, o ganho de peso ou alguma condição crônica. Talvez sofra de depressão, tenha problemas de fertilidade ou esteja se aproximando cada vez mais do diabetes tipo 2. Talvez não saiba como lidar com o diabetes tipo 1 ou o diabetes gestacional. Talvez esteja tomando remédios para condições que, disseram a você, não há como resolver.

Espero que, da leitura deste livro, você tenha aprendido que seus sintomas atuais são, na verdade, mensagens poderosas. É seu corpo falando com você.

Minha meta foi trazer informações científicas objetivas e atualizadas para o campo da ação concreta, transformar pesquisas imparciais em ferramentas realistas, munir você do conhecimento de como seu corpo funciona e ajudá-lo a se sentir espetacular.

O que você vai fazer? Vai escutar seu corpo, dominar a alavanca da glicemia na cabine do seu avião e voltar à altitude de cruzeiro? Espero que sim. Ao fazê-lo, lembre-se, é importante ser gentil consigo mesmo nesse processo. Espero que, em seguida, você ajude seus pais, irmãos, filhos, amigos e conhecidos a fazer o mesmo. Juntos, podemos ajudar todo mundo a se reconectar com o próprio corpo, uma pessoa de cada vez. Espero que você me dê notícias do andamento. Adoraria ter notícias da sua jornada. Entre em contato comigo no Instagram, em @glucosegoddess.

Agradecimentos

Foi preciso várias pessoas para fazer este livro. E que pessoas! Quero agradecer às pessoas na comunidade Glucose Goddess que contribuíram para esta obra com seus dados de glicemia, suas histórias e sua paixão. Este livro nasceu do movimento que, juntos, estamos construindo.

Gostaria de agradecer a Susanna Lea, minha agente dos sonhos, por ter trazido sua experiência, humor e sabedoria à minha vida. Obrigada, Mark Kessler e todos da SLA, por me acolherem. Agradeço à equipe da Simon & Schuster e a Emily Graff pelo entusiasmo e comprometimento. Obrigada à Short Books, a Rebecca Nicolson e Aurea Carpenter pela força e dedicação. Obrigada, Evie Dunne, por suas brilhantes ilustrações.

Agradeço a Robert Lustig pelo feedback, de que eu tanto necessitava. Obrigada, Elissa Burnside, amiga número um e leitora número um, pelo ânimo e amor. Obrigada, Franklin Servan-Schreiber, por me canalizar o universo. Obrigada, David Servan-Schreiber, por preparar o terreno.

A meus amigos, obrigada por serem os melhores e compartilharem comigo esta aventura. Dario, obrigada pelo amor incondicional. Obrigada, Sefora, por ter me ajudado a vida inteira. Agradeço a Alice, Paul, Ines, Mathieu, Arthur, Jasmyn e minha família inteira. Obrigada, pai, pela gentileza. Obrigada, Mãe, por ser *minha* "deusa".

Obrigada, Anne Wojcicki, Kevin Ryan e Thomas Sherman, por acreditarem em mim e me guiarem no caminho.

Agradeço a todos os cientistas que realizaram estudos no mundo inteiro, e aos que os antecederam, e em cujos ombros esta obra se apoia. Obrigada, Axel Esselmann e Lauren Kohatsu, por acreditar neste trabalho desde o início. Agradeço a todos no 23andMe, que moldaram minha compreensão de como tornar acessível o conhecimento científico. Obrigada, Bo, pela ajuda a fazer este projeto maluco decolar.

Para fechar este livro, também quero agradecer a mim mesma. Obrigada por confiar e por ir atrás daquilo que ilumina sua alma. Acordar e correr atrás. Embora não tenha sido uma jornada fácil, fico feliz por ter sido escolhida por essa ideia — e espero ter feito justiça a ela.

Notas

CARO LEITOR [pp. 15-19]

1. Ron Sender et al., "Revised Estimates for the Number of Human and Bacteria Cells in the Body". In: *PLoS Biology*, v. 14, n. 8, p. e1002533, 2016.

2. Rudd Center for Food Policy and Obesity, *Increasing Disparities in Unhealthy Food Advertising Targeted to Hispanic and Black Youth*, jan. 2019. Disponível em: <https://media.ruddcenter.uconn.edu/PDFs/TargetedMarketingReport2019.pdf>. Acesso em: 30 ago. 2021.

3. Robert Lustig, *Metabolical: The Lure and the Lies of Processed Food, Nutrition, and Modern Medicine*. Nova York: Harper Wave, 2021.

4. Ibid.

5. Joana Araújo et al., "Prevalence of Optimal Metabolic Health in American Adults: National Health and Nutrition Examination Survey 2009-2016", In: *Metabolic Syndrome and Related Disorders*, v. 17, n. 1, pp. 46-52, 2019.

6. Benjamin Bikman. *Why We Get Sick: The Hidden Epidemic at the Root of Most Chronic Disease and How to Fight It*. Nova York: BenBella, 2020.

7. Lustig, op. cit.

COMO CHEGUEI ATÉ AQUI [pp. 21-9]

1. Michael Multhaup. *The Science Behind 23andMe's Type 2 Diabetes Report*, 2019. Disponível em: <https://permalinks.23andme.com/pdf/23_19-Type2Diabetes_March2019.pdf>. Acesso em: 30 ago. 2021.

2. Mark Hearris et al., "Regulation of Muscle Glycogen Metabolism During Exercise: Implications for Endurance Performance and Training Adaptations". In: *Nutrients*, v. 10, n. 3, p. 298, 2018.

3. Heather Hall et al., "Glucotypes Reveal New Patterns of Glucose Dysregulation". In: *PLoS BBiology*, v. 16, n. 7, p. e2005143, 2018. Disponível em: <https://pubmed.ncbi.nlm.nih.gov/30040822/>.

1. ENTRE NA CABINE DO AVIÃO: POR QUE A GLICOSE É TÃO IMPORTANTE [pp. 33-7]

1. Joana Araújo et al., "Prevalence of Optimal Metabolic Health in American Adults: National Health and Nutrition Examination Survey 2009-2016", In: *Metabolic Syndrome and Related Disorders*, v. 17, n. 1, pp. 46-52, 2019.

2. Division of Nutrition, Physical Activity, and Obesity, National Center for Chronic Disease Prevention and Health Promotion, *Assessing Your Weight*, CDC, 17 set. 2020. Disponível em: <https://www.cdc.gov/healthyweight/assessing/index.html >. Acesso em: 30 ago. 2021.

2. CONHEÇA TINHO: COMO AS PLANTAS CRIAM GLICOSE [pp. 38-44]

1. Gregory MacNeill et al., "Starch as a Source, Starch as a Sink: The Bifunctional Role of Starch in Carbon Allocation". In: *Journal of Experimental Botany*, v. 68, n. 16, 2017, pp. 4433-53. Disponível em: <https://pubmed.ncbi.nlm.nih.gov/28981786/>.

2. M. D. Joesten et al., "Sweetness Relative to Sucrose (Table)". In: *The World of Chemistry: Essentials* (4ª ed). Belmont: Thomson Brooks/Cole, p. 359, 2007.

3. ASSUNTO DE FAMÍLIA: COMO A GLICOSE ENTRA NA CORRENTE SANGUÍNEA [pp. 45-50]

1. O corpo usa diariamente duzentos gramas de glicose. A glicose tem uma massa molar de 180 g/mol. Por dia, o corpo usa 0,111 mol de glicose. Um mol contém $6{,}02\times10^{23}$ moléculas. Portanto, o corpo usa $6{,}68\times10^{22}$ moléculas de glicose por dia. Um dia tem 86400 segundos: $7{,}73\times10^{17}$ moléculas por segundo. Jeremy M. Berg, *Biochemistry* (5ª ed.). Nova York: W. H. Freeman, seção 30.2, 2002.

2. Há cerca de 5 sextilhões (5×10^{21}) de grãos de areia na Terra. Jason Marshall, *How Many Grains of Sand Are on Earth's Beaches?*, Quick and Dirty Tips, 2016. Disponível em: <https://www.quickanddirtytips.com/education/math/how-many-grains-of-sand-are-on-earth-s-beaches?page=all>. Acesso em: 30 ago. 2021.

3. Liangliang Ju et al., "New Insights Into the Origin and Evolution of α-Amylase Genes in Green Plants". In: *Scientific Reports*, v. 9, n. 1, pp. 1-12, 2019. Disponível em: <https://pubmed.ncbi.nlm.nih.gov/30894656/>.

4. Cholsoon Jang et al., "The Small Intestine Converts Dietary Fructose Into Glucose and Organic Acids". In: *Cell Metabolism*, v. 27, n. 2, pp. 351-61, 2018. Disponível em: <https://www.ncbi.nlm.nih.gov/pmc/articles/PMC6032988/#SD1>.

5. IUPAC Comm e IUPAC-IUB Comm, "Tentative Rules for Carbohydrate Nomenclature". Part 1, 1969. In: *Biochemistry*, v. 10, n. 21, pp. 3983-4004, 1971. Disponível em: <https://pubs.acs.org/doi/abs/10.1021/bi00797a028>.

6. Mindy Weisberger, "Unknown Group of Ancient Humans Once Lived in Siberia, New Evidence Reveals". In: *Live Science*, 2019. Disponível em: <https://www.livescience.com/65654-dna-ice-age-teeth-siberia.html>. Acesso em: 30 ago. 2021.

7. Marion Nestle, "Paleolithic Diets: A Sceptical View". In: *Nutrition Bulletin*, v. 25.1, p. 43-7, 2000. Disponível em: <https://onlinelibrary.wiley.com/doi/abs/10.1046/j.1467-3010.2000.00019.x>.

8. Peter Ungar, *Evolution's Bite: A Story of Teeth, Diet, and Human Origins*. Princeton University Press, 2017.

4. EM BUSCA DO PRAZER: POR QUE COMEMOS MAIS GLICOSE DO QUE NUNCA [pp. 51-5]

1. Departamento de Agricultura dos Estados Unidos, *Wheat Bran, Crude*, FoodData Central, 2019. Disponível em: <https://fdc.nal.usda.gov/fdc-app.html#/food-details/169722/nutrients>. Acesso em: 30 ago. 2021.

2. Departamento de Agricultura dos Estados Unidos, *Bread, White, Commercially Prepared*. FoodData Central, 2019. Disponível em: <https://fdc.nal.usda.gov/fdc-app.html#/food-details/325871/nutrients>. Acesso em: 30 ago. 2021.

3. Nora Volkow et al., "The Brain on Drugs: From Reward to Addiction". In: *Cell*, n. 162.4, pp. 712-25, 2015. Disponível em: <https://pubmed.ncbi.nlm.nih.gov/26276628/>

4. Vincent Pascoli et al., "Sufficiency of Mesolimbic Dopamine Neuron Stimulation for the Progression to Addiction". In: *Neuron*, v. 88, n. 5, p. 1054-66, 2015. Disponível em: <http://www.addictionscience.unige.ch/files/8214/6037/1136/NeuronVP2015.pdf>.

5. Australia & Pacific Science Foundation, *Tracing Antiquity of Banana Cultivation in Papua New Guinea*. AP Science. Disponível em: http://www.apscience.org.au/pbf_02_3/.

6. Genetic Literacy Project, *How Your Food Would Look If Not Genetically Modified Over Millennia*. GLP, 2014. Disponível em: <https://geneticliteracyproject.org/2014/06/19/how-your-food-would-look-if-not-genetically-modified-over-millennia/>.

7. Departamento de Agricultura dos Estados Unidos, *Candies, Jellybeans*. FoodData Central, 2019. Disponível em: <https://fdc.nal.usda.gov/fdc-app.html#/food-details/167991/nutrients>. Acesso em: 30 ago. 2021.

8. Departamento de Agricultura dos Estados Unidos, *Cherries, Sweet, Raw*. FoodData Central, 2019. Disponível em: <https://fdc.nal.usda.gov/fdc-app.html#/food-details/171719/nutrients>. Acesso em: 30 ago. 2021.

9. Departamento de Agricultura dos Estados Unidos, *Tomato, Roma*. FoodData Central, 2021. Disponível em: <https://fdc.nal.usda.gov/fdc-app.html#/food-details/1750354/nutrients>. Acesso em: 30 ago. 2021.

10. Departamento de Agricultura dos Estados Unidos, *Ketchup, Restaurant*. FoodData Central, 2019. Disponível em: <https://fdc.nal.usda.gov/fdc-app.html#/food-details/747693/nutrients>. Acesso em: 30 ago. 2021.

11. Robert Lustig, *Metabolical: The Lure and the Lies of Processed Food, Nutrition, and Modern Medicine*. Nova York: Harper Wave, 2021.

12. Kevin Hall et al., "Ultra-processed Diets Cause Excess Calorie Intake and Weight Gain: An Inpatient Randomized Controlled Trial of Ad Libitum Food Intake". In: *Cell Metabolism*, v. 30, n. 1, pp. 67-77, 2019. Disponível em: <https://www.cell.com/action/showPdf?pii=S1550-4131(19)30248-7>.

13. Robert Lustig. *The Hackining of the American Mind: The Science behind the Corporate Takeover of our Bodies and Brains*. Nova York: Penguin, 2017.

5. POR BAIXO DA PELE: COMO DESCOBRIR OS PICOS DE GLICOSE [pp. 56-61]

1. American Diabetes Association, *Understanding A1C: Diagnosis*. Diabetes. Disponível em: <https://www.diabetes.org/a1c/diagnosis>. Acesso em: 30 ago. 2021.

2. Jørgen Bjørnholt et al., "Fasting Blood Glucose: An Underestimated Risk Factor for Cardiovascular Death. Results from a 22-year Follow-up of Healthy Nondiabetic Men". In: *Diabetes Care*, v. 22, n. 1, p. 45-9, 1999. Disponível em: <https://care.diabetesjournals.org/content/22/1/45>.

3. Chanshin Park et al., "Fasting Glucose Level and the Risk of Incident Atherosclerotic Cardiovascular Diseases". In: *Diabetes Care*, v. 36, n. 7, pp. 1988-93, 2013. Disponível em: <https://care.diabetesjournals.org/content/36/7/1988>.

4. Quoc Manh Nguyen et al., "Fasting Plasma Glucose Levels within the Normoglycemic Range in Childhood as a Predictor of Prediabetes and Type 2 Diabetes in Adulthood: The Bogalusa Heart Study". In: *Archives of Pediatrics & Adolescent Medicine*, v. 164, n. 2, p. 124-128, 2010. Disponível em: <https://jamanetwork.com/journals/jamapediatrics/fullarticle/382778>.

5. Guido Freckmann et al., "Continuous Glucose Profiles in Healthy Subjects under Everyday Life Conditions and After Different Meals". In: *Journal of Diabetes Science and Technology*, v. 1, n. 5, pp. 695-703, 2007. Disponível em: <https://www.ncbi.nlm.nih.gov/pmc/articles/PMC2769652/>.

6. Antonio Ceriello et al., "Oscillating Glucose Is More Deleterious to Endothelial Function and Oxidative Stress Than Mean Glucose in Normal and Type 2 Diabetic Patients". In: *Diabetes*, v. 57, n. 5, pp. 1349-54, 2008. Disponível em: <https://diabetes.diabetesjournals.org/content/57/5/1349.short>.

7. Louis Monnier et al., "Activation of Oxidative Stress by Acute Glucose Fluctuations Compared with Sustained Chronic Hyperglycemia in Patients with Type 2 Diabetes". In: *Jama*, v. 295, n. 14, pp. 1681-7, 2006. Disponível em: <https://jamanetwork.com/journals/jama/article-abstract/202670>.

8. Giada Acciaroli et al., "Diabetes and Prediabetes Classification Using Glycemic Variability Indices From Continuous Glucose Monitoring Data". In: *Journal of Diabetes Science and Technology*, v. 12, n. 1, pp. 105-13, 2018. Disponível em: <https://www.ncbi.nlm.nih.gov/pmc/articles/PMC5761967/>.

9. Zheng Zhou et al., "Glycemic Variability: Adverse Clinical Outcomes and How to Improve It?". In: *Cardiovascular Diabetology*, v. 19, n. 1, pp. 1-14, 2020. Disponível em: <https://link.springer.com/article/10.1186/s12933-020-01085-6>.

6. TRENS, TORRADAS E TETRIS: TRÊS COISAS QUE ACONTECEM EM NOSSO CORPO NOS PICOS [pp. 65-75]

1. Ron Sender et al., "Revised Estimates for the Number of Human and Bacteria Cells in the Body". In: *PLoS Biology*, v. 14, n. 8, p. e1002533, 2016. Disponível em: <https://journals.plos.org/plosbiology/article?id=10.1371/journal.pbio.1002533>.

2. Martin Picard et al., "Mitochondrial Allostatic Load Puts the 'Gluc' Back in Glucocorticoids". In: *Nature Reviews Endocrinology*, v. 10, n. 5, pp. 303-10, 2014. Disponível em: <https://www.uclahealth.org/reversibility-network/workfiles/resources/publications/picard-endocrinol.pdf>.

3. Biplab Giri et al., "Chronic Hyperglycemia Mediated Physiological Alteration and Metabolic Distortion Leads to Organ Dysfunction, Infection, Cancer Progression and Other Pathophysiological Consequences: An Update on Glucose Toxicity". In: *Biomedicine & Pharmacotherapy*, n. 107, pp. 306-28, 2018. Disponível em: <https://www.sciencedirect.com/science/article/pii/S0753332218322406#fig0005>.

4. Picard, op. cit.

5. Robert Lustig. "Fructose: It's "Alcohol without the Buzz". In: *Advances in Nutrition*, v. 4, n. 2, pp. 226-35, 2013. Disponível em: <https://www.ncbi.nlm.nih.gov/pmc/articles/PMC3649103/>.

6. Joseph Evans et al., "Are Oxidative Stress-Activated Signaling Pathways Mediators of Insulin Resistance and Beta-Cell Dysfunction?". In: *Diabetes*, v. 52, n. 1, pp. 1-8, 2003. Disponível em: <https://diabetes.diabetesjournals.org/content/52/1/1.short>.

7. Jaime Uribarri et al., "Advanced Glycation End Products in Foods and a Practical Guide to Their Reduction in the Diet". In: *Journal of the American Dietetic Association*, v. 100, n. 6, pp. 911-6, 2010. Disponível em: <https://www.ncbi.nlm.nih.gov/pmc/articles/PMC3704564/>.

8. DG Dyer et al., "The Maillard Reaction in Vivo". In: *Zeitschrift für Ernährungswissenschaft*. v. 30, n. 1, pp. 29-45, 1991. Disponível em: <https://www.researchgate.net/publication/21298410_The_Maillard_reaction_in_vivo>.

9. Chan-Sik Kim et al., "The Role of Glycation in the Pathogenesis of Aging and Its Prevention Through Herbal Products and Physical Exercise". In: *Journal of Exercise Nutrition & Biochemistry*, v. 21, n. 3, p. 55, 2017. Disponível em: <https://www.ncbi.nlm.nih.gov/pmc/articles/PMC5643203>.

10. Masamitsu Ichihashi et al., "Glycation Stress and Photo-Aging in Skin". In: *Anti-Aging Medicine*, v. 8, n. 3, pp. 23-9, 2011. Disponível em: <https://www.jstage.jst.go.jp/article/jaam/8/3/8_3_23/_article/-char/ja/>.

11. Ashok Katta et al., "Glycation of Lens Crystalline Protein in the Pathogenesis of Various Forms of Cataract". In: *Biomedical Research*, v. 20, n. 2, pp. 119-21, 2009. Disponível em: <https://www.researchgate.net/profile/Ashok-Katta-3/publication/233419577_Glycation_of_lens_crystalline_protein_in_the_pathogenesis_of_various_forms_of_cataract/links/02e7e531342066c955000000/Glycation-of-lens-crystalline-protein-in-the-pathogenesis-of-various-forms-of-cataract.pdf>.

12. Georgia Soldatos et al., "Advanced Glycation End Products and Vascular Structure and Function". In: *Current Hypertension Reports*, v. 8, n. 6, pp. 472-8, 2006. Disponível em: <https://pubmed.ncbi.nlm.nih.gov/17087858/>.

13. Masayoshi Takeuchi et al., "Involvement of Advanced Glycation End-Products (AGEs) in Alzheimer's Disease". In: *Current Alzheimer Research*, v. 1, n. 1, pp. 39-46, 2004. Disponível em: <https://www.ingentaconnect.com/content/ben/car/2004/00000001/00000001/art00006>.

14. Kim, op. cit.

15. Alejandro Gugliucci, "Formation of Fructose-Mediated Advanced Glycation End Products and Their Roles in Metabolic and Inflammatory Diseases". In: *Advances in Nutrition*, v. 8, n. 1, pp. 54-62, 2017. Disponível em: <https://www.ncbi.nlm.nih.gov/pmc/articles/PMC5227984/>.

16. Id.

17. Roma Pahwa et al., "Chronic Inflammation". 2018. Disponível em: <https://www.ncbi.nlm.nih.gov/books/NBK493173/>.

18. Id.

19. As ligações também são do tipo alfa 1→4 glicosídicas. In: *Biochemistry*. 4. ed. Nova York: W.H. Freeman and Co., 1995.

20. David H. Wasserman, "Four Grams of Glucose". In: *American Journal of Physiology-Endocrinology and Metabolism*, v. 296, n. 1, pp. E11-21, 2009. Disponível em: <https://www.ncbi.nlm.nih.gov/pmc/articles/PMC2636990/>.

21. Jeremy M. Berg, *Biochemistry*. 5. ed. Nova York: W.H. Freeman and Co., 2002, seção 30.2. Disponível em: <https://www.ncbi.nlm.nih.gov/books/NBK22436/#:~:text=The%20brain%20lacks%20fuel%20stores,body%20in%20the%20resting%20state>.

22. Wasserman, op. cit.

23. Lubert Stryer, "Fatty Acid Metabolism". In: *Biochemistry*. 4. ed. Nova York: W.H. Freeman and Co., 1995, pp. 603-28.

24. Samir Softic et al., "Role of Dietary Fructose and Hepatic De Novo Lipogenesis in Fatty Liver Disease". In: *Digestive Diseases and Sciences*, v. 61, n. 5, pp. 1282-93, 2016. Disponível em: <https://www.ncbi.nlm.nih.gov/pmc/articles/PMC4838515/>.

25. Bettina Geidl-Flueck et al., "Fructose-and Sucrose-but Not Glucose-Sweetened Beverages Promote Hepatic De Novo Lipogenesis: A Randomized Controlled Trial". In: *Journal of Hepatology*, v. 75, n. 1, pp. 46-54, 2021. Disponível em: <https://www.journal-of-hepatology.eu/article/S0168-8278(21)00161-6/fulltext#%20>.

26. João Silva et al., "Determining Contributions of Exogenous Glucose and Fructose to De Novo Fatty Acid and Glycerol Synthesis in Liver and Adipose Tissue". In: *Metabolic Engineering*, v. 56, pp. 69-76, 2019. Disponível em: <https://www.sciencedirect.com/science/article/pii/S109671761930196X#fig5>.

27. Benjamin Bikman. *Why We Get Sick: The Hidden Epidemic at the Root of Most Chronic Disease and How to Fight It*. Nova York: BenBella, 2020.

28. L. Stryer, *Biochemistry*. 4. ed. Nova York: W.H. Freeman and Co., 1995, pp. 773-4.

29. Natasha Wiebe et al., "Temporal Associations Among Body Mass Index, Fasting Insulin, and Systemic Inflammation: A Systematic Review and Meta-Analysis". In: *JAMA Network Open*, v. 4, n. 3, p. e211263, 2021. Disponível em: <https://jamanetwork.com/journals/jamanetworkopen/fullarticle/2777423>.

7. DA CABEÇA AOS PÉS: COMO OS PICOS NOS FAZEM ADOECER [pp. 76-92]

1. Martin Picard et al., "Mitochondrial Allostatic Load Puts the 'Gluc' Back in Glucocorticoids". In: *Nature Reviews Endocrinology*, v. 10, n. 5, pp. 303-10, 2014. Disponível em: <https://www.uclahealth.org/reversibility-network/workfiles/resources/publications/picard-endocrinol.pdf>.

2. Paula Chandler-Laney et al., "Return of Hunger Following a Relatively High Carbohydrate Breakfast Is Associated with Earlier Recorded Glucose Peak and Nadir". In: *Appetite*, v. 80, pp. 236-41, 2014. Disponível em: <https://www.sciencedirect.com/science/article/abs/pii/S0195666314002049>.

3. Benjamin Bikman. *Why We Get Sick: The Hidden Epidemic at the Root of Most Chronic Disease and How to Fight It*. Nova York: BenBella, 2020.

4. Kathleen Page et al., "Circulating Glucose Levels Modulate Neural Control of Desire for High-Calorie Foods in Humans". In: *The Journal of Clinical Investigation*, v. 121, n. 10, pp. 4161-9, 2011. Disponível em: <https://www.jci.org/articles/view/57873>.

5. Tanja Taivassalo et al., "The Spectrum of Exercise Tolerance in Mitochondrial Myopathies: A Study of 40 Patients". In: *Brain*, v. 126, n. 2, pp. 413-23, 2003. Disponível em: <https://pubmed.ncbi.nlm.nih.gov/12538407/>.

6. Martin Picard et al., "Mitochondrial Allostatic Load Puts the 'Gluc' Back in Glucocorticoids". In: *Nature Reviews Endocrinology*, n. 10.5, pp. 303-10, 2014. Disponível em: <https://www.uclahealth.org/reversibility-network/workfiles/resources/publications/picard-endocrinol.pdf>.

7. Id.

8. Kara L. Breymeyer et al., "Subjective Mood and Energy Levels of Healthy Weight and Overweight/Obese Healthy Adults on High-and Low-Glycemic Load Experimental Diets". In: *Appetite*, n. 107, pp. 253-9, 2016. Disponível em: <https://pubmed.ncbi.nlm.nih.gov/27507131/>.

9. James Gangwisch et al., "High Glycemic Index and Glycemic Load Diets as Risk Factors for Insomnia: Analyses From the Women's Health Initiative". In: *The American Journal of Clinical Nutrition*, v. 111, n. 2, pp. 429-39, 2020. Disponível em: <https://pubmed.ncbi.nlm.nih.gov/31828298/>.

10. R. N. Aurora et al. "Obstructive Sleep Apnea and Postprandial Glucose Differences in Type 2 Diabetes Mellitus". In: *A97. SRN: New insights into the cardiometabolic consequences of insufficient sleep*, p. A2525, American Thoracic Society, 2020. Disponível em: <https://www.atsjournals.org/doi/abs/10.1164/ajrccm-conference.2020.201.1_MeetingAbstracts.A2525>.

11. Nagham Jafar et al., "The Effect of Short-Term Hyperglycemia on the Innate Immune System". In: *The American Journal of the Medical Sciences*, v. 351, n. 2, pp. 201-11, 2016. Disponível em: <https://www.amjmedsci.org/article/S0002-9629(15)00027-0/fulltext>.

12. Janan Kiselar et al., "Modification of -Defensin-2 by Dicarbonyls Methylglyoxal and Glyoxal Inhibits Antibacterial and Chemotactic Function in Vitro". In: *PLoS One*, v. 10, n. 8, p. e0130533, 2015. Disponível em: <https://journals.plos.org/plosone/article?id=10.1371/journal.pone.0130533>.

13. Jiaoyue Zhang et al., "Impaired Fasting Glucose and Diabetes Are Related to Higher Risks of Complications and Mortality Among Patients with Coronavirus Disease 2019". *Frontiers in Endocrinology*, v. 11, p. 525, 2020. Disponível em: <https://www.frontiersin.org/articles/10.3389/fendo.2020.00525/full?report=reader>.

14. Emmanuelle Logette et al., "A Machine-Generated View of the Role of Blood Glucose Levels in the Severity of COVID-19". In: *Frontiers in Public Health*, 2021, p. 1068. Disponível em: <https://

www.frontiersin.org/articles/10.3389/fpubh.2021.695139/full?fbclid=IwAR0RS9OVCuL9q-fbW4gF7McCYfgRgNDQIVI4JjZE-59Sm1E7l1MFZ0ZGyoI>.

15. Francisco Carrasco-Sánchez et al., "Admission Hyperglycaemia As a Predictor of Mortality in Patients Hospitalized with COVID-19 Regardless of Diabetes Status: Data From the Spanish SEMI-COVID-19 Registry". In: *Annals of Medicine*, v. 53, n. 1, pp. 103-16, 2021. Disponível em: <https://www.tandfonline.com/doi/full/10.1080/07853890.2020.1836566>.

16. Ursula Hiden et al., "Insulin and the IGF System in the Human Placenta of Normal and Diabetic Pregnancies". In: *Journal of Anatomy*, v. 215, n. 1, pp. 60-8, 2009. Disponível em: <https://onlinelibrary.wiley.com/doi/full/10.1111/j.1469-7580.2008.01035>.

17. Chiara Berlato et al., "Selective Response to Insulin Versus Insulin-Like Growth Factor-I and-II and Up-Regulation of Insulin Receptor Splice Variant B in the Differentiated Mouse Mammary Epithelium". In: *Endocrinology*, v. 150, n. 6, pp. 2924-33, 2009. Disponível em: <https://academic.oup.com/endo/article/150/6/2924/2456369?login=true>.

18. Carol Major et al., "The Effects of Carbohydrate Restriction in Patients with Diet-Controlled Gestational Diabetes". In: *Obstetrics & Gynecology*, v. 91, n. 4, pp. 600-4, 1998. Disponível em: <https://www.sciencedirect.com/science/article/abs/pii/S0029784498000039>.

19. Robert Moses et al. "Effect of a Low-Glycemic-Index Diet During Pregnancy on Obstetric Outcomes". In: *The American Journal of Clinical Nutrition*, v. 84, n. 4, pp. 807-12, 2006. Disponível em: <https://academic.oup.com/ajcn/article/84/4/807/4633214>.

20. James F. Clapp III et al., "Maternal Carbohydrate Intake and Pregnancy Outcome". In: *Proceedings of the Nutrition Society*, v. 61, n. 1, pp. 45-50, 2002. Disponível em: <https://www.cambridge.org/core/journals/proceedings-of-the-nutrition-society/article/maternal-carbohydrate-intake-and-pregnancy-outcome/28F8E1C5E1460E67F2F1CE0C1D06EE81>.

21. Rebecca Thurston et al., "Vasomotor Symptoms and Insulin Resistance in the Study of Women's Health Across the Nation". In: *The Journal of Clinical Endocrinology & Metabolism*, v. 97, n. 10, pp. 3487-94, 2012. Disponível em: <https://pubmed.ncbi.nlm.nih.gov/22851488/>.

22. James E. Gangwisch et al., "High Glycemic Index and Glycemic Load Diets as Risk Factors for Insomnia: Analyses From the Women's Health Initiative". In: *The American Journal of Clinical Nutrition*, v. 111, n. 2, pp. 429-39, 2020. Disponível em: <https://pubmed.ncbi.nlm.nih.gov/31828298/>.

23. A. Fava et al., "Chronic Migraine in Women Is Associated with Insulin Resistance: A Cross-Sectional Study". In: *European Journal of Neurology*, v. 21, n. 2, pp. 267-72, 2014. Disponível em: <https://onlinelibrary.wiley.com/doi/abs/10.1111/ene.12289>.

24. Cinzia Cavestro et al., "Alpha-Lipoic Acid Shows Promise to Improve Migraine in Patients with Insulin Resistance: A 6-Month Exploratory Study". In: *Journal of Medicinal Food*, v. 21, n. 3, pp. 269-73, 2018. Disponível em: <https://www.liebertpub.com/doi/abs/10.1089/jmf.2017.0068>.

25. Rachel Ginieis et al., "The 'Sweet' Effect: Comparative Assessments of Dietary Sugars on Cognitive Performance". In: *Physiology & Behavior*, v. 184, pp. 242-7, 2018. Disponível em: <https://pubmed.ncbi.nlm.nih.gov/29225094/>.

26. Id.

27. Hyuck Hoon Kwon et al., "Clinical and Histological Effect of a Low Glycaemic Load Diet in Treatment of Acne Vulgaris in Korean Patients: A Randomized, Controlled Trial". In: *Acta Dermato-Venereologica*, v. 92, n. 3, pp. 241-6, 2012. Disponível em: <https://pubmed.ncbi.nlm.nih.gov/22678562/>.

28. Robyn N. Smith, "A Low-Glycemic-Load Diet Improves Symptoms in Acne Vulgaris Patients: A Randomized Controlled Trial". In: *The American Journal of Clinical Nutrition*, v. 86, n. 1, pp. 107-15, 2007. Disponível em: <https://pubmed.ncbi.nlm.nih.gov/17616769/>.

29. George Suji et al., "Glucose, Glycation and Aging". In: *Biogerontology*, v. 5, n. 6, pp. 365-73, 2004. Disponível em: <https://link.springer.com/article/10.1007/s10522-004-3189-0>.

30. Roma Pahwa et al., *Chronic Inflammation*, 2018. Disponível em: <https://www.ncbi.nlm.nih.gov/books/NBK493173/>.

31. Ibid.

32. Robert A. Greenwald et al., "Inhibition of Collagen Gelation by Action of the Superoxide Radical". In: *Arthritis & Rheumatism: Official Journal of the American College of Rheumatology*, v. 22, n. 3, pp. 251-9, 1979. Disponível em: <https://pubmed.ncbi.nlm.nih.gov/217393/>.

33. Biplab Giri et al., "Chronic Hyperglycemia Mediated Physiological Alteration and Metabolic Distortion Leads to Organ Dysfunction, Infection, Cancer Progression and Other Pathophysiological Consequences: An Update on Glucose Toxicity". In: *Biomedicine & Pharmacotherapy*, n. 107, pp. 306-28, 2018. Disponível em: <https://www.sciencedirect.com/science/article/abs/pii/S0753332218322406>.

34. John Tower "Programmed Cell Death in Aging". In: *Ageing Research Reviews*, v. 23, pp. 90-100, 2015. Disponível em: <https://www.ncbi.nlm.nih.gov/pmc/articles/PMC4480161/>.

35. Charles Watt et al., "Glycemic Variability and CNS Inflammation: Reviewing the Connection". In: *Nutrients*, v. 12, n. 12, p. 3906, 2020. Disponível em: <https://pubmed.ncbi.nlm.nih.gov/33371247/>.

36. PAHWA, op. cit.

37. Suzanne M. de la Monte et al., "Alzheimer's Disease Is Type 3 Diabetes — Evidence Reviewed". In: *Journal of Diabetes Science and Technology*, v. 2, n. 6, pp. 1101-13, 2008. Disponível em: <https://journals.sagepub.com/doi/abs/10.1177/193229680800200619>.

38. Robert Lustig. *Metabolical: The Lure and the Lies of Processed Food, Nutrition, and Modern Medicine*. Nova York: Harper Wave, 2021.

39. Jiyin Zhou et al., "Diabetic Cognitive Dysfunction: From Bench to Clinic". In: *Current Medicinal Chemistry*, v. 27, n. 19, pp. 3151-67, 2020. Disponível em: <https://pubmed.ncbi.nlm.nih.gov/30727866/>.

40. Auriel A. Willette et al., "Association of Insulin Resistance with Cerebral Glucose Uptake in Late Middle-Aged Adults at Risk for Alzheimer Disease". In: *JAMA Neurology*, v. 72, n. 9, pp. 1013-20, 2015. Disponível em: <https://pubmed.ncbi.nlm.nih.gov/26214150/>.

41. Christine M. Burns et al., "Higher Serum Glucose Levels Are Associated with Cerebral Hypometabolism in Alzheimer Regions". In: *Neurology*, v; 80, n. 17, pp. 1557-64, 2013. Disponível em: <https://www.ncbi.nlm.nih.gov/pmc/articles/PMC3662330/>.

42. Mark A. Reger et al., "Effects of β-Hydroxybutyrate on Cognition in Memory-Impaired Adults". In: *Neurobiology of Aging*, v. 25, n. 3, pp. 311-4, 2004. Disponível em: <https://www.sciencedirect.com/science/article/abs/pii/S0197458003000873>.

43. Dale E. Bredesen et al., "Reversal of Cognitive Decline: A Novel Therapeutic Program". In: *Aging* (Albany, Nova York), v. 6, n. 9, p. 707, 2014. Disponível em: <https://www.ncbi.nlm.nih.gov/pmc/articles/PMC4221920/>.

44. Ibid.

45. Amar S. Ahmad et al., "Trends in the Lifetime Risk of Developing Cancer in Great Britain: Comparison of Risk for Those Born From 1930 to 1960". In: *British Journal of Cancer*, v. 112, n. 5, pp. 943-7, 2015. Disponível em: <https://www.nature.com/articles/bjc2014606>.

46. Lustig, op. cit.

47. Florian R. Greten et al., "Inflammation and Cancer: Triggers, Mechanisms, and Consequences". In: *Immunity*, v. 51, n. 1, pp. 27-41, 2019. Disponível em: <https://www.sciencedirect.com/science/article/pii/S107476131930295X>.

48. Rachel J. Perry et al., "Mechanistic Links Between Obesity, Insulin, and Cancer". In: *Trends in Cancer*, v. 6, n. 2, pp. 75-8, 2020. Disponível em: <https://www.sciencedirect.com/science/article/abs/pii/S2405803319302614>.

49. Tetsuro Tsujimoto et al., "Association Between Hyperinsulinemia and Increased Risk of Cancer Death in Nonobese and Obese People: A Population Based Observational Study". In: *International Journal of Cancer*, v. 141, n. 1, p. 102-11, 2017. Disponível em: <https://onlinelibrary.wiley.com/doi/full/10.1002/ijc.30729>.

50. Kara L. Breymeyer et al., "Subjective Mood and Energy Levels of Healthy Weight and Overweight/obese Healthy Adults on High-and Low-Glycemic Load Experimental Diets". In: *Appetite*, v. 107, pp. 253-9, 2016. Disponível em: <https://pubmed.ncbi.nlm.nih.gov/27507131/>.

51. Rachel A. Cheatham et al., "Long-Term Effects of Provided Low and High Glycemic Load Low Energy Diets on Mood and Cognition". In: *Physiology & Behavior*, v. 98, n. 3, pp. 374-9, 2009. Disponível em: <https://pubmed.ncbi.nlm.nih.gov/19576915/>.

52. Sue Penckofer et al., "Does Glycemic Variability Impact Mood and Quality of Life?". In: *Diabetes Technology & Therapeutics*, v. 14, n. 4, pp. 303-10, 2012. Disponível em: <https://www.ncbi.nlm.nih.gov/pmc/articles/PMC3317401/>.

53. James E. Gangwisch et al., "High Glycemic Index Diet As a Risk Factor for Depression: Analyses From the Women's Health Initiative". In: *The American Journal of Clinical Nutrition*, v. 102, n. 2, p. 454-63, 2015. Disponível em: <https://www.ncbi.nlm.nih.gov/pmc/articles/PMC4515860/>.

54. Fernando F. Anhê et al., "Glucose Alters the Symbiotic Relationships Between Gut Microbiota and Host Physiology". *American Journal of Physiology-Endocrinology and Metabolism*, v. 318, n. 2, pp. E111-6, 2020. Disponível em: <https://pubmed.ncbi.nlm.nih.gov/31794261/>.

55. Lustig, op. cit.

56. William S. Yancy et al., "Improvements of Gastroesophageal Reflux Disease After Initiation of a Low-Carbohydrate Diet: Five Brief Case Reports". In: *Alternative Therapies in Health and Medicine*, v. 7, n. 6, p. 120, 2001. Disponível em: <https://search.proquest.com/openview/1c418d7f0548f58a5c647b1204d3f6a7/1?pq-origsite=gscholar&cbl=32528>.

57. Jessica M. Yano et al., "Indigenous Bacteria From the Gut Microbiota Regulate Host Serotonin Biosynthesis". In: *Cell*, v. 161, n. 2, pp. 264-76, 2015. Disponível em: <https://www.ncbi.nlm.nih.gov/pmc/articles/PMC4393509/>.

58. Roberto Mazzoli et al., "The Neuro-Endocrinological Role of Microbial Glutamate and GABA Signaling". In: *Frontiers in Microbiology*, v. 7, p. 1934, 2016. Disponível em: <https://www.ncbi.nlm.nih.gov/pmc/articles/PMC5127831/>.

59. Emeran A. Mayer, "Gut Feelings: The Emerging Biology of Gut-Brain Communication". In: *Nature Reviews Neuroscience*, v. 12, n. 8, pp. 453-66, 2011. Disponível em: <https://www.ncbi.nlm.nih.gov/pmc/articles/PMC3845678/>.

60. Sigrid Breit et al., "Vagus Nerve As Modulator of the Brain-Gut Axis in Psychiatric and Inflammatory Disorders". In: *Frontiers in Psychiatry*, v. 9, p. 44, 2018. Disponível em: <https://www.ncbi.nlm.nih.gov/pubmed/29593576>.

61. Bruno Bonaz et al., "The Vagus Nerve at the Interface of the Microbiota-Gut-Brain Axis". In: *Frontiers in Neuroscience*, v. 12, p. 49, 2018. Disponível em: <https://www.ncbi.nlm.nih.gov/pubmed/29467611>.

62. Michael D. Miedema et al., "Statin Eligibility and Outpatient Care Prior to ST Segment Elevation Myocardial Infarction". In: *Journal of the American Heart Association*, v. 6, n. 4, p. e005333, 2017. Disponível em: <https://www.ahajournals.org/doi/10.1161/JAHA.116.005333>.

63. Benjamin Bikman, *Why We Get Sick: The Hidden Epidemic at the Root of Most Chronic Disease and How to Fight It*. Nova York: BenBella, 2020.

64. Ibid.

65. Koichi Node et al., "Postprandial Hyperglycemia As an Etiological Factor in Vascular Failure". In: *Cardiovascular Diabetology*, v. 8, n. 1, pp. 1-10, 2009. Disponível em: <https://pubmed.ncbi.nlm.nih.gov/19402896/>.

66. Antonio Ceriello et al., "Oscillating Glucose Is More Deleterious to Endothelial Function and Oxidative Stress Than Mean Glucose in Normal and Type 2 Diabetic Patients". In: *Diabetes*, v. 57, n. 5, pp. 1349-54, 2008. Disponível em: <https://pubmed.ncbi.nlm.nih.gov/18299315/>.

67. Michelle Flynn et al., "Transient Intermittent Hyperglycemia Accelerates Atherosclerosis by Promoting Myelopoiesis". In: *Circulation Research*, v. 127, n. 7, pp. 877-92, 2020. Disponível em: <https://www.ahajournals.org/doi/full/10.1161/CIRCRESAHA.120.316653>.

68. E. Succurro et al., "Elevated One-Hour Post-Load Plasma Glucose Levels Identifies Subjects with Normal Glucose Tolerance But Early Carotid Atherosclerosis". In: *Atherosclerosis*, v. 207, n. 1, pp. 245-9, 2009. Disponível em: <https://www.sciencedirect.com/science/article/abs/pii/S0021915009002718>.

69. Bikman, op. cit.

70. Lustig, op. cit.

71. Bikman, op. cit.

72. Paul M. Ridker et al., "Comparison of C-reactive Protein and Low-Density Lipoprotein Cholesterol Levels in the Prediction of First Cardiovascular Events". In: *New England Journal of Medicine*, v. 347, n. 20, pp. 1557-65, 2002. Disponível em: <https://www.nejm.org/doi/full/10.1056/NEJMoa021993>.

73. Tetsurou Sakumoto et al., "Insulin Resistance/Hyperinsulinemia and Reproductive Disorders in Infertile Women". In: *Reproductive Medicine and Biology*, v. 9, n. 4, pp. 185-90, 2010. Disponível em: <https://www.ncbi.nlm.nih.gov/pmc/articles/PMC5904600/>.

74. LaTasha B. Craig et al., "Increased Prevalence of Insulin Resistance in Women with a History of Recurrent Pregnancy Loss". In: *Fertility and Sterility*, v. 78, n. 3, pp. 487-90, 2002. Disponível em: <https://www.sciencedirect.com/science/article/abs/pii/S0015028202032478>.

75. Nelly Pitteloud et al., "Increasing Insulin Resistance Is Associated with a Decrease in Leydig Cell Testosterone Secretion in Men". In: *The Journal of Clinical Endocrinology & Metabolism*, v. 90, n. 5, pp. 2636-41, 2005. Disponível em: <https://academic.oup.com/jcem/article/90/5/2636/2836773>.

76. Jorge E. Chavarro et al., "A Prospective Study of Dietary Carbohydrate Quantity and Quality in Relation to Risk of Ovulatory Infertility". In: *European Journal of Clinical Nutrition*, v. 63, n. 1, pp. 78-86, 2009. Disponível em: <https://www.ncbi.nlm.nih.gov/pmc/articles/PMC3066074/>.

77. Centers for Disease Control and Prevention, "PCOS (Polycystic Ovary Syndrome) and Diabetes", CDC. Disponível em: <https://www.cdc.gov/diabetes/basics/pcos.html>. Acesso em: 30 ago. 2021.

78. John E. Nestler et al., "Insulin Stimulates Testosterone Biosynthesis by Human Thecal Cells From Women with Polycystic Ovary Syndrome by Activating Its Own Receptor and Using Inositolglycan Mediators As the Signal Transduction System". In: *The Journal of Clinical Endocrinology & Metabolism*, v. 83, n. 6, pp. 2001-5, 1998. Disponível em: <https://academic.oup.com/jcem/article/83/6/2001/2865383?login=true>.

79. Bikman, op. cit.

80. Centers for Disease Control and Prevention, "PCOS (Polycystic Ovary Syndrome) and Diabetes", CDC. Disponível em: <https://www.nhs.uk/conditions/polycystic-ovary-syndrome-pcos/symptoms/>. Acesso em: 30 ago. 2021.

81. John C. Mavropoulos et al., "The Effects of a Low-Carbohydrate, Ketogenic Diet on the Polycystic Ovary Syndrome: A Pilot Study". In: *Nutrition & Metabolism*, v. 2, n. 1, pp. 1-5, 2005. Disponível em: <https://www.ncbi.nlm.nih.gov/pmc/articles/PMC1334192/>.

82. Zeeeshan Anwar et al., "Erectile Dysfunction: An Underestimated Presentation in Patients with Diabetes Mellitus". In: *Indian Journal of Psychological Medicine*, v. 39, n. 5, pp. 600-4, 2017. Disponível em: <https://www.ncbi.nlm.nih.gov/pmc/articles/PMC5688886/>.

83. Fengjuan Yao et al., "Erectile Dysfunction May Be the First Clinical Sign of Insulin Resistance and Endothelial Dysfunction in Young Men". In: *Clinical Research in Cardiology*, v. 102, n. 9, pp. 645-51, 2013. Disponível em: <https://link.springer.com/article/10.1007/s00392-013-0577-y>.

84. Sudesna Chatterjee et al., "Type 2 Diabetes". In: *The Lancet*, v. 389, n. 10085, pp. 2239-51, 2017. Disponível em: <https://www.sciencedirect.com/science/article/abs/pii/S0140673617300582>.

85. Marc Y. Donath et al., "Type 2 Diabetes As an Inflammatory Disease". In: *Nature Reviews Immunology*, v. 11, n. 2, pp. 98-107, 2011. Disponível em: <https://pubmed.ncbi.nlm.nih.gov/21233852/>.

86. Joshua Z. Goldenberg et al., "Efficacy and Safety of Low and Very Low Carbohydrate Diets for Type 2 Diabetes Remission: Systematic Review and Meta-Analysis of Published and Unpublished Randomized Trial Data". In: *BMJ*, v. 372, 2021. Disponível em: <https://www.bmj.com/content/372/bmj.m4743>.

87. William S. Yancy et al., "A low-carbohydrate, ketogenic diet to treat type 2 diabetes". In: *Nutrition & Metabolism*, v. 2, n. 1, pp. 1-7, 2005. Disponível em: <https://link.springer.com/article/10.1186/1743-7075-2-34>.

88. Alison B. Evert et al., "Nutrition Therapy for Adults with Diabetes or Prediabetes: A Consensus Report". In: *Diabetes Care*, v. 42, n. 5, pp. 731-54, 2019. Disponível em: <https://care.diabetesjournals.org/content/diacare/early/2019/04/10/dci19-0014.full.pdf>.

89. Robert H. Lustig, "Fructose: It's 'Alcohol without the Buzz'". In: *Advances in Nutrition*, v. 4, n. 2, pp. 226-35, 2013. Disponível em: <https://www.ncbi.nlm.nih.gov/pmc/articles/PMC3649103/>.

90. Zobair M. Younossi et al., "Global Epidemiology of Nonalcoholic Fatty Liver Disease-Meta-Analytic Assessment of Prevalence, Incidence, and Outcomes". In: *Hepatology*, v. 64, n. 1 pp. 73-84, 2016. Disponível em: ‹https://aasldpubs.onlinelibrary.wiley.com/doi/full/10.1002/hep.28431›.

91. Ruth C. R. Meex et al., "Hepatokines: Linking Nonalcoholic Fatty Liver Disease and Insulin Resistance". In: *Nature Reviews Endocrinology*, v. 13, n. 9, pp. 509-20, 2017. Disponível em: ‹https://www.nature.com/articles/nrendo.2017.56›.

92. F. William Danby, "Nutrition and Aging Skin: Sugar and Glycation". In: *Clinics in Dermatology*, v. 28, n. 4, pp. 409-11. 2010. Disponível em: ‹https://www.sciencedirect.com/science/article/abs/pii/S0738081X10000428›.

93. Paraskevi Gkogkolou et al., "Advanced Glycation End Products: Key Players in Skin Aging?". In: *Dermato-Endocrinology*, v. 4, n. 3, pp. 259-70, 2012. Disponível em: ‹https://www.ncbi.nlm.nih.gov/pmc/articles/PMC3583887/›.

94. Ashok V. Katta et al., "Glycation of Lens Crystalline Protein in the Pathogenesis of Various Forms of Cataract". In: *Biomedical Research*, v. 20, n. 2, pp. 119-21, 2009. Disponível em: ‹https://www.researchgate.net/profile/Ashok-Katta-3/publication/233419577_Glycation_of_lens_crystalline_protein_in_the_pathogenesis_of_various_forms_of_cataract/links/02e7e531342066c955000000/Glycation-of-lens-crystalline-protein-in-the-pathogenesis-of-various-forms-of-cataract.pdf›.

95. Joana Araújo et al., "Prevalence of Optimal Metabolic Health in American Adults: National Health and Nutrition Examination Survey 2009--2016". In: *Metabolic Syndrome and Related Disorders*, v. 17, n. 1, pp. 46-52, 2019. Disponível em: ‹https://www.liebertpub.com/doi/10.1089/met.2018.0105›.

DICA 1: COMA NA ORDEM CERTA [pp. 95-108]

1. Alpana P. Shukla et al., "Food Order Has a Significant Impact on Postprandial Glucose and Insulin Levels". In: *Diabetes Care*, v. 38, n. 7, pp. e98-9, 2015. Disponível em: ‹https://care.diabetesjournals.org/content/38/7/e98›.

2. Kimiko Nishino et al., "Consuming Carbohydrates After Meat or Vegetables Lowers Postprandial Excursions of Glucose and Insulin in Nondiabetic Subjects". In: *Journal of Nutritional Science and Vitaminology*, v. 64, n. 5, pp. 316-20, 2018. Disponível em: ‹https://www.researchgate.net/publication/328640463_Consuming_Carbohydrates_after_Meat_or_Vegetables_Lowers_Postprandial_Excursions_of_Glucose_and_Insulin_in_Nondiabetic_Subjects›.

3. Shukla, op. cit.

4. Domenico Tricò et al., "Manipulating the Sequence of Food Ingestion Improves Glycemic Control in Type 2 Diabetic Patients Under Free-Living Conditions". In: *Nutrition & Diabetes*, v. 6, n. 8, p. e226, 2016. Disponível em: ‹https://www.nature.com/articles/nutd201633/›.

5. Diana Gentilcore et al., "Effects of Fat on Gastric Emptying of and the Glycemic, Insulin, and Incretin Responses to a Carbohydrate Meal in Type 2 Diabetes". In: *The Journal of Clinical Endocrinology & Metabolism*, v. 91, n. 6, pp. 2062-7, 2006. Disponível em: ‹https://academic.oup.com/jcem/article/91/6/2062/2843371?login=true›.

6. J. R. Perry, "A review of Physiological Effects of Soluble and Insoluble Dietary Fibers". In: *J Nutr Food Sci*, v. 6, n. 2, p. 476, 2016. Disponível em: ‹https://www.longdom.org/open-access/a-review-of-physiological-effects-of-soluble-and-insoluble-dietaryfibers-2155-9600-1000476.pdf›.

7. Gentilcore, op. cit.

8. Shukla op. cit.

9. Nishino, op. cit.

10. Alpana P. Shukla et al., "Effect of Food Order on Ghrelin Suppression". In: *Diabetes Care*, v. 41, n. 5, pp. e76-7, 2018. Disponível em: <https://care.diabetesjournals.org/content/41/5/e76>.

11. James E. Gangwisch et al., "High Glycemic Index and Glycemic Load Diets As Risk Factors for Insomnia: Analyses From the Women's Health Initiative". In: *The American Journal of Clinical Nutrition*, v. 111, n. 2, pp. 429-39, 2020. Disponível em: <https://pubmed.ncbi.nlm.nih.gov/31828298/>.

12. David Gentilcore, *Food and Health in Early Modern Europe: Diet, Medicine and Society*. Nova York: Bloomsbury Publishing, 2015, pp. 1450-800.

13. R. H. Hunt et al., "The Stomach in Health and Disease". In: *Gut*, v. 64, n. 10, pp. 1650-68, 2015. Disponível em: <https://www.ncbi.nlm.nih.gov/pmc/articles/PMC4835810/>.

14. Ibid.

15. Patrick Faas. *Around the Roman Table: Food and Feasting in Ancient Rome*. Chicago: University of Chicago Press, 2005.

DICA 2: ADICIONE UMA ENTRADA VERDE A TODAS AS SUAS REFEIÇÕES [pp. 109-21]

1. Diane Quagliani et al., "Closing America's Fiber Intake Gap: Communication Strategies From a Food and Fiber Summit". In: *American Journal of Lifestyle Medicine*, v. 11, n. 1, pp. 80-5, 2017. Disponível em: <https://www.ncbi.nlm.nih.gov/pmc/articles/PMC6124841/>.

2. United States Dietary Guidelines Advisory Committee, *Dietary Guidelines for Americans*, n. 232, 2010.

3. Thomas M. Barber et al., "The Health Benefits of Dietary Fibre". In: *Nutrients*, v. 12, n. 10, p. 3209, 2020. Disponível em: <https://www.mdpi.com/2072-6643/12/10/3209/pdf>.

4. Martin O. Weickert et al., "Metabolic Effects of Dietary Fiber Consumption and Prevention of Diabetes". In: *The Journal of Nutrition*, v. 138, n. 3, pp. 439-42, 2008. Disponível em: <https://academic.oup.com/jn/article/138/3/439/4670214>.

5. Jannie Yi Fang Yang et al., "The Effects of Functional Fiber on Postprandial Glycemia, Energy Intake, Satiety, Palatability and Gastrointestinal Wellbeing: A Randomized Crossover Trial". In: *Nutrition Journal*, v. 13, n. 1, pp. 1-9, 2014. Disponível em: <https://nutritionj.biomedcentral.com/articles/10.1186/1475-2891-13-76>.

6. Paula C. Chandler-Laney et al., "Return of Hunger Following a Relatively High Carbohydrate Breakfast Is Associated with Earlier Recorded Glucose Peak and Nadir". In: *Appetite*, v. 80, pp. 236-41, 2014. Disponível em: <https://www.sciencedirect.com/science/article/abs/pii/S0195666314002049>.

7. Patrick Wyatt et al., "Postprandial Glycaemic Dips Predict Appetite and Energy Intake in Healthy Individuals". In: *Nature Metabolism*, v. 3, n. 4, pp. 523-9, 2021. Disponível em: <https://www.nature.com/articles/s42255-021-00383-x>.

8. Lorenzo Nesti et al., "Impact of Nutrient Type and Sequence on Glucose Tolerance: Physiological Insights and Therapeutic Implications". In: *Frontiers in Endocrinology*, v. 10, p. 144, 2019. Disponível em: <https://www.frontiersin.org/articles/10.3389/fendo.2019.00144/full#B58>.

9. Michael Multhaup et al., *The Science Behind 23andMe's Type 2 Diabetes Report*, 2019. Disponível em: <https://permalinks.23andme.com/pdf/23_19-Type2Diabetes_March2019.pdf>. Acesso em: 30 ago. 2021.

10. Michael E. J. Lean et al., "Primary Care-Led Weight Management for Remission of Type 2 Diabetes (DiRECT, p. an Open-Label, Cluster-Randomised Trial". In: *The Lancet*, v. 391, n. 10120, pp. 541-51, 2018. Disponível em: <https://pubmed.ncbi.nlm.nih.gov/29221645/>.

DICA 3: PARE DE CONTAR CALORIAS [pp. 122-34]

1. Robert H. Lustig et al., "Isocaloric Fructose Restriction and Metabolic Improvement in Children with Obesity and Metabolic Syndrome". In: *Obesity*, v. 24, n. 2, pp. 453-60, 2016. Disponível em: <https://onlinelibrary.wiley.com/doi/full/10.1002/oby.21371>.

2. Laura R. Saslow et al., "Twelve-Month Outcomes of a Randomized Trial of a Moderate--Carbohydrate Versus Very Low-Carbohydrate Diet in Overweight Adults with Type 2 Diabetes Mellitus or Prediabetes". In: *Nutrition & Diabetes*, v. 7, n. 12, pp. 1-6, 2017. Disponível em: <https://www.nature.com/articles/s41387-017-0006-9>.

3. Ibid.

4. Natasha Wiebe et al., "Temporal Associations Among Body Mass Index, Fasting Insulin, and Systemic Inflammation: A Systematic Review and Meta-Analysis". In: *JAMA Network Open*, v. 4, n. 3, p. e211263, 2021. Disponível em: <https://jamanetwork.com/journals/jamanetworkopen/fullarticle/2777423>.

5. Tian Hu et al., "Adherence to Low Carbohydrate and Low Fat Diets in Relation to Weight Loss and Cardiovascular Risk Factors". In: *Obesity Science & Practice*, v. 2, n. 1, pp. 24-31, 2016. Disponível em: <https://onlinelibrary.wiley.com/doi/full/10.1002/osp4.23>.

6. Hanne Mumm et al., "Prevalence and Possible Mechanisms of Reactive Hypoglycemia in Polycystic Ovary Syndrome". In: *Human Reproduction*, v. 31, n. 5, pp. 1105-12, 2016. Disponível em: <https://pubmed.ncbi.nlm.nih.gov/27008892/>.

7. Gita Shafiee et al., "The Importance of Hypoglycemia in Diabetic Patients". In: *Journal of Diabetes & Metabolic Disorders*, v. 11, n. 1, pp. 1-7, 2012. Disponível em: <https://link.springer.com/article/10.1186/2251-6581-11-17>.

8. Patrick Wyatt et al., "Postprandial Glycaemic Dips Predict Appetite and Energy Intake in Healthy Individuals". In: *Nature Metabolism*, v. 3, n. 4, pp. 523-9, 2021. Disponível em: <https://www.nature.com/articles/s42255-021-00383-x>.

DICA 4: ACHATE SUA CURVA DO CAFÉ DA MANHÃ [pp. 135-54]

1. HALL, Heather Hall et al., "Glucotypes Reveal New Patterns of Glucose Dysregulation". In: *PLoS Biology*, v. 16, n. 7, p. e2005143, 2018. Disponível em: <https://pubmed.ncbi.nlm.nih.gov/30040822/>.

2. Relatório estatístico com base nos dados do Censo dos Estados Unidos e da Pesquisa Nacional do Consumidor Simmons (NHCS).

3. Nutritionix Grocery Database, *Honey Nut Cheerios, Cereal*, Nutritionix. Disponível em: <https://www.nutritionix.com/i/general-mills/honey-nut-cheerios-cereal/51d2fb6dcc9bff11158 0dc91>. Acesso em: 30 ago. 2021.

4. Relatório estatístico com base nos dados do Censo dos Estados Unidos e da Pesquisa Nacional do Consumidor Simmons (NHCS).

5. Kim J. Shimy et al., "Effects of Dietary Carbohydrate Content on Circulating Metabolic Fuel Availability in the Postprandial State". In: *Journal of the Endocrine Society*, v. 4, n. 7, p. bvaa062, 2020. Disponível em: <https://academic.oup.com/jes/article/4/7/bvaa062/5846215>.

6. Paula Chandler-Laney et al., "Return of Hunger Following a Relatively High Carbohydrate Breakfast Is Associated with Earlier Recorded Glucose Peak and Nadir". In: *Appetite*, v. 80, pp. 236-41, 2014. Disponível em: <https://www.sciencedirect.com/science/article/abs/pii/S0195666314002049>.

7. Courtney R. Chang et al., "Restricting Carbohydrates at Breakfast Is Sufficient to Reduce 24-Hour Exposure to Postprandial Hyperglycemia and Improve Glycemic Variability". In: *The American Journal of Clinical Nutrition*, v. 109, n. 5, pp. 1302-9, 2019. Disponível em: <https://academic.oup.com/ajcn/article/109/5/1302/5435774?login=true>.

8. Ibid.

9. Adee Braun, "Misunderstanding Orange Juice as a Health Drink". In: *The Atlantic*, 2014. Disponível em: <https://www.theatlantic.com/health/archive/2014/02/misunderstanding-orange-juice-as-a-health-drink/283579/>.

10. KeXue Zhu et al., "Effect of Ultrafine Grinding on Hydration and Antioxidant Properties of Wheat Bran Dietary Fiber". In: *Food Research International*, v. 43, n. 4, pp. 943-8, 2010. Disponível em: <https://www.sciencedirect.com/science/article/abs/pii/S0963996910000232>.

11. Departamento de Agricultura dos Estados Unidos, *Tropicana Pure Premium Antioxidant Advantage No Pulp Orange Juice 59 Fluid Ounce Plastic Bottle*. FoodData Central, 2019. Disponível em: <https://fdc.nal.usda.gov/fdc-app.html#/food-details/762958/nutrients>. Acesso em: 30 ago. 2021.

12. Departamento de Agricultura dos Estados Unidos, *Oranges, raw, navels*. FoodData Central, 2019. Disponível em: <https://fdc.nal.usda.gov/fdc-app.html#/food-details/746771/nutrients>. Acesso em: 30 ago. 2021

13. Departamento de Agricultura dos Estados Unidos, *Coca-Cola Life Can, 12 fl oz*. FoodData Central, 2019. Disponível em: <https://fdc.nal.usda.gov/fdc-app.html#/food-details/771674/nutrients>. Acesso em: 30 ago. 2021.

14. Associação Americana do Coração, *Added Sugars*, Heart. Disponível em: <https://www.heart.org/en/healthy-living/healthy-eating/eat-smart/sugar/added-sugars>. Acesso em: 30 ago. 2021.

15. Rachel Galioto et al., "The Effects of Breakfast and Breakfast Composition on Cognition in Adults". In: *Advances in nutrition*, v. 7, n. 3, pp. 576S-89S, 2016. Disponível em: <https://academic.oup.com/advances/article/7/3/576S/4558060>.

16. Martha Nydia Ballesteros et al., "One Egg Per Day Improves Inflammation When Compared to an Oatmeal-Based Breakfast without Increasing Other Cardiometabolic Risk Factors in Diabetic Patients". In: *Nutrients*, v. 7, n. 5, p. 3449-63, 2015. Disponível em: <https://www.mdpi.com/2072-6643/7/5/3449>.

DICA 5: COMA O AÇÚCAR QUE PREFERIR – SÃO TODOS IGUAIS [pp. 155-66]

1. Departamento de Ciência e Tecnologia da República das Filipinas, *Glycemic Index of Coco Sugar*". Internet Archive. Disponível em: <https://web.archive.org/web/20131208042347/http://www.pca.da.gov.ph/pdf/glycemic.pdf>. Acesso em: 30 ago. 2021.

2. University of Sydney Glycemic Index Research Service, *Glycemic Index of Coconut Sugar*, Glycemic Index. Disponível em: <https://glycemicindex.com/foodSearch.php?num=2659&ak=detail>. Acesso em: 30 ago. 2021.

3. Robert H Lustig, "Fructose: It's 'Alcohol without the Buzz'". In: *Advances in Nutrition*, v. 4, n. 2, pp. 226-35, 2013. Disponível em: <https://www.ncbi.nlm.nih.gov/pmc/articles/PMC3649103/>.

4. Há 5,15 mg/kg de antioxidantes flavonoides no mel multifloral. Uma colher de chá tem quatro gramas. Isso dá 0,02 mg de flavonoides por colher de chá de mel. Goran Šarić et al., "The Changes of Flavonoids in Honey During Storage". In: *Processes*, v. 8, n. 8, p. 943, 2020. Disponível em: <https://www.mdpi.com/2227-9717/8/8/943/pdf>. Uma porção de cem gramas de mirtilo contém, em média, 4 mg de flavonoides. Um mirtilo pesa aproximadamente um grama. Isso dá 0,04 mg por mirtilo. Sonia de Pascual-Teresa et al., "Flavanols and Anthocyanins in Cardiovascular Health: A Aeview of Current Evidence". In: *International Journal of Molecular Sciences*, v. 11, n. 4, pp. 1679-703, 2010. Disponível em: <https://www.researchgate.net/publication/44609005_Flavanols_and_Anthocyanins_in_Cardiovascular_Health_A_Review_of_Current_Evidence>.

5. A. Madjd et al., "Effects of Replacing Diet Beverages with Water on Weight Loss and Weight Maintenance: 18-Month Follow-up, Randomized Clinical Trial". In: *International Journal of Obesity*, v. 42, n. 4, pp. 835-40, 2018. Disponível em: <https://www.nature.com/articles/ijo2017306>.

6. J. E. Blundell et al., "Paradoxical Effects of an Intense Sweetener (Aspartame) on Appetite". In: *The Lancet (USA)*, 1986. Disponível em: <https://agris.fao.org/agris-search/search.do?recordID=US8731275>.

7. Susan E. Swithers et al., "A Role for Sweet Taste: Calorie Predictive Relations in Energy Regulation by Rats". In: *Behavioral Neuroscience*, v. 122, n. 1, p. 161, 2008. Disponível em: <https://psycnet.apa.org/doiLanding?doi=10.1037%2F0735-7044.122.1.161>.

8. Francisco Javier Ruiz-Ojeda et al., "Effects of Sweeteners on the Gut Microbiota: A Review of Experimental Studies and Clinical Trials". In: *Advances in Nutrition*, v. 10, n. suppl_1, pp. S31-48, 2019. Disponível em: <https://www.ncbi.nlm.nih.gov/pmc/articles/PMC6363527/>.

9. Stephen D. Anton et al., "Effects of Stevia, Aspartame, and Sucrose on Food Intake, Satiety, and Postprandial Glucose and Insulin Levels". In: *Appetite*, v. 55, n. 1, pp. 37-43, 2010. Disponível em: <https://www.sciencedirect.com/science/article/abs/pii/S0195666310000826>.

DICA 6: EM VEZ DE LANCHES DOCES, COMA SOBREMESA [pp. 167-73]

1. Louis Monnier et al., "Target for Glycemic Control: Concentrating on Glucose". In: *Diabetes Care*, v. 32, suppl 2, pp. S199-204, 2009. Disponível em: <https://www.ncbi.nlm.nih.gov/pmc/articles/PMC2811454/>.

2. Maarten R. Soeters, "Food Intake Sequence Modulates Postprandial Glycemia". In: *Clinical Nutrition*, v. 39, n. 8, p. 2335-6, 2020. Disponível em: <https://www.clinicalnutritionjournal.com/article/S0261-5614(20)30299-5/abstract>.

3. Nagham Jafar et al., "The Effect of Short-Term Hyperglycemia on the Innate Immune System". In: *The American Journal of the Medical Sciences*, v. 351, n. 2, pp. 201-11, 2016. Disponível em: <https://www.amjmedsci.org/article/S0002-9629(15)00027-0/fulltext>.

4. Amber M. Milan et al., "Comparisons of the Postprandial Inflammatory and Endotoxaemic Responses to Mixed Meals in Young and Older Individuals: A Randomised Trial". In: *Nutrients*, v. 9, n. 4, p. 354, 2017. Disponível em: <https://www.ncbi.nlm.nih.gov/pmc/articles/PMC5409693/>.

5. Barry M. Popkin et al., "Does Hunger and Satiety Drive Eating Anymore? Increasing Eating Occasions and Decreasing Time Between Eating Occasions in the United States". In: *The American Journal of Clinical Nutrition*, v. 91, n. 5, pp. 1342-7, 2010. Disponível em: <https://academic.oup.com/ajcn/article/91/5/1342/4597335?login=true>.

6. Ibid.

7. M. Ribeiro et al., "Insulin Decreases Autophagy and Leads to Cartilage Degradation". In: *Osteoarthritis and Cartilage*, v. 24, n. 4, pp. 731-9, 2016. Disponível em: <https://www.sciencedirect.com/science/article/pii/S1063458415013709#>.

8. Giulia Enders, *Gut: The Inside Story of Our Body's Most Underrated Organ* (edição revista). Greystone Books Ltd., 2018.

9. Hana Kahleova et al., "Eating Two Larger Meals a Day (Breakfast and Lunch) Is More Effective Than Six Smaller Meals in a Reduced-Energy Regimen for Patients with Type 2 Diabetes: A Randomised Crossover Study". In: *Diabetologia*, v. 57, n. 8, pp. 1552-60, 2014. Disponível em: <https://link.springer.com/article/10.1007/s00125-014-3253-5>.

10. Leonie K. Heilbronn et al., "Glucose Tolerance and Skeletal Muscle Gene Expression in Response to Alternate Day Fasting". In: *Obesity Research*, v. 13, n. 3, pp. 574-81, 2005. Disponível em: <https://pubmed.ncbi.nlm.nih.gov/15833943/>.

11. Rima Solianik et al., "Two-Day Fasting Evokes Stress, But Does Not Affect Mood, Brain Activity, Cognitive, Psychomotor, and Motor Performance in Overweight Women". In: *Behavioural Brain Research*, v. 338, pp. 166-72, 2018. Disponível em: <https://pubmed.ncbi.nlm.nih.gov/29097329/>.

DICA 7: USE O VINAGRE ANTES DE COMER [pp. 174-85]

1. Tomoo Kondo et al., "Vinegar Intake Reduces Body Weight, Body Fat Mass, and Serum Triglyceride Levels in Obese Japanese Subjects". In: *Bioscience, Biotechnology, and Biochemistry*, v. 73, n. 8, pp. 1837-43, 2009. Disponível em: <https://www.tandfonline.com/doi/pdf/10.1271/bbb.90231>.

2. Heitor O. Santos et al., "Vinegar (Acetic Acid) Intake on Glucose Metabolism: A Narrative Review". In: *Clinical Nutrition ESPEN*, v. 32, pp. 1-7, 2019. Disponível em: <https://www.

researchgate.net/publication/333526775_Vinegar_acetic_acid_intake_on_glucose_metabolism_A_narrative_review>.

3. Solaleh Sadat Khezri et al., "Beneficial Effects of Apple Cider Vinegar on Weight Management, Visceral Adiposity Index and lipid Profile in Overweight or Obese Subjects Receiving Restricted Calorie Diet: A Randomized Clinical Trial". In: *Journal of Functional Foods*, v. 43, pp. 95-102, 2018. Disponível em: <https://www.sciencedirect.com/science/article/abs/pii/S1756464618300483>.

4. Santos, op. cit.

5. Farideh Shishehbor et al., "Vinegar Consumption Can Attenuate Postprandial Glucose and Insulin Responses; a Systematic Review and Meta-Analysis of Clinical Trials". In: *Diabetes Research and Clinical Practice*, v. 127, pp. 1-9, 2017. Disponível em: <https://www.researchgate.net/publication/314200733_Vinegar_consumption_can_attenuate_postprandial_glucose_and_insulin_responses_a_systematic_review_and_meta-analysis_of_clinical_trials>.

6. Santos, op. cit.

7. Di Wu et al., "Intake of Vinegar Beverage Is Associated with Restoration of Ovulatory Function in Women with Polycystic Ovary Syndrome". In: *The Tohoku Journal of Experimental Medicine*, v. 230, n. 1, pp. 17-23, 2013. Disponível em: <https://www.jstage.jst.go.jp/article/tjem/230/1/230_17/_article/-char/ja/>.

8. Panayota Mitrou et al., "Vinegar Consumption Increases Insulin-Stimulated Glucose Uptake by the Forearm Muscle in Humans with Type 2 Diabetes". In: *Journal of Diabetes Research*, 2015. Disponível em: <https://www.hindawi.com/journals/jdr/2015/175204/>.

9. Santos, op. cit.

10. Ibid.

11. Ibid.

12. Östman, Elin et al. "Vinegar Supplementation Lowers Glucose and Insulin Responses and Increases Satiety After a Bread Meal in Healthy Subjects". In: *European Journal of Clinical Nutrition*, v. 59, n. 9, pp. 983-8, 2005. Disponível em: <https://www.nature.com/articles/1602197/>.

13. F. Brighenti et al., "Effect of Neutralized and Native Vinegar on Blood Glucose and Acetate Responses to a Mixed Meal in Healthy Subjects". In: *European Journal of Clinical Nutrition*, v. 49, n. 4, pp. 242-7, 1995. Disponível em: <https://pubmed.ncbi.nlm.nih.gov/7796781/>.

14. Stavros Liatis et al., "Vinegar Reduces Postprandial Hyperglycaemia in Patients with Type II Diabetes When Added to a High, But Not to a Low, Glycaemic Index Meal". *European Journal of Clinical Nutrition*, v. 64, n. 7, pp. 727-32, 2010. Disponível em: <https://www.nature.com/articles/ejcn201089>.

15. Santos, op. cit..

16. Ibid.

17. Ibid.

18. Kondo, op. cit.

19. Carol S. Johnston et al., "Examination of the Antiglycemic Properties of Vinegar in Healthy Adults". In: *Annals of Nutrition and Metabolism*, v. 56, n. 1, pp. 74-9, 2010. Disponível em: <https://www.karger.com/Article/Abstract/272133>.

20. Carol S. Johnston et al., "Preliminary Evidence That Regular Vinegar Ingestion Favorably Influences Hemoglobin A1c Values in Individuals with Type 2 Diabetes Mellitus". In: *Diabetes Research and Clinical Practice*, v. 84, n. 2, pp. e15-7, 2009. Disponível em: <https://www.sciencedirect.com/science/article/abs/pii/S0168822709000813>.

DICA 8: DEPOIS DE COMER, MEXA-SE [pp. 186-94]

1. Erik A. Richter et al., "Exercise, GLUT4, and Skeletal Muscle Glucose Uptake". In: *Physiological Reviews*, 2013. Disponível em: ‹https://journals.physiology.org/doi/full/10.1152/physrev.00038.2012?view=long&pmid=23899560›.

2. Julien S. Baker et al., "Interaction Among Skeletal Muscle Metabolic Energy Systems During Intense Exercise". In: *Journal of Nutrition and Metabolism*, 2010. Disponível em: ‹https://www.hindawi.com/journals/jnme/2010/905612/›.

3. Andrew Borror et al., "The Effects of Postprandial Exercise on Glucose Control in Individuals with Type 2 Diabetes: A Systematic Review". In: *Sports Medicine*, v. 48, n. 6, pp. 1479-91, 2018. Disponível em: ‹https://link.springer.com/article/10.1007/s40279-018-0864-x›.

4. G. Messina et al., "Exercise Causes Muscle GLUT4 Translocation in an Insulin". *Biol Med*, v. 1, pp. 1-4, 2015. Disponível em: ‹https://www.researchgate.net/profile/Fiorenzo_Moscatelli/publication/281774994_Exercise_Causes_Muscle_GLUT4_Translocation_in_an_Insulin--Independent_Manner/links/55f7e0ee08aec948c474b805/Exercise-Causes-Muscle-GLUT4--Translocation-in-an-Insulin-Independent-Manner.pdf›.

5. Stephney Whillier, "Exercise and Insulin Resistance". In: *Advances in Experimental Medicine & Biology*, v. 1228, pp. 137-50, 2020. Disponível em: ‹https://link.springer.com/chapter/10.1007/978-981-15-1792-1_9›.

6. Jason M. R. Gill, "Moderate Exercise and Post-Prandial Metabolism: Issues of Dose-Response". In: *Journal of Sports Sciences*, v. 20, n. 12, pp. 961-67, 2002. Disponível em: ‹https://shapeamerica.tandfonline.com/doi/abs/10.1080/026404102321011715›.

7. Sheri R. Colberg et al., "Postprandial Walking Is Better for Lowering the Glycemic Effect of Dinner Than Pre-Dinner Exercise in Type 2 Diabetic Individuals". In: *Journal of the American Medical Directors Association*, v. 10, n. 6, pp. 394-7, 2009. Disponível em: ‹https://www.sciencedirect.com/science/article/abs/pii/S152586100900111X›.

8. Timothy D. Heden, "Postdinner Resistance Exercise Improves Postprandial Risk Factors More Effectively Than Predinner Resistance Exercise in Patients with Type 2 Diabetes". In: *Journal of Applied Physiology*, v. 118, n. 5, pp. 624-34, 2015. Disponível em: ‹https://journals.physiology.org/doi/full/10.1152/japplphysiol.00917.2014›.

9. Ibid.

10. Sechang Oh et al., "Exercise Reduces Inflammation and Oxidative Stress in Obesity-Related Liver Diseases". In: *Medicine and Science in Sports and Exercise*, v. 45, n. 12, pp. 2214-22, 2013. Disponível em: ‹https://pubmed.ncbi.nlm.nih.gov/23698242/›.

11. Andrew N. Reynolds et al., "Advice to Walk After Meals Is More Effective for Lowering Postprandial Glycaemia in Type 2 Diabetes Mellitus Than Advice That Does Not Specify Timing: A Randomised Crossover Study". *Diabetologia*, v. 59, n. 12, 2016, pp. 2572-8, ‹https://link.springer.com/article/10.1007/s00125-016-4085-2›.

12. Sataro Goto et al., "Hormetic Effects of Regular Exercise in Aging: Correlation with Oxidative Stress". In: *Applied Physiology, Nutrition, and Metabolism*, v. 32, n. 5, pp. 948-53, 2007. Disponível em: ‹https://cdnsciencepub.com/doi/abs/10.1139/H07-092›.

DICA 9: SE FIZER UMA BOQUINHA, EVITE O DOCE [pp. 195-200]

1. Daphne Simeon et al., "Feeling Unreal: A PET Study of Depersonalization Disorder". In: *American Journal of Psychiatry*, v. 157, n. 11, pp. 1782-8, 2000. Disponível em: <https://ajp.psychiatryonline.org/doi/full/10.1176/appi.ajp.157.11.1782>.

2. Kara L. Breymeyer et al., "Subjective Mood and Energy Levels of Healthy Weight and Overweight/Obese Healthy Adults on High-and Low-Glycemic Load Experimental Diets". In: *Appetite*, v. 107, pp. 253-9, 2016. Disponível em: <https://pubmed.ncbi.nlm.nih.gov/27507131/>.

3. Rachel A. Cheatham et al., "Long-Term Effects of Provided Low and High Glycemic Load Low Energy Diets on Mood and Cognition". In: *Physiology & Behavior*, v. 98, n. 3, pp. 374-9, 2009. Disponível em: <https://pubmed.ncbi.nlm.nih.gov/19576915/>.

4. Breymeyer, op. cit.

5. Sue Penckofer et al., "Does Glycemic Variability Impact Mood and Quality of Life?". *Diabetes Technology & Therapeutics*, v. 14, n. 4, pp. 303-10, 2012. Disponível em: <https://www.ncbi.nlm.nih.gov/pmc/articles/PMC3317401/>.

6. Kim J. Shimy et al., "Effects of Dietary Carbohydrate Content on Circulating Metabolic Fuel Availability in the Postprandial State". In: *Journal of the Endocrine Society*, v. 4, n. 7, p. bvaa062, 2020. Disponível em: <https://academic.oup.com/jes/article/4/7/bvaa062/5846215>.

DICA 10: "VISTA" SEUS CARBOIDRATOS [pp. 201-15]

1. Lorenzo Nesti et al., "Impact of Nutrient Type and Sequence on Glucose Tolerance: Physiological Insights and Therapeutic Implications". *Frontiers in Endocrinology*, v. 10, p. 144, 2019. Disponível em: <https://www.frontiersin.org/articles/10.3389/fendo.2019.00144/full#B58>.

2. Lesley N. Lilly et al., "The Effect of Added Peanut Butter on the Glycemic Response to a High-Glycemic Index Meal: A Pilot Study". In: *Journal of the American College of Nutrition*, v. 38, n. 4, pp. 351-7, 2019. Disponível em: <https://pubmed.ncbi.nlm.nih.gov/30395790/>.

3. David J. A. Jenkins et al., "Almonds Decrease Postprandial Glycemia, Insulinemia, and Oxidative Damage in Healthy Individuals". In: *The Journal of Nutrition*, v. 136, n. 12, pp. 2987-92, 2006. Disponível em: <https://academic.oup.com/jn/article/136/12/2987/4663963>.

4. Nesti, op. cit.

5. Diana Gentilcore et al., "Effects of Fat on Gastric Emptying of and the Glycemic, Insulin, and Incretin Responses to a Carbohydrate Meal in Type 2 Diabetes". In: *The Journal of Clinical Endocrinology & Metabolism*, v. 91, n. 6, pp. 2062-7, 2006. Disponível em: <https://pubmed.ncbi.nlm.nih.gov/16537685/>.

6. Karen E. Foster-Schubert et al., "Acyl and Total Ghrelin Are Suppressed Strongly by Ingested Proteins, Weakly by Lipids, and Biphasically by Carbohydrates". In: *The Journal of Clinical Endocrinology & Metabolism*, v. 93, n. 5, pp. 1971-9, 2008. Disponível em: <https://www.ncbi.nlm.nih.gov/pmc/articles/PMC2386677/>.

7. Adaptado de Foster-Schubert, op. cit.

8. Sabrina Strang et al., "Impact of Nutrition on Social Decision Making". In: *Proceedings of the National Academy of Sciences*, v. 114, n. 25, pp. 6510-4, 2017. Disponível em: <https://www.pnas.org/content/114/25/6510/>.

9. Nesti, op. cit.

VOCÊ É ESPECIAL [pp. 230-2]

1. Sarah E. Berry et al., “Human Postprandial Responses to Food and Potential for Precision Nutrition”. In: *Nature Medicine*, v. 26, n. 6, pp. 964-73, 2020. Disponível em: <https://www.nature.com/articles/s41591-020-0934-0>.

2. Chanmo Park et al., “Glucose Metabolism Responds to Perceived Sugar Intake More Than Actual Sugar Intake”. In: *Scientific Reports*, v. 10, n. 1, pp. 1-8, 2020. Disponível em: <https://www.nature.com/articles/s41598-020-72501-w>.

Índice remissivo

1ª EDIÇÃO [2022] 10 reimpressões

ESTA OBRA FOI COMPOSTA PELA ABREU'S SYSTEM EM INES LIGHT E IMPRESSA EM OFSETE PELA GRÁFICA SANTA MARTA SOBRE PAPEL PÓLEN DA SUZANO S.A. PARA A EDITORA SCHWARCZ EM MARÇO DE 2025

A marca FSC® é a garantia de que a madeira utilizada na fabricação do papel deste livro provém de florestas que foram gerenciadas de maneira ambientalmente correta, socialmente justa e economicamente viável, além de outras fontes de origem controlada.